MOLIÈRE, HOMME DE THÉATRE

René Bray

Molière
homme de théâtre

Mercure de France

AVANT-PROPOS

> Ce qui vaut, ce n'est pas le *quoi*,
> mais le *comment*.
>
> OSCAR WILDE.

A l'énorme bibliographie moliéresque, l'auteur de cet ouvrage n'a pas craint d'ajouter un numéro. Il a pour excuse, sinon pour raison, de se voir arrivé au terme d'un effort de plus de vingt années, qui a été consacré à éditer fidèlement les Œuvres complètes de Molière dans le cadre d'une collection où voisinent les lettrés de l'Université et les autres. Ce commerce n'a pas manqué de lui faire apparaître la valeur inestimable de la critique moliéresque : il semble que dans les cent dernières années tout ait été dit sur le grand comique. Les moliéristes ont scruté tous les documents connus; ils ont analysé chaque vers et chaque ligne de prose; ils ont discuté toutes les interprétations possibles; ils ont émis les hypothèses les plus diverses. Convient-il d'ajouter quoi que ce soit à une telle littérature?

Cependant on peut craindre que le siècle d'intellectualisme dont nous nous dégageons peu à peu, très attentif à l'œuvre, à sa lettre et surtout à son contenu, ne l'ait par trop détachée de son origine réelle et vivante, n'ait par trop négligé de la saisir dans le contexte d'une activité qui l'explique. Plus ou moins consciemment, sous l'empire de préoccupations qui n'ont rien à faire avec le monde particulier de la scène, la plupart des critiques ont pris Molière pour un homme de lettres et l'ont traité comme tel. Or Molière n'a pas avec le théâtre le même rapport que peuvent entretenir Corneille,

Marivaux et Musset. Il est d'abord et il reste jusqu'au bout un comédien. Il n'est poète qu'en tant que comédien. Non pas homme de lettres, mais homme de théâtre. On nous excusera d'insister sur ce propos, que les uns taxeront de banalité et d'autres de paradoxe. Nous avons la faiblesse d'y tenir et c'est à le développer et à le justifier que nous avons destiné ce livre.

Notre ouvrage est donc d'abord de combat. Post-face *aux huit volumes d'une édition qui en a suggéré le dessein et imposé la composition, il vise au départ à montrer la nécessité d'abandonner les voies de la tradition, quelque fécond qu'ait été l'effort de ceux qui s'y sont engagés.*

Mais il doit vite dépasser le stade de la polémique. Dans un deuxième temps, nous retrouverons et nous utiliserons les travaux de nos devanciers. Reprenant l'étude de Molière comédien, nous ne nous vantons point d'amener au jour un texte ignoré, et moins encore d'être le premier à nous étendre sur ce sujet. Car, si c'est l'œuvre dramatique de notre poète qui a retenu principalement l'attention, nombre d'érudits, surtout à la fin du XIXe siècle, ont aussi fouillé les archives pour établir le récit circonstancié d'une vie déclarée par principe ou pittoresque ou pathétique, et ce n'est pas leur faute si le résultat de cette enquête reste fort maigre. Ces historiens n'ont pas manqué de restituer à l'occasion l'activité du comédien. Depuis Mesnard et Moland, il faudrait dire depuis La Grange, Grimarest et Mlle Poisson, nul n'ignore que l'auteur de Tartuffe *fut en même temps le directeur du théâtre du Palais-Royal et l'acteur qui tenait le rôle d'Orgon. Voici cinquante ans qu'un Danois « s'est attaché à faire voir ce que fut Molière comme directeur de troupe, metteur en scène, orateur, acteur comique, acteur tragique, créateur d'un système nouveau de déclamation ». Une thèse allemande, peu après, s'est attaquée au sujet de Molière als Schauspieldirektor. Léopold Lacour s'est occupé de Molière acteur. Henri Bidou, dans les colonnes des* Débats, *n'a pas dédaigné de s'intéresser à la carrière du comédien. Gustave Michaut ne pouvait pas ne pas y toucher dans ses études amples et sûres. Et on ne saurait omettre dans ce palmarès la grande histoire de la littérature dramatique classique de Lancaster, ni le récent ouvrage de Georges Mongrédien sur la* Vie privée de Molière. *Mais tous n'ont pas traité les documents avec les mêmes scrupules; quelques-uns* *se sont laissé entraîner dans des hypothèses aventureuses; peu ont discerné la complexité et la multiplicité des occupations qu'ils avaient à reconstituer : Il n'est peut-être pas inutile de donner un nouvel aperçu d'ensemble de l'activité fondamentale de Molière. Cet aperçu pourra présenter quelque originalité, non seulement dans la disposition, mais dans l'éclairage de certains faits. Il devra faire le départ précis entre ce qui est certitude et ce qui est probabilité, ou même possibilité.*

Cette mise au point servira enfin de base à quelque chose de plus nouveau. Après l'heure de l'histoire viendra celle de la critique, dont nous ne cachons pas qu'elle a notre prédilection. Un comédien devient poète, tout en restant comédien : croira-t-on que son activité de comédien ne conditionne pas son activité de poète? La plupart des moliéristes ne semblent pas s'être posé cette question. S'ils l'ont entrevue, ils l'ont oubliée aussitôt. Rares sont ceux qui y ont répondu dans le sens où pourtant nous forcent de pencher aussi bien la raison que l'expérience. Un Américain, H. Carrington Lancaster, et surtout, tout récemment, un Anglais, W. G. Moore, en ont mesuré la gravité et pesé les infinies conséquences. De son côté, un acteur de talent dont on ne saurait trop déplorer la disparition, Louis Jouvet, a affirmé avec sa véhémente autorité que Molière ne s'explique que placé dans le cercle familier où il a choisi de vivre.

C'est donc vraiment un nouveau Molière qu'a dessiné Jouvet et restitué Moore. Notre dessein rejoint le leur, et particulièrement celui du critique d'outre-Manche. Notre propre réflexion nous y a conduit dans le même temps où la sienne le guidait. Si nous ne croyons pas que la publication de son étude rende inutile la nôtre, ce n'est pas parce qu'il a écrit en anglais, mais parce que notre communauté d'inspiration ne laisse pas de ménager des différences sensibles entre nos moyens de démonstration, nos démarches et même entre certains de nos jugements. Des parties entières du livre de Moore n'ont pas de correspondance dans le nôtre, et inversement. Aucun chapitre de l'un ne se retrouve dans l'autre. Partis d'un sentiment identique, nous suivons, pour en établir la légitimité, des voies dissemblables.

Ce nouveau Molière va-t-il effacer l'ancien? Nous n'avons pas la présomption de croire qu'un livre puisse avoir pareil destin. Au reste ce serait injuste pour nos devanciers, dont certains ont été nos maîtres, dont beaucoup méritent notre respect, dont enfin il serait absurde de prétendre annuler l'effort méritoire et fructueux. Nous serons satisfait si, un jour ou l'autre, la critique tient enfin compte d'un point de vue auquel d'amples réflexions sur une œuvre aimée nous ont lentement et irrésistiblement amené, si l'on veut bien considérer dans le spectacle qui s'ouvre sur les pétulances de l'Étourdi et se clôt sur l'incident tragique du Malade imaginaire, non plus une création livresque fixée par l'écriture dans le secret d'un cabinet par un homme de lettres qui exprime par des mots sa vision du monde, mais un moment de l'activité multiple d'un homme de théâtre, indissolublement uni au reste d'une vie que le plateau supporte et qu'enferment la rampe et le décor.

Lausanne, novembre 1952.

Première partie

ORIENTATIONS

I

L'ŒUVRE ET LA VIE

L'œuvre et la vie. — Portrait de Molière. — Était-il taciturne? — Fut-il heureux? — Retour à la question. — La vie d'un comédien.

L'œuvre de Molière ne peut s'isoler de sa vie. C'est là un principe susceptible d'interprétations fort diverses et il n'est pas inutile de préciser dès le départ le sens dans lequel nous l'entendons. La critique lui a généralement attribué une valeur que nous repoussons absolument.

Abel Lefranc au début du siècle, Ramon Fernandez plus récemment, Pierre Brisson naguère, d'autres encore, ont prétendu dégager de l'analyse des comédies de Molière la connaissance de l'auteur, faire entendre dans la plainte d'Arnolphe celle du futur époux d'Armande, dans la profession de foi de Chrysale celle du bourgeois Poquelin. Hier encore, Mongrédien apercevait dans le traitement dédaigneux infligé par Célimène à Alceste l'image de ce qu'Armande aurait fait souffrir à celui qui avait eu la légèreté de lui donner son nom; la pièce lui apparaissait comme une vraie confession. Les Allemands appelaient cela le « subjectivisme » de Molière; c'était, avant 1914, une de leurs théories favorites.

Un critique récent, adoptant la démarche inverse, part de la vie pour expliquer l'œuvre, toute l'œuvre. Et par la vie, il entend lui aussi les événements d'ordre privé, ces événements qui d'ailleurs font de l'existence de Jean-Baptiste Poquelin une existence très semblable à celle de nombre de ses contemporains, dont aucun n'a écrit *Tartuffe*. Dans l'un comme dans l'autre cas, on affirme l'étroite liaison de l'œuvre littéraire et des événements composant la vie de l'auteur. Cette position nous paraît généralement intenable, et tout particulièrement inadmissible quand il s'agit d'un auteur dramatique, et d'un auteur dramatique qui est en même temps un acteur.

Certes il serait absurde de nier que tel ou tel des faits qui jalonnent une existence d'artiste, ont pu avoir quelque influence sur certaines des productions de cet artiste; mais il est non moins absurde de réduire l'expérience poétique à ce tissu ténu qui compose la trame de nos journées : oublie-t-on que l'expérience d'un écrivain, celle qu'il tire de la connaissance de soi, se multiplie par l'observation d'une humanité infiniment diverse, et davantage encore par l'imagination? Le domaine de l'art est l'imaginaire. La vie rêvée est beaucoup plus vaste que la vie vécue. Cela doit être affirmé d'abord.

Au reste, si l'œuvre sort de l'homme, Valéry nous a rappelé que l'histoire, avec les pauvres moyens d'investigation qu'elle applique au passé, ne peut atteindre cet homme que de place en place, comme ferait le soleil sur les sommets émergeant d'un massif embrumé, et que pour le reste, elle n'est que conjecture. Quelques dates émanées de pièces d'archives conservées par hasard, quelques faits établis par des témoignages qui ne concordent pas toujours, suffisent-ils à nous donner la connaissance de ce qu'était Molière, de son caractère, de ses sentiments, de ses opinions? Qui oserait l'affirmer?

*

« Il n'était ni trop gras ni trop maigre, dit de lui en 1740 une actrice, Mlle Poisson, qui, bien vieille, fait appel à ses souvenirs d'enfance pour répondre à un enquêteur. Il avait la taille plus grande que petite, le port noble, la jambe belle; il marchait gravement, avait l'air très sérieux, le nez gros, la bouche grande, les lèvres épaisses, le teint brun, les sourcils noirs et forts, et les divers mouvements qu'il leur donnait lui rendaient la physionomie entièrement comique. A l'égard de son caractère, il était doux, complaisant, généreux... »

Son camarade La Grange insiste sur ses qualités morales : « Il se fit remarquer pour un homme civil et honnête, ne se prévalant point de son mérite et de son crédit, s'accommodant à l'humeur de ceux avec qui il était obligé de vivre, ayant l'âme belle, libérale : en un mot, possédant et exerçant toutes les qualités d'un parfaitement honnête homme. »

Il venait de mourir quand Chapuzeau déjà le disait « généreux et bon ami, civil et honorable en toutes ses actions, modeste à recevoir les éloges qu'on lui donnait, savant sans vouloir le paraître, et d'une conversation si douce et si aisée que les premiers de la Cour et de la Ville étaient ravis de l'entretenir. »

Certes l'éloge est touchant. D'autres en confirment les traits. Mais cette honnêteté, cette humanité, cette générosité, cette facilité de commerce, allons-nous penser que c'est toute la nature de Molière? Ses amis ont dessiné sa figure avec piété : sans doute ils n'ont point menti; ont-ils dit tout ce qu'ils savaient? Ont-ils pu dire ce qu'ils ne savaient pas, ce qu'ils ne pouvaient savoir?

*

Il est instructif de s'arrêter sur un point particulier. Molière était-il taciturne? La Grange a dit de lui en 1682 : « Quoiqu'il fût très agréable en conversation lorsque les gens lui plaisaient, il ne parlait guère en compagnie, à moins qu'il ne se trouvât avec des personnes pour qui il eût une estime particulière; cela faisait dire à ceux qui ne le connaissaient pas qu'il était rêveur et mélancolique; mais s'il parlait peu, il parlait juste. »

Voilà un trait de caractère qui a frappé les contemporains. Donneau de Visé, dans *Zélinde*, nous présente le poète comme un observateur silencieux du spectacle que lui offre l'humanité. Boileau ou un autre a fait de lui un « contemplateur ». Dès qu'il monta sur la scène du Petit-Bourbon, on remarqua que ses plaisanteries ne laissaient pas d'être empreintes de sérieux.

Que ne tirera-t-on pas de ces témoignages? On le tiendra bientôt pour un misanthrope. Le satirique, dans sa vieillesse chagrine, lui attribuera le même dégoût des impertinences humaines dont il souffre et qui nourrit son génie. Grimarest l'identifiera à Alceste. Toute une interprétation du théâtre de Molière peut sortir de cette position initiale. Le *Misanthrope* et l'*Avare* en seront également assombris; la bouffonnerie de *George Dandin* paraîtra pleine d'amertume; une mélancolie quasi romantique se répandra sur des pièces dont les premiers spectateurs ont tous ressenti la vertu comique.

On voit les difficultés qui s'élèvent dès que l'on veut accéder à une connaissance précise de la personnalité du poète. Il parlait peu : était-ce propension naturelle à la tristesse? était-ce la réserve et la discrétion d'un homme qui pour accomplir son œuvre, devait plus écouter que parler?

*

Il n'est pas douteux qu'il souffrit de sa santé. Mais à partir de quelle date? Aucun témoignage ne nous l'apprend, et jusqu'à quel point sa vie morale en fut-elle altérée? Il faut là encore avouer notre ignorance.

On veut que son ménage n'ait pas été heureux. Ce n'est pas impossible et les apparences tendraient à le prouver. Mais même si l'on établit un jour qu'Armande lui fut infidèle, saura-t-on le ressentiment qu'il en éprouva? On ne peut raisonnablement retenir comme véridique la page insérée dans le vil pamphlet de la *Fameuse comédienne* sur les confidences qu'il aurait faites à Chapelle. Pierre Brisson y voit un témoignage émouvant sur son prétendu « désenchantement ». Ce n'est que du mauvais roman, dont on saisit fort bien d'ailleurs l'avantage qu'en tirait le détracteur de la veuve de Molière devenue la femme de Guérin. On avance que dans une troupe de comédiens la facilité des mœurs rend improbable la vertu d'Armande; ne peut-on dire aussi bien que pareil milieu atténue passablement l'importance de ce qu'un bourgeois appelle le cocuage et dont il redoute jusqu'à l'ombre?

L'auteur de l'*École des femmes* et de *Tartuffe* fut férocement attaqué; tout au long de sa carrière, malgré son succès, ou à cause de son succès, les ennemis ne lui manquèrent pas. Mais encore une fois, où voit-on qu'il en ait souffert? Est-il une de ses comédies où l'on décèle à coup sûr une amertume qui serait celle de l'auteur? *Le Malade imaginaire*, à la veille de sa mort, ne respire-t-il pas la même gaieté, le même esprit de joie et de santé morale que *Sganarelle* et les *Précieuses* à ses débuts?

★

Ainsi nous ne savons pas grand-chose de la vie de Molière et il est à présumer que nous n'en saurons jamais beaucoup plus. Même si les documents devenaient un jour abondants, ils resteraient probablement susceptibles d'interprétations variées. Et ils ne pourraient nous livrer que la part extérieure, commune et quasi machinale d'une personnalité qui se situe ailleurs, dans le secret de la création. Pierre Brisson l'a reconnu lui-même, malgré son penchant pour la théorie « subjectiviste » : « Aucune des comédies de Molière ne prenait l'aspect voulu d'une confidence. » Et Daniel Mornet proclame à bon droit que de la vie intime du poète rien ne passe dans son œuvre.

Thibaudet était moins affirmatif : selon lui, il faudrait faire deux parts dans cette carrière, séparer ce qui précède le *Misanthrope* de ce qui suit; il admettait qu'après 1666, Molière n'est plus dans son théâtre et il le voyait atteindre alors à une création impersonnelle vouée au plaisir du public; mais jusque-là il croyait possible d'établir une correspondance de la vie à l'œuvre, que d'ailleurs il n'a jamais réussi à dégager

pour les raisons que nous avons avancées plus haut et qui tiennent à la
nature des choses aussi bien qu'à l'indigence des documents.

Nous objectera-t-on l'*Impromptu de Versailles*? Dira-t-on que là tout
au moins, indiscutablement, Molière a confondu sa personne et son
rôle? Nous répondrons que justement l'homme paraît un instant pour
proclamer qu'il est absent de l'œuvre. Face à ses ennemis, Molière les
avertit qu'il leur abandonne ses pièces et son métier d'acteur, mais qu'il
leur interdit de toucher à sa personne. N'est-ce pas séparer rigoureuse-
ment la vie de l'œuvre?

*

La vie privée a peu à faire avec la création poétique. L'œuvre d'art
comporte une indétermination qui rend vaine la recherche des causes.
En d'autres termes, on peut croire que le génie comporte toujours une
certaine gratuité.

Mais n'est-ce pas contredire l'affirmation par laquelle nous ouvrions
ce chapitre? Nous disions que l'œuvre ne peut s'isoler de la vie et voici
que nous les écartons l'une de l'autre. C'est ici qu'il faut préciser ce que
nous entendons par la vie de Molière. Si c'était une existence comme les
autres, elle n'expliquerait à peu près rien, elle ne conditionnerait pas
grand-chose. A côté de la vie privée, il y a la vie professionnelle. Le
poète est un comédien. Si, au XVIIe siècle tout au moins, l'homme de
lettres, semblable à un héros de tragédie, vit une vie que les nécessités
banales n'altèrent pas dans sa profondeur créatrice, il n'en est pas de
même de celui qui fut Mascarille avant d'écrire l'*Étourdi* et qui resta
Sganarelle même quand il composait *Don Juan*. « Son activité professionnelle pénétra son existence entière », dit Pierre Brisson. Moland déjà
remarquait que chez lui la vie de théâtre avait presque totalement absorbé
l'autre. Or l'œuvre de Molière est une œuvre dramatique : un comédien
écrit des comédies. L'existence du comédien a sur leur composition des
répercussions que ne saurait avoir sa vie d'homme. Cette existence
comporte en effet des exigences qui suscitent, précipitent, ralentissent la
naissance des œuvres, qui déterminent même, conditionnent jusque
dans le détail leur forme et leur contenu. Cette existence est une expérience qui donne la connaissance des servitudes de la représentation et
facilite le passage de la conception à l'exécution. Molière homme privé
n'intéresse guère le critique; Molière le comédien est de son gibier; bien
plus, c'est son gibier de choix.

Nous irions volontiers jusqu'à dire que pour comprendre comment le

Misanthrope a été composé, il importe moins de savoir si son auteur était taciturne ou atrabilaire que de connaître le nombre et la qualité des actrices dont il disposait. Un auteur dramatique qui est un comédien est plus étroitement dirigé dans sa production par la technique de la représentation, qui lui est rendue familière par son existence de chaque jour, que par un caractère, devenu plastique, s'il ne l'était l'avance, sous l'action de la profession, ou par des idées, dont son génie comique ne lui permet pas de s'embarrasser. Mais voici qui nous entraîne vers un nouveau propos, lié d'ailleurs au précédent, sur lequel il n'importe pas moins de prendre position en tête de cet ouvrage.

II

MOLIÈRE PENSE-T-IL ?

Lieux communs. — Lucrèce. — Les amis libertins. — L'avis des contemporains. — La critique moderne. — Les raisonneurs. — Le rire. — Contradictions. — L'intention de Molière.

Faut-il préciser qu'il ne s'agit point d'exclure Molière du cercle des « êtres pensants », mais d'examiner si son œuvre exprime une pensée morale, philosophique ou religieuse, ou plutôt si elle a pour objet d'exprimer cette pensée?

« *Castigat ridendo mores* » : cette devise qu'imagina Santeul pour le farceur Dominique et qui figurait peut-être dans la décoration du théâtre que les Italiens partageaient avec Molière, semble imposer à la comédie un devoir moralisateur. Les théoriciens l'avaient dit de tous les genres : « *Poetae sunt morum doctores* », écrivait le savant Vossius dans ses *Institutions poétiques*. Le poète comique ne pouvait échapper à cette mission didactique : il était lui aussi chargé d'enseigner la morale. Horace, à défaut d'Aristote, lui prescrivait sa fonction sociale.

Quand Molière essaya de défendre *Tartuffe*, en 1664, contre la cabale, faite de dévots faux et vrais et de rivaux dissimulant leur hargne sous la piété, il mit en belle place, dans la supplique qu'il adressa à son royal protecteur, une protestation d'orthodoxie dont il espérait naïvement qu'elle pallierait ses hardiesses : « Le devoir de la comédie est de corriger les hommes en les divertissant », répétait-il en bon élève d'Horace et de Vossius. Il y revint dans la préface mise en tête de l'édition de la pièce. Il utilisa encore ce lieu commun dans quelques avis au lecteur ou épîtres dédicatoires. Mais qui ne le soupçonnera d'être intéressé quand il se couvre ainsi d'une mission qu'il ne penserait point à assumer s'il n'avait à se défendre contre les mortelles accusations sous lesquelles on veut le faire disparaître? Il se revêt d'une robe doctorale : ce n'est que pour faire respecter la liberté de sa bouffonnerie; il est fort éloigné de se prendre pour un docteur.

L'uniformité des formules qu'il emploie dans ces occasions atteste qu'il les emprunte sans y attacher sa réflexion. Ce ne sont que des mots qu'il croit utiles à prononcer. Une fois pourtant, il y met de la diversité; mais l'exemple est révélateur. Dans la comédie de l'*Amour médecin*, un trio burlesque chante et danse pour apaiser les troubles d'esprit dont Sganarelle suppose que sa fille souffre; la Comédie, le Ballet et la Musique clament à l'unisson :

> *Sans nous tous les hommes*
> *Deviendraient malsains;*
> *Et c'est nous qui sommes*
> *Leurs grands Médecins.*

Et la Comédie reprend :

> *Veut-on qu'on rabatte*
> *Par des moyens doux*
> *Les vapeurs de rate*
> *Qui vous minent tous?*
> *Qu'on laisse Hippocrate*
> *Et qu'on vienne à nous.*

La comédie guérit les méchantes humeurs comme elle fait des mœurs. Son rire est sain. Mais pour avoir cet effet, il lui suffit d'être comique. Elle n'a nul besoin de se faire magistrale et didactique. Momus se barbouille de lie pour rendre plaisante sa grimace; il ne fige point ses traits sous l'encombrant bonnet du pédant. Corneille, opposant Aristote à Horace, avait déjà, vingt ans plus tôt, protesté contre l'annexion du Parnasse au Pays latin et soutenu que l'art littéraire « n'a pour but que le divertissement ». Le comédien Molière ne pouvait être d'un autre avis.

★

On ne saurait donc se prévaloir de propos sans sincérité pour affirmer qu'il se sert du théâtre afin d'exprimer des idées morales ou philosophiques. Les défenseurs de cette thèse ont meilleur jeu à rappeler que le farceur du Petit-Bourbon occupait les rares loisirs dont il jouissait (sans doute cet heureux temps a-t-il plutôt trouvé place pendant les pérégrinations provinciales) à traduire en français une œuvre hautement philosophique et à laquelle ne saurait s'intéresser un simple bouffon, le *De rerum natura* de Lucrèce.

Le fait est attesté par l'abbé de Marolles en 1661. Selon l'abbé, Molière avait entrepris la transcription complète du poème. D'autres témoignages confirment celui-là, entre autres celui de Chapelain, particulièrement bien informé. Marolles affirme même avoir entendu dire quelques « stances » de cette traduction, le commencement du second livre. Quelques *stances ?* Molière aurait-il traduit ce poème didactique, non, comme le veut la règle, en alexandrins à rimes plates, mais en vers à rimes irrégulières, groupés en strophes, selon un type plus libre présageant les tentatives d'*Amphitryon* et de *Psyché ?* Ou faut-il donner à ce terme de *stances* le sens vague de morceaux de poème ? Quoi qu'il en soit, l'abbé fut satisfait et augura favorablement de l'entreprise. Si l'on en croit Brossette, le poète lut encore sa traduction vers 1664 devant Boileau et le duc de Vitry, chez Du Broussin.

Mais il ne l'acheva jamais. Comment en aurait-il trouvé le temps ? Il en utilisa des bribes pour nourrir un passage du *Misanthrope*. Selon Grimarest, un de ses domestiques se servit du manuscrit pour faire des papillotes à sa perruque et, de colère, le poète jeta le reste au feu. Tralage a reçu d'autres informations : il croit savoir que le manuscrit existait encore en 1682; si l'éditeur des Œuvres complètes écarta cette amorce de traduction, c'est qu'il y trouva un développement contre l'immortalité de l'âme trop empreint de libertinage pour ne pas nuire à la publication. Rien ne nous est parvenu de l'essai. Nous ne pouvons deviner ni son importance, ni sa valeur, ni ses tendances. Il prouve seulement que Molière s'est intéressé aux idées philosophiques. Le renseignement n'est pas négligeable.

On ne fera pas pour autant du poète un philosophe. La Grange nous le montre devenant « de fort bon humaniste encore plus grand philosophe » : Michaut, à juste titre, a interprété cette déclaration comme qualifiant la valeur des études de Molière et non sa culture ultérieure : ayant satisfait ses maîtres des classes d'*humanités,* le jeune Poquelin brilla encore davantage dans la classe de *philosophie.* La place qui revient à ces succès scolaires ne doit pas être exagérée : la philosophie à l'école, est-ce de la philosophie ?

*

Mongrédien a tenté par un autre biais d'établir non seulement que Molière cultivait les idées philosophiques, mais encore qu'il était attiré par le courant sceptique ou épicurien dont R. Pintard a montré la continuité dans la première moitié du siècle. Il a fait le recensement des amis du poète, des milieux que celui-ci a particulièrement fréquentés, et il y a trouvé en abondance des représentants plus ou moins attitrés de ces tendances idéologiques.

On ne retiendra pas (et Mongrédien ne retient pas) le prince de Conti, qui fut un libertin notoire avant de devenir un dévot exemplaire. La Grange en fait le camarade de collège du fils Poquelin. On a montré depuis longtemps qu'il était sur ce point mal informé. La différence d'âge entre les deux jeunes gens rend impossible une camaraderie qui au reste, de prince à tapissier, eût été peu intime.

A défaut de Conti, il faut placer auprès de Molière, dès sa jeunesse, des libertins incontestables, comme Chapelle et Bernier, qui ont été les élèves de Gassendi. Molière resta le familier du premier jusqu'à sa mort et il dut entretenir des relations épisodiques avec le second.

L'un de ses plus grands amis, ce fut encore Mignard. Ils se sont rencontrés probablement à Avignon en 1657, retrouvés à Paris en 1658 ou 1659 et leur intimité n'a pas diminué, semble-t-il, jusqu'à la disparition du poète. Mignard a laissé plusieurs portraits de son ami, entre autres celui où il le représente sous le costume de César, qui doit avoir été peint avant 1660, puisque le rôle a disparu du répertoire à cette date. Geneviève Béjart choisit le peintre comme témoin à son mariage en 1664 et sa sœur Madeleine le désigna comme son exécuteur testamentaire à sa mort en 1672. Molière enfin écrivit le poème sur la *Gloire du Val-de-Grâce* en 1668, au lendemain de l'*Avare*, dans une période d'intense activité, pour aider Mignard dans la lutte qu'il soutenait contre son rival Le Brun, protégé par Colbert et vanté par Perrault. Mais que savons-nous de sérieux sur les tendances philosophiques de Mignard? S'était-il posé la question de l'immortalité de l'âme?

En revanche, l'hôtel Le Vayer est bien un foyer d'incrédulité. La Mothe Le Vayer est l'un des représentants autorisés du libertinage érudit en 1660 et Molière a ses entrées chez lui. Ce n'est pas que les documents abondent sur cette fréquentation. Jusqu'à 1664, nous n'en avons aucune trace. A l'automne de cette année, le jeune abbé Le Vayer meurt; Molière adresse au père un sonnet de sympathie qui atteste sa liaison avec le disparu. Il fréquente également la nièce du philosophe, Honorée de Bussy, dont Émile Magne a conté l'histoire.

Mongrédien mentionne aussi Ninon de Lenclos, qui aurait dès 1664 présenté Molière à ses commensaux et lui aurait fait lire *Tartuffe*. Mme de la Sablière le recevait, et c'est une *gassendiste*. Du côté des hommes, il paraît encore lié avec des indévots dès son passage à Vienne sur le Rhône, en 1650, où il entre en relations avec Pierre Boissat; puis il rencontre d'Assoucy; les documents affirment son amitié avec Rohault. Enfin Boileau, le Boileau des premières Satires, que son ennemi Chapelain présente comme très engagé dans le libertinage, gravite autour de l'auteur de *Tartuffe*.

La liste est impressionnante : Chapelle, Bernier, Le Vayer, Ninon, d'Assoucy, Rohault, Boileau, cela compose un milieu assurément indépendant d'esprit, porté à s'affranchir du dogme et, plus généralement, de l'enseignement dispensé par l'Église et l'Université, tenté par le matérialisme et l'épicurisme.

Cependant la perspective ainsi tracée n'est pas sans artifice. Elle rapproche des événements que les années ont séparés et elle risque de donner à certains de ces faits une importance qu'ils n'ont pas eue. Si Molière a entretenu d'Assoucy pendant quelques semaines dans le Midi, s'ensuit-il qu'ils se soient fréquentés à Paris? Ninon l'a convié à lire *Tartuffe* chez elle : est-ce autre chose qu'une rencontre d'un soir? Boissat a estimé le jeune comédien qui vint le visiter dans sa retraite : que savons-nous des sentiments éprouvés par le comédien?

Et puis cette liste est incomplète. Molière fut l'ami de Chapelle et Chapelle était suspect de libertinage; mais n'était-il pas lié à des personnages plus orthodoxes? Notre connaissance de sa vie est trop partielle pour qu'on puisse être catégorique. Il fut invité à lire *Tartuffe* chez une janséniste (Mme de Longueville? Mme de Sablé?) aussi bien que chez Ninon. Quel était le degré de l'incrédulité de Boileau en 1667, quand il se faisait l'intermédiaire entre le poète son ami et le président de Lamoignon, dont il était déjà le familier et qui venait d'arrêter les représentations de l'*Imposteur* ?

Mongrédien ne cache pas que l'ami de Chapelle et de Le Vayer était bon chrétien malgré ses relations libertines. Il avait en 1672 tout au moins un confesseur attitré, M. Bernard, prêtre habitué en l'église Saint-Germain, qui lui avait administré les sacrements à Pâques. En 1665, il écrivait pour la confrérie des frères de la Charité des quatrains de piété à placer sous les estampes du graveur Chauveau. Quand il composa en 1668 le poème sur la *Gloire du Val-de-Grâce*, il y chanta avec ferveur les « admirables recluses » de la communauté enrichie par l'art de Mignard, leurs pensées détournées du monde, l'ardeur de leur charité, leur amour de la seule divine beauté. Déniera-t-on la sincérité à ces nobles accents? Ne savons-nous pas que la vieille camarade de Molière, Madeleine Béjart, manifesta à sa mort des sentiments dévots en fondant à perpétuité deux

messes de *requiem* par semaine à son bénéfice en l'église Saint-Paul et
une rente de cinq sous par jour pour cinq pauvres de la paroisse?

On peut douter dès lors que Molière ait épousé vraiment les idées de
ses amis libertins. On peut penser que si le problème philosophique ne
lui était pas étranger, puisqu'il avait entrepris de traduire Lucrèce, les
problèmes que lui posait chaque jour sa profession ne lui étaient pas
moins proches ni moins pressants.

*

Quoi qu'il en soit, ce n'est pas d'aujourd'hui ni d'hier que l'on attribue au théâtre de Molière une vertu et même une intention morale. En
1674, l'un de ses anciens camarades, le comédien Brécourt écrivit, pour
rendre hommage au disparu, une comédie de circonstance intitulée
l'*Ombre de Molière*, où comparaissait devant le tribunal infernal le poète,
entouré, à titre d'accusateurs ou de défenseurs, de quelques-uns des personnages dont il s'était gaussé. Cette comédie est présentée dans le prologue comme l'œuvre d'Oronte : « Il était dans son particulier, dit Oronte
de Molière, ce qu'il paraissait dans la morale de ses pièces, honnête,
judicieux, humain, franc, généreux; et même, malgré ce qu'en ont cru
quelques esprits mal faits, il tenait un si juste milieu dans de certaines
matières, qu'il s'éloignait aussi sagement de l'excès qu'il savait se garder d'une dangereuse médiocrité. » Voilà déjà les thèmes majeurs de la
critique moliéresque : la comédie de Molière comporte une morale, qui
est la morale d'un honnête homme, attaché au bon sens, ennemi des
outrances, porté à l'humanité et féru de franchise, donc un composé des
idées présentées par Cléante dans *Tartuffe*, Alceste et Philinte à la fois
dans le *Misanthrope*, Clitandre dans les *Femmes savantes*, et leurs pareils.

Si cette morale séduit Oronte, elle n'a pas le même attrait pour tous.
Les grands docteurs chrétiens du temps l'ont condamnée avec énergie.
On sait ce que Bossuet pensait de ces pièces « où, disait-il dans ses
Maximes sur la Comédie, la vertu et la piété sont toujours ridicules, la
corruption toujours excusée et toujours plaisante, et la pudeur toujours
offensée, ou toujours en crainte d'être violée par les derniers attentats,
je veux dire par les expressions les plus impudentes, à qui l'on ne donne
que les enveloppes les plus minces ». On connaît l'anathème qu'il lança
contre « le poète comédien qui, en jouant son *Malade imaginaire*... reçut
la dernière atteinte de la maladie dont il mourut peu d'heures après, et
passa des plaisanteries du théâtre, parmi lesquelles il rendit presque le
dernier soupir, au tribunal de celui qui dit : *Malheur à vous qui riez, car*

vous pleurerez ». Bourdaloue n'était pas plus indulgent. Tous ces docteurs graves auraient souscrit volontiers au jugement prononcé en 1686 par le janséniste Baillet : « M. de Molière est un des plus dangereux ennemis que le siècle ou le monde ait suscités à l'Église de Jésus-Christ, et il est d'autant plus redoutable qu'il fait encore après sa mort le même ravage dans le cœur de ses lecteurs qu'il avait fait de son vivant dans celui de ses spectateurs. »

Ainsi le débat s'engage immédiatement. Morale d'honnête homme? Apologie de principes antichrétiens? Nous voici bien embarrassé pour nous prononcer. Du moins nous ne pouvons plus nier, semble-t-il, que l'œuvre de Molière ait une portée morale.

Une portée morale? Il faut en convenir, à moins de récuser la perspicacité des témoins que nous citons. Mais Molière l'a-t-il voulue? Bossuet, lorsqu'il l'accusait de mettre en danger la religion, n'avait jamais assisté à la représentation d'une de ses comédies. Faut-il penser qu'il n'en avait lu aucune? Il était si éloigné de s'intéresser au théâtre qu'en évoquant la fin de Molière, il confondit le *Malade imaginaire* et le *Médecin par force*. Il avait le droit de dénoncer une œuvre qu'il estimait nocive; mais il n'avait aucune compétence pour se prononcer sur une intention qui lui échappait.

Un éloge comme celui de Brécourt souffre aussi bien d'être intéressé : un comédien défend son art par les arguments qui peuvent avoir de l'effet. On reproche à la comédie d'être immorale : il faut répondre en affirmant sa vertu morale. C'est ce que La Grange à son tour faisait en 1682, en plaidant pour la mémoire de son ami. Avouant que ses farces n'étaient que plaisantes, il proclamait que ses comédies avaient bien pour objet « d'obliger les hommes à se corriger de leurs défauts ».

L'œuvre de Molière n'a pas déclenché le débat ouvert entre les Bossuet et les Brécourt. La querelle du théâtre était engagée depuis longtemps. Toute pièce qui réussissait devait de ce fait encourir les foudres de l'Église : Bossuet s'en prend à la tragédie lyrique de Quinault et Lully comme à la comédie de Molière, et même à la tragédie de Corneille et de Racine. Sa diatribe ne peut donc pas prouver l'existence d'une intention morale dans l'*École des femmes* ou *Tartuffe*, mais seulement le succès de ces pièces, succès dont nous n'avions pas lieu de douter.

★

Les critiques modernes par contre, dégagés des préoccupations doctrinales qui vicient le jugement littéraire, ont lu et relu les textes incriminés. Beaucoup ont adopté une position catégorique. Brunetière par exemple n'hésitait pas à affirmer que « Molière avait son opinion à lui, persistante et tranchante, aisée à connaître, sur toutes les questions qu'il souleva ». Somme toute, le critique voyait dans le poète un autre lui-même, non moins dogmatique, mais rangé dans le parti adverse, celui du « naturalisme ». On parle encore de la « mission » de Molière : condamnant l'ascétisme qui fait violence à la nature, le poète donnerait la main à Rabelais d'un côté, à Voltaire de l'autre; il mènerait la guerre contre toutes les hypocrisies, celle des manières (les précieux), celle de l'esprit (les pédants), celle de l'amour (les séducteurs), celle de la religion (Tartuffe) et même celle de la générosité (Harpagon)! Il combattrait tout ce qui porte atteinte à nos qualités naturelles. Il proclamerait que chacun a droit au bonheur et que la nature seule mène à ce bonheur. Cette nature, c'est d'ailleurs aussi bien la société que l'individu; c'est la raison, guide éternel de notre comportement devant nous-même comme devant les autres.

Ce système a paru vite suspect et, s'il y a encore des disciples de Brunetière, ils ont perdu de leur autorité. Pourtant on ne saurait dire qu'il ne reste pas quelque trace de cette systématisation dans les interprétations les plus récentes de l'œuvre de Molière. Né à Paris, de famille marchande, Jean-Baptiste Poquelin est communément présenté comme un produit de l'esprit parisien et bourgeois. D. Mornet, reprenant les affirmations de Brécourt, l'identifierait volontiers avec Philinte, le faisant toute sagesse et sobriété, bon sens et parfaite raison : « Molière regarde la vie et il la peint avec fidélité. Sans doute, il la juge quand le même jugement s'impose à tous ceux qui ne cultivent pas le paradoxe. » Il prônerait le contrôle sévère des passions par la raison. Mis devant le problème de l'éducation des filles, il chercherait par tempérament un moyen terme entre les positions extrêmes des partisans de la tradition et de ceux du « féminisme »; il se jouerait également de Philaminte et de Chrysale et exprimerait son idéal dans Henriette. Il aurait ses idées à lui sur le mariage : « Là encore il constate, il souhaite... » dit D. Mornet. Il est l'adepte d'une morale et d'une religion « tempérée ». Plutôt tiède devant le dogme et les commandements de l'Église, il se rangerait dans le secteur de l'opinion qui s'oppose au *parti des saints;* il serait proche du scepticisme. « Il n'est pas douteux, écrit encore le critique, qu'il a, non pas prêché, mais suggéré une morale toute laïque, qui était au fond d'elle-même la contradiction de la morale chrétienne. »

Un autre historien, non moins récent, Mongrédien, verrait plutôt Molière prenant parti « pour les idées nouvelles ». Des idées moyennes aux idées nouvelles, il y a certes une différence; mais la position de base est la même.

Jacques Arnavon fait du poète comique un combattant de l'esprit : il renouvelle ainsi la thèse de Brunetière. Dans une étude sur *Don Juan*, il affirme que des *Précieuses* à *Tartuffe*, Molière a cherché pendant dix ans « à faire prévaloir ses idées ». Il avait des convictions « profondément enracinées »; il n'a pas craint la bataille; il en a même eu le goût; la vérité fut « sa passion dominante, au point de lui faire dépasser les limites de l'audace toutes les fois qu'il fallait la défendre... à la minute de sa mort, il trouva encore assez de force pour pousser un dernier cri de liberté ».

Le même critique, dans un ouvrage plus récent, *Morale de Molière*, est pourtant moins affirmatif. Là il concède que l'œuvre du poète ne comporte peut-être pas d'intentions morales, mais il s'en dégage une morale. Les idées qui la composent changent d'un siècle à l'autre; du moins l'œuvre ne cesse d'en suggérer. Arnavon serait même porté à rapprocher le tempérament de Molière de celui de La Bruyère : le tableau des caractères de courtisans que l'auteur de l'*Impromptu* se déclare capable de porter à la scène, lui semble le programme d'un moraliste authentique déguisé en homme de théâtre.

*

Mais, en admettant ces intentions, dont il faut bien marquer qu'elles restent hypothétiques, comment faire pour les découvrir? Ici se pose la fameuse question des *raisonneurs*. Selon G. Michaut, jamais Molière ne dissimule son opinion sur les problèmes qu'il traite et cette opinion est celle du bon sens. C'est celle de Gorgibus et de La Grange dans les *Précieuses*, d'Ariste dans l'*École des maris*, de Chrisalde dans l'*École des femmes*, de Cléante dans *Tartuffe*, d'Elvire, du Pauvre, de Don Carlos et de Don Louis dans *Don Juan*, de Filerin dans l'*Amour médecin*, de Philinte dans le *Misanthrope*, de Mme Jourdain dans le *Bourgeois gentilhomme*, d'Henriette et de Clitandre dans les *Femmes savantes*, de Béralde dans le *Malade imaginaire*, de Geronimo même dans le *Mariage forcé;* et si nous ne trouvons pas de porte-parole de l'auteur dans *George Dandin*, c'est que Dandin confesse lui-même son erreur.

Ces personnages plus ou moins épisodiques auraient pour fonction essentielle d'avertir le public de ce qu'il faut penser de la question débattue. Ariste est le type de ces sages; son nom marque son caractère et son rôle : il est *le meilleur*, celui dont il convient d'écouter la leçon. Sans doute sont-ils mêlés à l'action, tous, sauf Cléante : de La Grange à Béralde, ils ont part à l'intrigue; si Chrisalde est un peu en marge pendant quatre actes, il est nécessaire au dénouement. Seul Cléante, dans *Tartuffe*, est un pur raisonneur, un témoin de l'action, non un acteur. On le dit frère de l'un, oncle de l'autre : nul ne s'en aperçoit. On le présente comme homme d'esprit : il n'y paraît guère. C'est le sage, un truchement de l'esprit qui animait le chœur dans la tragédie grecque.

W. G. Moore se refuse à suivre Michaut : la raison d'être de ces personnages est, selon lui, d'ordre esthétique et non d'ordre moral. Ils assurent la symétrie dans la présentation comique. En face du ridicule, le poète place pour faire ressortir ce ridicule, son antithèse : Gorgibus devant Mascarille, Ariste devant Sganarelle, Chrisalde devant Arnolphe, Cléante devant Tartuffe et Orgon. Cléante ne nous renseigne pas sur la dévotion qui a la faveur de son créateur; sa piété humaine et traitable s'oppose à la bigoterie d'Orgon et à l'hypocrisie de Tartuffe.

On peut ajouter que plusieurs de ces personnages sont utiles à l'exposition de la situation et à la présentation des caractères. Ariste, dont on fait le type du *raisonneur*, n'est-il pas la meilleure pièce du système comique grâce auquel l'action s'engage sans retard à l'acte Ier de l'*École des maris*? Plus généralement conçoit-on le *Misanthrope* sans Philinte, le *Bourgeois gentilhomme* sans Mme Jourdain, les *Femmes savantes* sans Henriette et Clitandre? De quel droit transforme-t-on ces personnages en *raisonneurs*? Quel est leur privilège, sinon de faire entendre en effet la voix du bon sens, cette voix que l'on veut à toute force et gratuitement être celle de l'auteur? Il y a pétition de principe : on cherche à savoir ce que pense Molière; on n'admet pas qu'il ne dise pas ce qu'il pense; on ne peut supposer qu'il soutienne une opinion déraisonnable; on trouve dans certains rôles des opinions raisonnables, et on conclut que c'est là la philosophie du poète. Mais si Molière n'estimait pas qu'il est de l'essence d'une comédie de faire connaître les idées de l'auteur?

Il n'y a pas de *raisonneurs* dans le théâtre de Molière. Chaque personnage est exigé par sa fonction dramatique, non par une prétendue fonction morale inventée par la critique.

*

Aurait-on recours au rire pour désigner dans chaque pièce celui d'où se détourne la sympathie de l'auteur et, par suite, pour déceler ses idées, sa philosophie, sa conception de la vie?

Il y a longtemps qu'on a fait remarquer que le rire n'est pas le critère du bien et du mal : il peut être bienveillant tout comme malveillant.

L'absence de rire est parfois plus sévère que le rire. Tartuffe ne fait pas rire, Alceste nous met en joie : éprouverions-nous de l'amitié pour le premier et non pour le second? Nous sommes sensibles au ridicule du vieux Chrysale, mais nous l'aimons bien; en revanche les pères grotesques dont abuse la fourberie de Scapin ne peuvent faire naître en nous que l'hilarité.

*

Nous voici rejeté, faute d'un guide ou d'un critère, dans les contradictions et les incertitudes. Quel sens Molière veut-il donner à sa peinture des *Précieuses?* Pour Boileau, il a « diffamé » ces esprits renommés. La Grange déjà, dans la pièce, voit dans l'air précieux une sorte d'infection; mais son rôle exige qu'il parle ainsi. Si le clan Scudéry se sentit attaqué, la marquise de Rambouillet n'eut point la même impression, puisqu'en 1664 elle faisait jouer chez elle l'*École des maris* et l'*Impromptu.* Le poète aurait-il visé un secteur particulier de la préciosité? Celui des précieuses ridicules, ou plutôt, comme on l'infère du titre d'une comédie de Gilbert représentée au Petit-Bourbon en mai 1660, celui des *fausses précieuses,* en épargnant les *vraies précieuses?* ou celui des précieuses prudes, comme le veut Mornet? Sur quoi s'appuyer pour en décider. Gorgibus envoie à tous les diables les romans, vers, chansons, sonnets et sonnettes qui font les amusements pernicieux des oisifs : allons-nous le prendre au sérieux et croire que c'est Molière qui parle? Quelques mois plus tard, Sganarelle se couvre de ridicule en chantant la même chanson : il veut nous confiner dans la lecture des *Quatrains* de Pibrac, des *Tablettes* du conseiller Mathieu et de la *Guide des Pécheurs!* Ne voit-on pas que Gorgibus s'exprime selon son caractère et Sganarelle selon le sien, et que Molière est à la fois dans l'un et dans l'autre en tant que poète, mais aussi peu dans l'un que dans l'autre en tant qu'homme?

Nous avons avancé autrefois qu'il y avait quelque élément autobiographique dans l'*École des maris* : c'était pour tâcher d'identifier l'expérience morale qui soutient aussi bien le personnage de Sganarelle que celui d'Ariste. Nous sommes allés jusqu'à adopter le terme de « pièce à thèse » : nous ne le ferions plus. Ariste expose des idées sages; qui nous dit que Molière prend parti pour cette sagesse? Nous ne croyons pas davantage que l'*École des femmes* suggère, comme le veut Mornet, « une philosophie de l'amour et du mariage et, à travers l'amour et le mariage, une philosophie ou du moins une sagesse de la vie ».

Ce sont les ennemis de Molière qui ont accrédité ces opinions. Pour

démolir une réputation gênante, ils ont lancé contre lui l'accusation d'irréligion, et ce dès l'*École des femmes*; ils ont ameuté les « gens de bien »;
ils ont voulu faire voir dans *Tartuffe* une dérision de la religion sous le
couvert d'une satire de l'hypocrisie; ils ont crié à l'athéisme, quand
Molière montrait sur le théâtre un athée odieux. C'était confondre à
plaisir la comédie et le traité de morale ou même la satire. La comédie
n'est pas identique à la satire. Quand il peint Tartuffe ou Don Juan, le
poète, comme le fait remarquer W. G. Moore, cherche, non pas à ridi-
culiser un hypocrite ou un libertin, mais à en dégager la force comique.
La satire peut entrer dans la comédie comme un ornement; mais elle
est subordonnée aux exigences fondamentales de la création poétique.

Le cas de *Don Juan* est crucial. Rochemont eût voulu que le poète
suscitât « quelque acteur pour soutenir la cause de Dieu et défendre
sérieusement ses intérêts ». Poussant à l'absurde cette idée, un contra-
dicteur lui répondit : « Il fallait que l'on tînt une conférence sur le
théâtre, que chacun prît son parti et que l'Athée déduisît les raisons qu'il
avait de ne point croire en Dieu! » Il est facile de comprendre que cette
discussion sur la scène serait impie, que les spectateurs ne l'eussent pas
soufferte et qu'elle ressortissait de la seule Faculté de théologie. « Ce
n'est pas au théâtre à se mêler de prêcher l'Évangile », aurait dit Lamoignon à Molière venu le prier de laisser représenter *Tartuffe*. Lamoignon
n'avait pas tort sur ce point, mais bien de croire que Molière prêchait
quoi que ce soit.

Il représente, ce qui est tout autre. Il représente un athée, un faux
dévot, des précieuses, des femmes savantes, des médecins, des pédants,
des marquis, des bourgeois, pour les faire entrer dans le cercle enchanté
d'un monde imaginaire. Poète, il construit une fiction.

S'il était le moraliste que l'on croit, il aurait d'ailleurs exposé ses idées
avec plus de cohérence. Lancaster a relevé les contradictions que reflète
son théâtre, vu sous cet aspect. Le prétendu défenseur de la famille ne
nous montre qu'un couple d'époux unis, les Sotenville! Sur le droit
d'une fille à choisir son mari, la leçon qu'on pourrait dégager des
Précieuses est exactement opposée à celle de l'*École des femmes*. Ce bourgeois bourgeoisant n'épargne pas plus ses congénères que les marquis : Jourdain n'est pas plus flatté que Dorante. Cet apologiste du bon
sens déploie sa fantaisie dans l'*Étourdi*, *Amphitryon* et *Pourceaugnac*.
Brunetière affirmait que les opinions de Molière sont faciles à connaître :
voici deux siècles qu'on discute autour d'Alceste et de Philinte, de Chrisale
et de Philaminte, de Tartuffe, de Don Juan! Sortira-t-on jamais de ces
débats autrement qu'en rompant le cercle et qu'en renonçant à l'hypo-

thèse d'un Molière moraliste, du Molière prêcheur, que Rochemont accrédita pour abattre le nouveau démon?

R. Fernandez était contraint d'avouer qu'on peut écrire *Scapin* ou *Sganarelle* sans prétendre changer l'ordre du monde : il maintenait que ce n'est plus possible quand on compose *Tartuffe* et le *Misanthrope*. Plus modeste et mieux informé, Mongrédien abandonne l'entreprise, sauf à tenter de la reprendre par un moyen plus efficace et plus légitime : il reconnaît que les commentateurs du théâtre de Molière qui veulent à toute force y découvrir une philosophie poursuivent une chimère.

*

Abandonnant l'hypothèse d'un Molière combattant de la vérité, prêcheur de philosophie ou au moins moraliste, certains se sont établis sur une position de retraite. Ils n'ont pas renoncé à leur conception d'un théâtre d'idées; mais ces idées ne seraient plus que celles de tout le monde et non celles que l'auteur voudrait propager. Mornet affirme généralement que Molière juge, constate et souhaite : il admet ailleurs que si les contemporains ont trouvé un intérêt à ce théâtre, c'est qu'ils y prenaient conscience de leurs propres problèmes. Mongrédien qualifie le créateur de *Tartuffe* de « revuiste » de génie. Bénichou surtout a développé cette thèse.

« Le théâtre de Molière, écrit-il, est le miroir des idées moyennes de son temps. » Et encore : « Les contemporains n'ont si peu particularisé Molière que parce qu'entre eux et lui la sympathie était parfaite. » Le critique s'aperçoit que la question posée n'est pas exactement d'ordre idéologique ou moral : « Molière, dit-il, ne peut pas être un *penseur*, dans la mesure où il ne saurait être vraiment un partisan; et l'on bâtira toujours sur le vide quand on prétendra expliquer comme des déclarations de guerre ce qui ne veut être chez lui que la traduction, dans le langage souvent irresponsable du rire, des jugements déjà formés de ses auditeurs. Toute pensée chez Molière se présente avec une auréole d'approbation publique dont on ne peut la séparer sans la déformer à quelque degré. »

Moore l'a remarqué de son côté : le poète comique, de par sa fonction, est tenu de rester anonyme. Le rire qu'il déclenche ne permet pas l'originalité : il suppose la complicité. Le public est complice de l'auteur et l'auteur doit veiller à ne jamais rompre l'accord.

Nous arrivons ainsi à la seule position que l'on puisse tenir : l'intention de Molière, la pensée qui donne à son œuvre la force et l'unité, ce n'est pas une pensée de moraliste, c'est une intention d'artiste. Il y a dans ses comédies nombre d'idées, portant sur toutes sortes de questions qui se posaient devant son temps; mais ces idées ne sont pas contenues dans les seuls discours des prétendus *raisonneurs*. Elles ne sont pas l'apanage des personnages de bon sens : les ridicules, les fous, les passionnés, les maniaques, les vicieux ont aussi leurs idées. L'artiste qu'est Molière n'est pas plus proche des uns que des autres. Quand il compose, quand il donne l'essor à son imagination poétique, il est successivement Arnolphe et Agnès, il est Alceste et Philinte et il est Célimène, il est Don Juan et Sganarelle, Orgon et Tartuffe, Harpagon, Philaminte, Argan. Pour donner à ces êtres fictifs la vie qui les anime, il faut qu'il vive leur vie par l'imagination.

S'il lui arrive un jour d'oublier sa fonction d'artiste pour se laisser aller à émettre un jugement personnel, c'est qu'on l'attaque et qu'il doit se défendre. Le poète comique se mue alors en polémiste. Ce n'est plus l'auteur qui s'exprime, ou du moins il prend les ordres de l'acteur, et surtout du directeur de troupe, et il répète la leçon qui lui est dictée. La *Critique* et l'*Impromptu* ressortissent à cet égard d'une intention inhabituelle. Le rire y est une arme; la doctrine n'est plus du personnage, mais de celui qui tire les fils de la marionnette.

Peut-être faudrait-il aussi faire exception pour l'éloge du Roi au dénouement de *Tartuffe*. C'est encore le directeur qui parle : il exprime sa gratitude à celui qui a enfin permis une représentation tant attendue, qui a discerné la vraie nature d'un théâtre que des ennemis intéressés prétendaient diabolique.

Ce sont de rares moments dans une œuvre qui par ailleurs maintient une parfaite unité. Il n'y a pas lieu de séparer les farces des comédies. Du *Docteur amoureux* au *Misanthrope*, de *Sganarelle* aux *Femmes savantes*, l'intention est la même. Molière nous dit qu'il veut corriger les hommes et la critique s'évertue à justifier cette affirmation de circonstance. En vérité, il ne pense qu'à nous faire rire. Le théâtre n'est pas un moyen, c'est un but. La comédie n'a pas sa fin hors d'elle-même, dans une moralisation par le rire à laquelle personne ne peut ajouter foi (de quoi *George Dandin* corrige-t-il? l'*Avare* guérit-il de l'avarice?) : elle est une création autonome qui se justifie par sa seule existence, par la force avec laquelle elle s'impose au spectateur.

III

THÉÂTRE ET LITTÉRATURE

Comédien et non écrivain. — Molière publie ses pièces. — L'écriture au théâtre. — La profession de Molière. — Conclusion.

En 1639, un familier du cardinal de Richelieu, La Mesnardière, auteur d'une *Poétique* inachevée, faisant la leçon aux poètes dramatiques, leur rappelait que la mise en scène, dont ils laissent généralement l'embarras à leurs interprètes, est une partie de leur art et qu'il leur importe d'en savoir les conditions et les possibilités. Trois siècles plus tard, un administrateur de la Comédie-Française, auteur dramatique aussi bien, mais fils d'un régisseur de théâtre, Émile Fabre, se plaignait encore que ceux qui écrivent pour la scène n'aient aucun sens de la mise en scène.

C'est Jacques Scherer qui rapporte ces propos dans sa *Dramaturgie classique* : il remarque qu'en France tout au moins, l'auteur dramatique est le plus souvent un écrivain avant d'être un homme de théâtre. Il y a là une tradition qui pèse sur la destinée des scènes. Elle est heureusement corrigée par la fécondité de notre école d'interprètes et, surtout aujourd'hui, de metteurs en scène : d'Antoine à Jouvet, sans oublier Copeau, Dullin, Pitoëff et Baty, nos écrivains ont souvent trouvé des collaborateurs qui ont suppléé à leur éloignement des planches. Giraudoux aurait-il remporté ses succès sans le concours de Jouvet? Serait-il sorti de la *littérature*? Le théâtre de Claudel serait-il jouable si le poète seul en imaginait la représentation?

La critique et l'histoire littéraire ont pris l'habitude de voir dans une pièce de théâtre un texte écrit et non un texte représenté. On pourrait dire que la complicité des écrivains et des critiques a conduit à séparer l'un de l'autre. Le poète écrit sa pièce; le critique littéraire l'étudie dans le livre où elle est imprimée. Il est vrai que généralement

2

un comédien survient qui la représente, lui donnant ainsi une nouvelle vie, différente de l'autre; un critique, dit critique dramatique, assiste à la représentation, et porte sur la soirée qu'il vient de passer un jugement qui paraît dans un journal. Mais la représentation s'inscrit dans le déroulement d'une actualité saisonnière et constamment changeante; le feuilleton du critique dramatique est lu par un lecteur pressé et la feuille qui le contient ne dure qu'un jour. Tandis que l'imprimé, renouvelé sans altération d'année en année et de génération en génération, donne au texte écrit une permanence qui confine à l'éternité, le texte parlé n'a d'existence que temporaire et épisodique. Tandis que la critique littéraire s'occupe avec continuité du premier, la critique dramatique ne traite du second qu'en de brèves illuminations. S'étonnera-t-on que, lorsqu'elle s'occupe de Molière, la critique littéraire n'arrive pas à se placer dans la perspective qui s'impose?

Marivaux, selon la remarque de Scherer, est d'abord et essentiellement un écrivain; Musset de même; et Corneille, Racine, Hugo, Voltaire, Beaumarchais. Ils ont *écrit* des pièces, avec l'idée qu'elles seraient représentées, en se conformant de leur mieux à des exigences techniques dont la plupart n'avaient qu'une lointaine idée, que leur procurait la fréquentation de quelque comédien ou comédienne plutôt que la lecture d'une littérature à cet égard très déficiente.

Mais Molière est d'abord et essentiellement un comédien, et non un écrivain. Sainte-Beuve l'a dit : « Vrai poète du drame, ses ouvrages sont en scène, en action; il ne les écrit pas, pour ainsi dire, il les joue. » Et le poète s'écriait lui-même dans la préface de l'*Amour médecin :* « On sait bien que les comédies ne sont faites que pour être jouées. » Un critique du siècle dernier allait jusqu'à proclamer que « l'écriture de ses comédies n'avait à ses yeux qu'une importance secondaire ». En effet tout se présente à son esprit en images de théâtre : les personnages se meuvent sur les planches; ils sont incarnés dans des acteurs costumés, fardés, éclairés par le jour factice de la rampe; ils se déplacent dans l'espace étroit que circonscrit le décor; ils se lancent leurs répliques et débitent leurs discours. La conception d'une pièce chez Molière ne se fait pas en deux stades, l'un qui serait littéraire, l'autre scénique. Les deux étapes, habituellement séparées chez les auteurs français, n'en font qu'une pour lui. Il n'y a pas deux Molière qui vivraient côte à côte, ou trois : le poète, le comédien, le chef de troupe ne sont qu'un même homme; leur unité est parfaite à tout instant; le métier, la vocation plutôt, est chez lui une exigence absolue qui identifie entièrement la fonction et la vie.

C'est pourquoi il est absurde d'étudier son œuvre comme une œuvre littéraire : le contresens est alors inévitable. Les meilleurs ouvrages critiques, ceux qui émanent des maîtres de l'histoire du classicisme ou proviennent des mieux informés parmi les historiens de Molière, quelque savants et judicieux qu'ils soient, quelque précieux aussi pour notre enquête, sont presque tous viciés par cette position initiale, littéraire et non scénique. Un excellent connaisseur de la littérature, le courriériste d'un grand journal, rendant compte des ouvrages d'Arnavon, écrivait en 1930 ces lignes révélatrices de l'état d'esprit contre lequel nous nous insurgeons : « La meilleure façon d'admirer Molière, c'est encore de le *lire* attentivement... Et c'est d'ailleurs aussi pourquoi nous allons rarement au théâtre. Le seul pur Molière est dans l'imprimé. » On ne saurait mieux affirmer le contresens.

L'histoire littéraire, malgré sa relative jeunesse, est une science impérieuse et exclusive. L'histoire du théâtre, en voie de constitution, a bien de la peine à faire reconnaître sa légitimité et son autonomie. Il faudra pourtant admettre un jour que l'œuvre dramatique est, de par sa constitution, fondamentalement différente de l'œuvre romanesque ou lyrique. L'histoire littéraire ne songe pas à annexer la critique cinématographique; qu'elle renonce aussi à considérer comme exclusivement sienne la critique dramatique! La littérature proprement dite a comme unique moyen d'expression la lettre; le cinéma a l'image; le théâtre combine le mot et le spectacle, mais le mot *entendu* et non *lu*, le mot sortant de la bouche d'un personnage en action au milieu d'un décor, sur une scène. « Une pièce de théâtre doit pouvoir être comprise par un aveugle », disait récemment un critique non moins aventureux que celui que nous citions plus haut. On ne peut errer davantage. S'il fallait établir une hiérarchie entre ce qui s'entend et ce qui se voit dans une salle de théâtre, il n'est pas douteux qu'il conviendrait de mettre en premier le spectacle, ensuite seulement la parole. Car la pantomime est encore du théâtre, le monologue récité par un acteur sur le devant d'une scène n'en est plus. Mais, à vrai dire, tout doit concourir à la satisfaction des spectateurs assemblés devant le décor : ils sont tout yeux et tout oreilles.

*

On rétorquera que le théâtre de Molière a été imprimé, qu'il ne s'est pas conservé dans les seules copies manuscrites transmises d'acteur en acteur au sein des troupes de comédiens. C'est même l'auteur lui-même qui est à l'origine de cette fixation de son texte par le livre, de cette transposition de l'œuvre dramatique, c'est-à-dire représentée, en œuvre littéraire, c'est-à-dire écrite. On remarquera encore que ceux qui ont lu l'une ou l'autre des comédies de Molière sont infiniment plus nombreux que les spectateurs qui les ont vu représenter : la diffusion par le livre est plus générale que la diffusion par le spectacle.

C'est vrai : le comédien s'est fait homme de lettres au début de l'année 1660. Il livra alors à l'impression pour la première fois l'une de ses pièces, les *Précieuses ridicules*. Il le fit, semble-t-il, avec plaisir et il manifesta même une joie puérile, nuancée d'ironie, à se mettre au rang de « Messieurs les auteurs, à présent *ses* confrères », selon les termes de sa préface. Pourtant l'affaire n'était pas de conséquence, ou du moins ne le paraissait pas : on n'avait guère coutume de publier des pièces aussi courtes, un acte seulement. C'est peut-être cette publication inhabituelle qui a engagé les poètes à faire imprimer désormais la totalité de leur production, jusqu'aux moindres bribes, comédies en un acte, levers de rideau, comme nous disons, saynètes de salon.

Cependant, au début de la même préface, le poète proclame qu'il a pris à son corps défendant la décision de publier sa farce : « C'est une chose étrange, écrit-il, qu'on imprime les gens malgré eux. Je ne vois rien de si injuste, et je pardonnerais toute autre violence plutôt que celle-là. » En effet, le libraire Ribou, l'un des forbans qui écumaient alors la librairie, s'était avisé du profit qu'il réaliserait en lançant cet ouvrage dans la campagne de pamphlets qui sévissait autour des salons précieux et, se procurant par subterfuge une copie des *Précieuses*, il en préparait clandestinement une édition, pourvue d'un privilège abusivement obtenu des autorités. Molière, averti du tort qui allait lui être causé, se vit, comme il dit, mis dans « la nécessité d'être imprimé ou d'avoir un procès ». Considérant que « le dernier mal est encore pire que le premier », il se laissa aller à sa destinée et consentit à ce qu'on n'eût pas laissé de faire sans lui. Le privilège abusif fut annulé; l'auteur en prit un en son propre nom et en faveur d'un libraire avec lequel il s'était entendu; l'impression fut menée activement et, dans les derniers jours du mois de janvier 1660, le nom de Molière fit sa première apparition dans les boutiques du Palais. C'est ainsi que dans le comédien naquit l'homme de lettres.

Pourquoi eût-il préféré éviter cet avatar? Sans doute pour la raison qu'il exprimera en 1666 et que nous avons déjà rapportée : « Les comédies ne sont faites que pour être jouées. » Les *Précieuses* ont été bien accueillies au Petit-Bourbon; mais les « grâces qu'on y a trouvées », dit-il, dépendent en grande partie de l'action et du ton de voix; ce sont beautés à voir à la chandelle. Il eût voulu leur épargner l'épreuve du cabinet, pour laquelle elles n'étaient pas faites.

Il n'avait pas songé à faire imprimer ses deux précédentes comédies, pourtant plus importantes, chacune de cinq actes. Ce n'est qu'après l'aventure des *Précieuses* qu'il se préoccupa de protéger le reste de son bien. Il prit un privilège le 31 mai 1660 pour l'impression de l'*Étourdi*, du *Dépit amoureux*, de *Sganarelle* et de *Don Garcie* : les deux premières comédies dataient de plusieurs années; *Sganarelle* venait d'être présenté au public; *Don Garcie* en était au stade des lectures publicitaires. Mais ce qui prouve qu'encore une fois Molière n'avait pas pris la décision formelle de se faire imprimer et qu'il se gardait seulement contre les appétits d'un Ribou, c'est qu'il n'usa pas de sitôt, ni jamais pleinement, du droit qu'il se faisait concéder. Le privilège ne fut enregistré que deux ans plus tard, le 27 octobre 1662. L'impression de l'*Étourdi* et du *Dépit* n'eut lieu qu'à la fin de la même année. *Don Garcie* ne fut pas remis à l'imprimeur du vivant de l'auteur. Quant à *Sganarelle*, c'est une autre histoire où la volonté du poète fut de nouveau contrainte, et même brimée.

En dépit du privilège du 31 mai, le même Ribou qui avait tenté de publier les *Précieuses* à son profit, fit imprimer et vendre dans l'été de 1660 un ouvrage qui n'était autre que *Sganarelle*, avec un titre altéré et le complément d'arguments expliquant chaque scène. Molière eut fort à faire pour mettre fin à ce pillage et dut se résigner à une transaction, grâce à laquelle la vente se poursuivit au profit commun de l'éditeur et de l'auteur. C'est du moins ce qui semble ressortir des documents connus.

Ainsi, quand, en août 1661, Molière publia l'*École des maris*, il présentait à bon droit cette comédie comme le premier ouvrage qu'il ait mis « de lui-même au jour ». Il allait avoir quarante ans; il écrivait pour le théâtre depuis six ans : c'est alors qu'il fit vraiment son entrée, volontaire, dans la carrière d'homme de lettres. Entrée tardive, on le voit; moins de douze ans plus tard, la mort l'en faisait sortir.

Pendant ces onze ou douze années, il publia la plupart des comédies qu'il fit jouer. Restèrent dans ses papiers sans passer sous la presse de son vivant : *Don Garcie*, l'*Impromptu*, *Don Juan*, *Mélicerte*, les *Amants magnifiques*, la *Comtesse d'Escarbagnas*, le *Malade imaginaire*. Il faut joindre à cette liste la *Pastorale comique*, qui n'a pas même été conservée. Cela fait huit pièces sur trente et une : la proportion est notable. Il est vrai que des motifs divers dissuadèrent le poète de publier ces ouvrages : tantôt leur moindre importance, tantôt le mauvais accueil qu'ils reçurent

sur le théâtre, tantôt leur caractère occasionnel; pour *Don Juan*, les polémiques qui en accompagnèrent l'apparition; pour le *Malade imaginaire*,
le temps manqua.

Molière ne prit jamais la peine de donner une véritable édition de ses
œuvres. Il livrait à l'éditeur une copie de la pièce qu'il venait de présenter sur les planches et il semble bien que dès lors il abandonnait le texte
à l'ouvrier. On a des raisons de croire qu'il ne corrigeait pas les épreuves:
la diversité de l'orthographe, celle de la ponctuation, celle de la disposition des actes et des scènes, ou de la présentation des personnages
induisent à penser qu'il se désintéressait de l'imprimé, peut-être par
manque de loisirs, assurément aussi parce qu'il ne pouvait y voir une
matière digne de son attention. Mais alors pourquoi faisait-il imprimer
ses pièces? Sans doute parce qu'il y avait là une source de bénéfices et
aussi parce que la publication par l'imprimé consolidait la faveur dont
il jouissait et assurait la fréquentation de la salle du Palais-Royal, ce qui
était son premier souci.

Les éditeurs publièrent à diverses reprises deux, puis cinq volumes
contenant la somme des comédies parues. Mais ces volumes ne faisaient
que disposer bout à bout les publications antérieures et ne constituaient
point une nouvelle édition, différente des originales. C'est en 1671 seulement que le poète paraît avoir envisagé une édition collective plus
exacte. Il prit à cet effet un privilège le 18 mars. La mort ne lui permit
pas de mettre le projet à exécution : sa femme en recueillit la charge.
Peut-on penser qu'il aurait révisé son texte, qu'il aurait cherché à en
améliorer la valeur *littéraire*, qu'il se serait appliqué à un travail analogue
à celui que Corneille pratiqua en 1660, ou Racine en 1697? Corneille a
fait retraite pendant des années pour préparer ces aménagements et
corrections et Racine avait quitté le théâtre : Molière restait tellement
prisonnier de sa profession de comédien qu'il ne pouvait se promettre
de jouir jamais d'un loisir suffisant. Tout au plus a-t-il projeté de livrer
à l'éditeur de nouvelles copies, sur lesquelles une édition plus soigneuse
pourrait être composée. Le propos n'était pas foncièrement différent de
celui qui avait présidé aux premières impressions.

*

Qu'il soit permis à quelqu'un qui vient d'achever une nouvelle édition
de l'œuvre de Molière, de livrer à son lecteur les réflexions quelque peu
mélancoliques qui lui viennent au terme de ce travail. Imprimer une
telle œuvre était et reste sans doute une nécessité. On peut rêver de la

transmission d'une pièce de théâtre par la tradition orale : les comédiens seuls se transmettraient la comédie; ils hériteraient non d'un texte, mais d'un spectacle, non de mots, mais d'une action. Ce serait le moyen d'assurer la permanence d'une création fidèle au génie du poète. Mais non! la tradition orale est exposée elle aussi à l'infidélité des interprètes, à leur incompréhension parfois, à leurs initiatives maladroites. Et puis il y a longtemps que notre civilisation s'en est détournée : le livre est devenu l'agent quasi unique de la communication de toute œuvre qui use de la lettre. Qu'on s'en afflige ou non, l'impression s'impose pour le théâtre comme pour les genres proprement littéraires.

Mais il est loisible de relever l'imperfection de cette transmission, tout au moins pour les comédies de Molière. Que nous disent les éditions originales sur le jeu, les gestes des personnages, l'expression de leur visage, leur costume, le décor qui les entoure? A peu près rien. On a remarqué, il y a longtemps, que pour le *Misanthrope* en particulier, cette carence comporte de graves conséquences. L'acteur qui joue Alceste a à peu près toute latitude de transformer le rôle à sa fantaisie. Les contemporains nous ont dit que Molière le jouait en ridicule : cela ne ressort pas du texte et rien n'y oblige le comédien. Certains acteurs ont pu faire du misanthrope comique qu'avait rêvé l'auteur un honnête homme en lutte contre une sociabilité mensongère, un idéaliste souffrant des imperfections humaines. Et Célimène, que sent-elle au dénouement? Comment l'actrice qui tient ce rôle doit-elle l'interpréter? L'ultime revirement de la coquette est-il sincère ou artificieux? Là encore le texte est insuffisant : seul le jeu nous éclairerait, ce jeu que l'imprimé ne nous a pas transmis, hélas!

L'imprimé nous a laissés dans l'ignorance de presque tout ce que la comédie de Molière comporte de spectacle, de presque tout ce qu'elle a de visuel. Nous a-t-il mieux renseignés du côté de l'oreille que du côté de l'œil? Le mot est un signe parfois ambigu : le ton lui donne son sens. Là encore nous sommes livrés à nous-mêmes : il faut reconstituer les nuances tonales qui conditionnent le dialogue, sans espérer trouver dans le livre un secours sérieux.

Du moins l'imprimé, dira-t-on, apporte de précieuses indications par le moyen de la ponctuation. Pas même! Certains ont cru en effet que les éditions originales avaient fait connaître par l'intermédiaire des signes de ponctuation non seulement l'organisation syntaxique de la phrase de Molière, mais, ce qui serait d'un intérêt plus profond, les lois de sa diction, génératrice du sens. L'examen des anciens textes détruit cette illusion. Imprimés de 1660 à 1682, dans des ateliers disparates, ces ouvrages sont à cet égard particulièrement contradictoires. Dans le *Misanthrope*, les virgules hachent le texte à tel point qu'elles le déforment, en ralentissant le mouvement à l'extrême; dans *Sganarelle*, elles disparaissent ou se raréfient. Dans tel endroit, la ponctuation semble obéir à une loi syntaxique; ailleurs, le souci de la diction l'emporte sur l'agencement des propositions. Cette diversité et cet arbitraire ne peuvent être l'œuvre de l'auteur. Il est impossible qu'il ait ponctué ses manuscrits avec tant d'incohérence. S'il les a ponctués, il l'a fait en acteur préoccupé de l'effet scénique. On pourrait admettre qu'il ait fait fi de ce secours figuré : certains manuscrits du temps enlèvent à l'hypothèse son apparente absurdité. De toute façon, la responsabilité de la ponctuation que nous trouvons dans les éditions originales des pièces de Molière incombe à des typographes inattentifs ou ignorants, que le poète n'a pas pris la peine de surveiller ni de corriger.

Ainsi l'écriture pour cet homme de théâtre est analogue à ce qu'elle est pour un compositeur de musique. Le compositeur inscrit sur une portée des signes définissant des sons, la valeur, la durée de ces sons, le rythme, la tonalité : figuration bien indigente, qui demande le concours d'un esprit averti pour être interprétée, c'est-à-dire pour assurer la restitution, sur les instruments ou par la voix, du chant conçu par le génie musical. Le musicien qui tient l'instrument, le chef qui dirige l'orchestre ont un rôle capital dans cette restitution. La notation ne les astreint pas absolument. Leur liberté, celle dont ils jouissent naturellement (à plus forte raison, celle qu'ils s'arrogent parfois indûment), reste grande. Le compositeur (à moins que, tel Stravinski, il n'ait recours à l'enregistrement phonographique) est dans l'incapacité de faire respecter l'authenticité de sa création, parce que l'écriture dont il se sert est une convention insuffisamment représentative de la richesse sonore qu'elle devrait intégralement signifier.

L'écriture qui use de la lettre pour restituer la richesse sonore et visuelle d'une pièce de théâtre, n'est pas plus satisfaisante que celle qui use de la note pour transmettre une symphonie. Ce n'est qu'une représentation partielle, imparfaite, de ce qui compose un spectacle : texte, ton, expression, geste, mise en scène, costume, décor, etc. Sa fonction est d'assurer tant bien que mal, plutôt mal que bien, une transmission, une *tradition*, qui est inévitablement une *trahison*.

La création dramatique a un caractère d'instantanéité qui compromet la perpétuité de l'œuvre. Il est vrai que la nécessité d'une création renouvelée pour assurer la survie des chefs-d'œuvre, d'une nouvelle création par le metteur en scène et l'acteur reproduisant dans une certaine liberté les démarches initiales de l'auteur, donne par contre à la pièce de théâtre une force de vie qui dépasse sensiblement celle dont jouit l'œuvre purement littéraire, roman ou poème. L'écriture ne suffit pas à contraindre Jouvet à respecter l'authenticité de la création moliéresque; mais la liberté concédée à l'interprète fait que Scapin ou Sganarelle ne nous touchent pas moins en 1950 qu'ils ne touchaient les spectateurs de 1670. Cette possibilité d'infidélité est génératrice de vie. Non fixée, ou du moins mal fixée par le livre, l'œuvre de Molière se perpétue : elle reste vivante.

*

Ce que nous venons de constater pour Molière ne convient point absolument à Beaumarchais, à Musset, ni à Corneille, puisque ceux-ci sont écrivains d'abord et que celui-là est comédien d'abord et toujours. Le cas de l'auteur de *Tartuffe* est donc particulier, sinon unique.

Il fut à la fois acteur, directeur de sa troupe, auteur d'une grande partie des pièces jouées par ses camarades. Il est difficile d'affirmer que cette situation ne s'est jamais retrouvée en aucun temps ni dans aucune nation. En tout cas, ce n'est pas celle de Shakespeare, qui, s'il fut acteur, n'eut pas dans son théâtre les fonctions et les soucis qui ont marqué si fortement l'activité de Molière. Quant à la littérature française, elle ne connaît aucun autre auteur dramatique qui ait été aussi et d'abord le comédien responsable des destinées de la troupe qui jouait son œuvre.

On ne trouve dans la première moitié du XVIIe siècle que deux ou trois acteurs ayant composé une pièce de théâtre, des acteurs qui se sont faits auteurs par hasard ou pour satisfaire une fantaisie éphémère. Il semble que l'on n'ait pas alors considéré comme normal qu'un histrion se fît écrivain. Lancaster nous rappelle le cas du grand comédien de cette génération, Montfleury : il se permit tout juste d'adapter en vers une pièce en prose, la tragédie de la *Mort d'Asdrubal*. Une adaptation, c'est aussi ce dont Madeleine Béjart se crut capable quand elle arrangea pour le Petit-Bourbon le *Don Quichotte* de Guérin du Bouscal. Lancaster se demande s'il ne faut pas voir dans cette séparation opérée par l'époque entre les conditions d'acteur et d'écrivain la raison majeure qui retarda si longtemps les débuts de Molière en tant qu'auteur, retard difficile à comprendre quand on voit la fécondité ultérieure de sa production. Faut-il chercher dans les loisirs de ses séjours à Lyon les circonstances qui seraient à l'origine de cet enrichissement de sa vocation? Faut-il faire intervenir le contact avec l'Italie lettrée? En tout cas, c'est en 1655 seulement que l'acteur-directeur se fit auteur, à trente-trois ans, par une détermination originale et inhabituelle, à laquelle la vie parisienne, trois ans plus tard, allait donner sa portée.

Parallèlement à Molière, on peut citer Dorimond, un acteur de la troupe de Mademoiselle, qui joua surtout en province, et écrivit une demi-douzaine de comédies. Quelques années s'écoulent et voici que les acteurs-auteurs se multiplient : on peut penser que l'exemple de Molière n'est pas étranger à ce phénomène. Au théâtre du Marais, ce sont Chevalier et Rosimond; à l'Hôtel de Bourgogne, Villiers, Poisson, Hauteroche, Brécourt, La Tuillerie, Champmeslé; dans des troupes ambulantes, Du Perche, Nanteuil, Rosidor, Passerat, Legrand; plus tard, à la Comédie-Française, Baron, Jacques Raisin et surtout Dancourt. Dancourt a été très fécond : il a laissé une cinquantaine de pièces. Chevalier, Poisson, Hauteroche, Brécourt, Champmeslé, Legrand, Baron en ont composé chacun environ une dizaine. Ces acteurs-auteurs en vinrent à dominer la production, ce qui ne fut pas sans conséquence pour l'amélioration de la technique de la scène. Ils n'œuvrèrent guère d'ailleurs que dans le domaine de la comédie, s'écartant soigneusement des hautes ambitions de l'entreprise tragique.

Mais lequel d'entre eux saurait être mis sur le même pied que Molière? Dancourt, par l'étendue de sa production, pourrait lui être apparenté, mais de ce point de vue matériel uniquement. Les autres sont loin d'avoir compté autant dans la vie des théâtres. Et Dancourt n'était qu'un acteur médiocre. Ainsi personne dans cette douzaine de comédiens que l'exemple du maître induisit à se faire écrivain, ne peut être rapproché de son modèle; aucun n'a jamais joué dans son théâtre le rôle éminent de l'auteur de *Tartuffe* au Palais-Royal; aucun n'a jamais été lié à sa scène par le triple rapport qui liait Molière à la sienne.

Celui qui veut rencontrer Molière ne doit pas le chercher là où il chercherait Racine ou Boileau. Il ne doit pas le transformer en moraliste, bien moins en philosophe, c'est-à-dire lui imputer des soucis altérant la création dramatique. Il ne doit pas non plus voir en lui l'écrivain, attaché à une perfection du verbe qui lui est étrangère ou désireux d'exprimer sa nature au plus près, de délivrer l'authenticité de son message spirituel. Molière est un comédien : il vit pour le théâtre. On imagine Corneille errant pensif dans les petites rues qui avoisinent la cathédrale de Rouen, sublimant dans cette étroitesse la force héroïque de son drame;

Boileau, l'œil aux aguets, vers le cloître Notre-Dame ou dans la Galerie du Palais, aiguisant sa satire des livres et des mœurs; Pascal, dans la solitude de sa chambre, au pied du crucifix; Racine, se glissant dans les salles du Louvre et de Versailles, humant la cruauté et la finesse de l'air courtisan; La Fontaine, à Vaux et dans les jardins du Luxembourg, épanoui dans la joie d'un printemps qui fait de lui un absent au milieu des galantes compagnies : Molière n'a de réalité que sur les planches de son théâtre, entre les chandelles et les portants, affublé d'oripeaux grotesques et répétant les mimes et les grimaces dont il tâche d'égayer les loges et le parterre.

Deuxième partie

LE COMÉDIEN

I

LA VOCATION

Le choix du jeune Poquelin. — Le tapissier du Roi. — L'origine de la vocation. — Sa continuité. — La province la confirme. — L'arrivée à Paris.

« Il choisit la profession de comédien par l'invincible penchant qu'il se sentait pour la comédie. Toute son étude et son application ne furent que pour le théâtre. » On ne peut mieux définir que ne le fit La Grange en 1682 l'attachement de Molière à son métier, l'exigence de sa vocation, la continuité de cette appartenance. Dès 1663, dans ses *Nouvelles nouvelles*, Donneau de Visé, qui fut le premier biographe du comédien, rappelait que Jean-Baptiste Poquelin ressentit « dès sa jeunesse une inclination toute particulière pour le théâtre » et, voulant qualifier le mouvement qui fit embrasser à ce futur tapissier une carrière à laquelle il ne semblait point destiné, il dit qu'il « se jeta dans la comédie ».

Il se jeta dans la comédie! Son père était un honorable marchand avantageusement connu dans sa profession, fort bien établi sur la place, détenteur d'un office de tapissier ordinaire du Roi. Des alliances bourgeoises, une fortune bien gérée assuraient aux Poquelin d'évidentes facilités de vie. Jean-Baptiste était l'aîné : la survivance de la charge paternelle lui allait de droit. Il était fait pour hériter de ce métier productif et de cette situation aisée. Un riche marchand de la rue Saint-Honoré, voilà le sort qui l'attendait et auquel, à l'âge de vingt ans, il s'arracha dans un brusque renoncement.

C'était affronter une véritable déchéance sociale. Si le théâtre n'est plus en 1642 ou 1643 ce lieu de scandale et d'immoralité que Richelieu vient d'assainir, si les pièces perdent progressivement de leur grossièreté, si le public s'accoutume à l'honnêteté, si les comédiens vivent d'une vie plus décente, l'opinion n'est pas pour autant convertie. Ce

ne sont pas seulement les dévots qui tiennent encore le monde dramatique pour infernal : une grande partie de la société n'est pas d'un avis
très différent. On considère comme risqué de mettre les pieds à l'Hôtel
de Bourgogne; à plus forte raison doit-on juger scandaleuse une décision qui fait fi d'un passé de considération, de travail, de profit et de
confort.

On aurait compris que Jean-Baptiste voulût se hausser au-dessus de
la condition paternelle. Par sa charge de tapissier, le père Poquelin avait
accès à la Cour, où il exerçait les fonctions de valet de chambre du Roi.
Il n'était pas interdit à son fils de prétendre à de plus hautes destinées.
On lui avait fait faire des études dans le meilleur collège de Paris, chez
les Jésuites de Clermont. Il avait, sinon fréquenté l'École de droit, du
moins pris une licence. A en croire l'un de ses premiers biographes,
il se serait même établi comme avocat et aurait voulu pratiquer le barreau. Ce ne serait qu'après l'échec de cette tentative qu'il aurait opté
pour la comédie, renonçant à l'ascension sociale, se précipitant dans la
bohème, sinon dans la canaille.

Car le milieu qu'il rejoint alors manque de lustre autant que de
biens. Les Béjart sont les enfants d'un huissier des eaux et forêts. Parmi
leurs associés, on trouve un clerc de procureur, un écrivain public, la
fille d'un menuisier, la fille d'un commis greffier; non point des fils de
bonne famille tentés par l'aventure et prisant l'éclat de la scène plus
que leur fortune et leur éducation; mais des épaves de la société, de
petites gens qui n'ont pas réussi dans leur métier ou des gens de théâtre
à l'origine incertaine. C'est une équipe assez humble que celle de
l'Illustre-Théâtre.

Il fallait chez le jeune Poquelin une vocation vraiment irrésistible
pour lui faire quitter ce qu'il quittait et rejoindre ce qu'il rejoignait.
Il ne suffit pas de dire qu'il témoignait d'une vigoureuse indépendance
d'esprit à l'égard des siens, de sa maison, de sa caste, à l'égard des préjugés qui avaient forgé le destin des Poquelin : il y avait en lui surtout
l'appel impérieux du théâtre.

Sans doute il n'était pas le premier à s'évader de la bourgeoisie pour
« se jeter dans la comédie ». Montdory, au début du siècle, fils d'un
opulent marchand coutelier de Thiers, envoyé par son père à Paris
pour s'y former dans une étude de procureur, abandonna la basoche
pour s'enrégimenter dans la troupe de Le Noir. Il semble cependant
que le cas de Molière soit plus significatif : l'option n'est pas entre une
lointaine province et l'éclat immédiat de la scène, mais entre la boutique
familiale et le jeu de paume voisin où l'on va s'installer pour jouer;

la pression paternelle s'exerce directement et non par le canal d'une missive maladroitement sermonneuse.

Car il va sans dire que le père Poquelin ressentit cruellement le désaveu que lui infligeait son fils. Charles Perrault nous raconte ce qu'il tenta pour empêcher son déshonneur de se consommer. Il se déclara prêt à acheter la charge honorifique que Jean-Baptiste pouvait désirer. Il lui détacha successivement plusieurs amis pour lui faire voir la gravité de sa décision. Ni promesses, ni prières, ni remontrances n'eurent d'effet. « Ce bon père lui envoya ensuite le maître chez qui il l'avait mis en pension pendant les premières années de ses études, espérant que, par l'autorité que ce maître avait eue sur lui pendant ces temps-là, il pourrait le ramener à son devoir. Mais, bien loin que le maître lui persuadât de quitter la profession de comédien, le jeune Molière lui persuada d'embrasser la même profession et d'être le Docteur de leur comédie, lui ayant représenté que le peu de latin qu'il savait le rendrait capable d'en bien faire le personnage et que la vie qu'il mènerait serait plus agréable que celle d'un homme qui tient des pensionnaires. »

Que vaut l'anecdote ; Il est difficile de le dire. On trouve dans le contrat d'association de l'Illustre-Théâtre un Georges Pinel, maître écrivain, qui peut bien être le maître de pension dont parle Perrault, celui chez qui Jean-Baptiste aurait fait ses premières études. La démarche que lui aurait confiée le père Poquelin n'a rien d'invraisemblable ; mais son issue est trop comique pour ne pas être suspecte.

Quoi qu'il en soit, si la famille essaya par toutes sortes de voies de détourner l'ingrat de sa résolution, elle n'alla pas jusqu'aux mesures extrêmes. Michaut fait remarquer que Jean-Baptiste était encore mineur et que, jusqu'à ce qu'il eût vingt-cinq ans, son père pouvait user d'autorité pour lui interdire une conduite répréhensible. Il n'en fit rien. En janvier 1643, le jeune homme renonça à la survivance de la charge paternelle ; bientôt le père Poquelin fit des avances à son fils en difficultés : c'est dire qu'un certain accord s'établit entre eux.

★

Jean-Baptiste avait reçu en 1637 la survivance de la charge de tapissier ordinaire et valet de chambre du Roi. Le 6 janvier 1643, il renonça à cette survivance. Il paraît probable qu'à cette date, il était déjà engagé dans la troupe de l'Illustre-Théâtre, bien que le contrat d'association que nous possédons (il semble régulariser une situation de fait durant depuis plusieurs mois) soit du 30 juin.

La renonciation ne fut pas absolue. Le titre était utile à porter, même pour un comédien, même indûment. Molière ne s'en priva pas jusqu'en 1650 au moins, et même en 1652 et 1654. Son frère Jean ne le prit, semble-t-il, qu'en 1654, quand son père lui transmit commerce et fonctions. A la mort de Jean (5 avril 1660), Molière reprit le titre. On peut même penser qu'il revendiqua la fonction avec la dénomination. La Grange nous assure qu'il exerça jusqu'à sa mort la charge de valet de chambre tapissier du Roi. Dans des actes de 1663 et 1671, il est dit « écuyer, valet de chambre du Roi ».

On serait tenté de se demander comment un comédien pouvait trouver le temps de s'astreindre, dans les trois mois par année que comportait son *quartier*, aux gestes que l'étiquette attachait à cet office. On pourrait s'étonner de voir le farceur du Petit-Bourbon tenir sa partie dans le cérémonial en compagnie d'authentiques tapissiers. Mais une charge pareille permettait l'accès à la Cour, l'approche des grands, sinon du Roi : dans les années 1660-1670, ces facilités n'étaient pas à dédaigner pour le responsable d'une troupe vouée principalement au divertissement de la haute société. Au reste, il est peut-être raisonnable d'admettre que la fonction de tapissier du Roi était dans certains cas purement nominale.

Du moins il paraît important de noter que les exigences de la vocation comique ne comportent pas le mépris des moyens de parvenir : Molière abandonne la boutique paternelle, mais il garde un titre utile, même sans y avoir droit, et il le reprend dès qu'il peut. Cela introduit une nuance dans l'interprétation de sa décision de 1642-1643.

★

D'où lui venait cette vocation inattendue? On a fait intervenir une expérience précoce du théâtre. Il aurait été initié au monde dramatique par l'un ou l'autre de ses grands-pères, qui aurait pris plaisir à fréquenter avec l'enfant les baraques des farceurs établis à la foire ou même celles des charlatans du Pont-Neuf, à moins que ce ne soit la salle de l'Hôtel de Bourgogne. Ce sont racontars tardifs que rien ne permet d'authentifier, pas même d'appuyer.

Le Boulanger de Chalussay dans sa comédie d'*Élomire hypocondre*, en 1670, si, dans son intention de diffamer Molière, il a recours à l'injure haineuse, paraît assez bien informé sur les débuts du comédien. Selon lui, le jeune avocat sans causes, s'encanailla d'emblée jusqu'à prendre un rôle chez des charlatans, l'Orviétan et Bary, l'Orviétan, l'opérateur

LA VOCATION   51

que nous trouvons à la fin de l'acte II de l'*Amour médecin* vendant sa
panacée à Sganarelle pour porter remède à l'infirmité de Lucinde, Bary,
le saltimbanque qui, selon Chalussay, produisait alors un numéro de
mangeur de vipères. Dans ce récit, il n'est pas question d'une lente
initiation à la vie comique, comme celle qui aurait été assurée par un
grand-père féru de théâtre à son petit-fils encore enfant.

Il n'est pas question davantage d'un entraînement d'amoureux. Tallemant des Réaux, vers 1658, parlant de Madeleine Béjart, écrit dans ses
Historiettes : « Un garçon nommé Molière quitta les bancs de la Sor-
bonne pour la suivre; il en fut longtemps amoureux. » Mais il est assez
mal informé pour ajouter : « Il donnait des avis à la troupe, et enfin
s'en mit et l'épousa. » Molière n'a jamais fréquenté la Faculté de théologie et n'a point épousé Madeleine. S'il s'est lié avec elle, il est permis
de croire que ce fut après son entrée dans l'Illustre-Théâtre. La liaison
semble avoir été une conséquence et non une cause de la vocation
dramatique. C'est bien ainsi que Chalussay présente les événements : le
jeune avocat se serait enrôlé chez un charlatan; les Béjart, qui habitaient
dans le quartier, se seraient pris de pitié pour lui et auraient lancé l'idée
d'une association les unissant pour une entreprise comique; Poquelin
aurait trouvé là « son salut et sa vie ». Il semble évident que si Jean-
Baptiste devait à Madeleine son initiation à la vie dramatique, celle-ci
(sous le personnage d'Angélique qui la recouvre dans *Élomire hypocondre*)
ne manquerait pas de se vanter de ce bienfait, selon la logique du rôle
que lui attribue Chalussay.

Ainsi nous en sommes réduit au fait évident de la vocation. Dans
l'état de nos connaissances, rien ne l'explique. Les meilleurs témoignages
font état d'une décision subite et quasi gratuite. Au reste n'est-ce pas
le caractère des vraies vocations?

                                         *

Celle de Molière manifesta non seulement sa force originelle, mais sa
continuité. Les occasions ne manquèrent pas au comédien improvisé
de se tirer d'une entreprise dont les inconvénients ne tardèrent pas à se
révéler. Les insuccès, les embarras d'argent, les dissensions, autant de
raisons pour Jean-Baptiste de rentrer dans la boutique paternelle. Il
ne semble pas avoir jamais envisagé ce retour au passé. Son enthousiasme ne faiblit pas. C'est sans doute ici qu'il faut faire intervenir la
liaison avec Madeleine Béjart, sans parler de la camaraderie avec les

frères de Madeleine, pour expliquer la persistance d'une vocation si aventureuse.

Un événement symbolique marque le renforcement de cette vocation. Le comédien signait encore l'acte d'association du 30 juin 1643 du nom de Poquelin : le 28 juin 1644, il signa, pour la première fois à notre connaissance, du nom de Molière. Où avait-il pris ce pseudonyme? On ne sait. Son adoption marquait la confirmation de la décision par laquelle il avait dit adieu à sa bourgeoisie originelle.

La jeune compagnie alla d'abord jouer à Rouen; elle rentra à Paris dès que le local où elle devait se produire fut prêt. Elle ne réussit pas trop mal, elle recruta même de nouveaux concours. Elle jouait surtout la tragédie et la tragi-comédie : des œuvres d'auteurs en renom comme Du Ryer et Tristan l'Hermite, ou moins connus comme Magnon, Desfontaines, qu'elle s'associa, Mareschal probablement. Elle complétait ses programmes avec des farces, comme faisaient toutes les troupes. Madeleine Béjart fut l'étoile de l'Illustre-Théâtre : elle avait déjà joué et on lui reconnaissait du talent. A son école, Molière s'évertuait dans la tragédie. Des protecteurs les soutenaient : le duc de Guise probablement, puis le duc d'Orléans, qui leur accorda même une pension.

Les difficultés furent notables dès l'été de 1644. Bientôt certains associés, voyant l'entreprise tourner mal, l'abandonnèrent. Les Béjart, Madeleine, sa sœur et son frère (Louis était encore trop jeune pour faire partie de l'équipe) restèrent le centre immuable; Molière, malgré sa jeunesse et son inexpérience, fit d'emblée figure de chef. On chercha de l'argent de tout côté, même auprès du père Poquelin; Marie Hervé, la mère des Béjart, se porta caution de certaines dettes. Les spectateurs faisaient défaut. On quitta le jeu de paume des Métayers, près de la porte de Nesle, pour celui de la Croix-Noire, sur le quai actuel des Célestins. Molière était alors tout à fait à bout de ressources. Ses créanciers perdirent patience et, à deux reprises, le firent jeter en prison. Il bénéficia de la bienveillance des autorités ou d'appuis que nous ignorons et réussit chaque fois à se faire libérer. Mais sa situation ni celle de la troupe ne s'améliorèrent.

A la fin de l'année 1645, on perd sa trace. l'Illustre-Théâtre continuat-il à Paris une carrière sans espoir? Se transporta-t-il en province? Se dispersa-t-il? Les recherches heureuses de Mme Deierkauf-Holsboer permettent de croire que son chef quitta Paris dès la fin de 1645, suivi bientôt de Madeleine Béjart. Ils allaient sans doute chercher en province ce que la capitale leur refusait. On ne les retrouve qu'en janvier 1650 à Narbonne, dans la troupe de Dufresne, patronnée par le duc d'Épernon. Peut-être faut-il voir aussi Molière dans la même troupe, à Nantes, en avril 1648, sous le nom, mal transcrit, du sieur Morlière. Qu'a-t-il fait de la fin de 1645 au printemps de 1648? On incline à croire qu'il s'est engagé dès 1646 dans la compagnie Dufresne.

Son entreprise parisienne n'a donc duré que trois années. Elle commença dans l'enthousiasme et se solda par un échec. Mais elle attesta le caractère irrésistible d'une vocation. Elle fut une initiation pratique à une vie qui n'est pas toute de gloire, qui comporte, comme toute vie, surtout des peines, des tourments, des fatigues. Un jeune bourgeois y apprit le rôle de l'argent, les façons de s'en procurer, celles de le dépenser. Il connut les créanciers, les hommes de loi, les gens de justice, les gardiens de prison. Il s'habitua à négocier une location, à commander un travail, à faire respecter un contrat. Il s'imposa comme chef, dans une troupe qui comprenait pourtant des acteurs plus âgés : est-ce son caractère qui lui valut la confiance de ses camarades, ou sa condition plus relevée, ses titres, ses manières? Tout cela compte dans l'expérience d'un comédien, non moins que le talent dans l'interprétation d'un rôle.

Dans ces trois années, Molière a-t-il appris son métier d'acteur? Auprès de qui? Ce côté-là de son activité nous échappe : il n'apparaît pas dans les pièces d'archives qui sont la seule trace de la vie de l'Illustre-Théâtre. Nous voyons cependant que dès le contrat du 30 juin 1643, Jean-Baptiste est parmi les vedettes de la troupe : un article prévoit que les rôles de héros appartiendront alternativement à Clérin, Poquelin et Joseph Béjart; du côté des femmes, Madeleine Béjart a le choix de son personnage. Sur six associés hommes, Molière se classe dans les trois premiers. Le fait mérite d'être noté; cependant il est évident que ce privilège n'est pas accordé à un talent qui ne peut à cette date s'être affirmé, mais à une situation tenant à l'origine sociale et à la nature morale du comédien.

*

On peut donc croire que Molière et les Béjart ont quitté la capitale à la fin de l'année 1645 ou au début de 1646. Ils y sont revenus à l'automne de 1658. Dans l'intervalle prennent place treize années, qui sont celles des pérégrinations provinciales. L'itinéraire qu'ils ont suivi ne nous importe pas ici. Ils ont erré dans le Midi surtout, dans l'Ouest un peu, en Guyenne d'abord, en Languedoc ensuite, dans la vallée du Rhône pour finir, avant de remonter par Dijon à Rouen et à Paris. Ils se sont alliés à la troupe de Dufresne, qu'entretenait le duc d'Épernon, gouverneur de Guyenne. En 1650, le duc quittant sa charge, la troupe désem-

parée chercha fortune auprès des États de Languedoc et Molière en pri
la direction. Trois ans plus tard, elle passa au service du prince de Conti
gouverneur du Languedoc, qu'elle distrayait dans ses résidences et qu
la pensionnait. En 1656, Conti, en voie de conversion, lui retira sa protection; elle chercha un appui de nouveau auprès d'Épernon, alors gouverneur de Bourgogne.

Il faut souligner la constance de ces protections : si Molière joua souvent dans de misérables salles de petite ville et peut-être dans des grange
paysannes, il chercha principalement à satisfaire des princes et leu
entourage, un public de courtisans, dont il attendait fortune et réputation
A cet auditoire aristocratique, il convient de joindre celui, plus bourgeois
qu'il s'attacha dans ses séjours lyonnais. On le trouve à Lyon à peu prè
chaque année de 1652 à 1658 : c'est là qu'il créa l'*Étourdi* en 1655, sa première comédie. Le goût lyonnais était empreint d'italianisme : on n
s'étonne pas que l'*Étourdi* soit imité de l'italien. L'Italie apportait
Molière, avec une tradition comique ancienne et une technique de la
scène enrichie par la pratique de la *commedia dell'arte*, des exigence
d'élégance brillante qu'elle devait à la haute civilisation de ses cour
princières et qui rejoignaient les besoins de l'aristocratie française. O
doit donc se garder de chercher au talent de Molière une origine populaire : sans doute il a connu le petit peuple de la rue parisienne, celui de
petites villes et des campagnes, les artisans qui concourent à l'installatio
d'une scène, ceux qui l'ont servi chaque jour dans d'humbles besognes
mais ses ambitions artistiques se réglaient ailleurs, plus haut dans l'échell
de la société, elles visaient à la satisfaction d'une élite.

Ainsi, après l'expérience parisienne, l'expérience provinciale, beaucou
plus longue, plus heureuse si elle fut encore âpre, acheva de le forme
et confirma sa vocation. De nouveaux camarades lui apprirent les secret
du métier : Dufresne par exemple avait une longue pratique. La concur
rence des troupes qui lui disputaient la faveur des grands ou des autorité
communales, lui imposait une recherche constante du mieux. Il n
négligea pas les petits moyens de succès : les charmes de la Du Par
firent beaucoup pour gagner à la compagnie la protection de Conti
Dans toute cette politique, il se révéla un manieur d'hommes. Il enrichi
son équipe de précieux concours : celui de Catherine Leclerc par exemple
qui devait devenir la De Brie, excellente actrice, recrutée probablemen
dès Pâques 1649; celui de la Du Parc, qui se lia à la troupe à Lyon e
1653. A ce moment, Molière était entouré d'une pléiade imposante qu
atteste sa réussite. Le métier était rude; le public, difficile et inconstant
les puissances qui dispensaient la réputation et l'argent avaient leur

caprices; les concurrents usaient souvent de déloyauté; les comédiens
ne s'accordaient pas toujours et le chef devait apaiser leurs querelles.
Mais Molière était un fort : en pleine santé, robuste, il faisait face avec
bonne humeur aux difficultés de sa charge directoriale. Il aimait le métier
qu'il avait choisi. Sa renommée grandissait, jusqu'à se répandre dans la
capitale. « Sa troupe, dit Donneau de Visé en 1663, effaça en peu de temps
toutes les troupes de campagne et il n'y avait point de comédiens dans
les autres qui ne briguassent des places dans la sienne. »

En 1655, d'Assoucy rencontra la compagnie à Lyon; il la suivit à
Avignon, puis à Pézenas et à Narbonne : il resta plus de six mois dans
l'entourage de Molière et des Béjart. Il y mena une existence facile et
même fastueuse :

> *Au milieu de sept ou huit plats,*
> *Exempt de soins et d'embarras,*
> *Je passais doucement la vie.*
> *Jamais gueux ne fut plus gras.*

Voilà qui contredit les assertions de l'auteur d'*Élomire hypocondre*, selon
lequel la province n'aurait pas été plus favorable à Molière que la capitale. D'Assoucy se loue encore de la bonté, de la franchise, et, pour tout
dire, de l'honnêteté de ses hôtes. On n'a pas lieu de mettre en doute son
récit. Ce n'est donc point, comme on l'a dit parfois, une bande famélique
que celle des comédiens du prince de Conti. Si le métier a ses peines, il
comporte aussi des joies. Un d'Assoucy, un Mignard vouent leur amitié
au jeune Poquelin; Boissat l'Esprit, un académicien qui fut de l'Académie
dès la fondation, attaché à la maison du duc d'Orléans, romancier et
fabuliste, le reçoit dans sa retraite de Vienne en 1651. Des relations utiles
se nouent; une réputation se fait, qui expliquera le succès en flèche de
1660-1662 dans la bagarre parisienne.

Faut-il faire état, pour compléter ce tableau de la formation d'un chef
de troupe, des racontars que rapporte le pamphlet de la *Fameuse comédienne* sur les amours de Molière et de ses actrices? Selon ce récit visi-
blement intéressé, Molière aurait entretenu très tôt une liaison avec
Madeleine Béjart. A Lyon, il se serait épris de la Du Parc, quand elle
entra dans la compagnie; mais il aurait été repoussé comme un parti
trop peu avantageux. Ce mépris l'aurait rejeté sur la De Brie, qui l'aurait
reçu avec plus d'aménité. Cette liaison aurait rendu Madeleine jalouse
et c'est pour la rompre qu'elle aurait suscité sa jeune sœur Armande,
travaillant à la rendre sympathique au patron jusqu'à le mener au
mariage.

Outre plusieurs erreurs évidentes dans les circonstances accessoires de ce récit, qui en détruisent la vraisemblance, il faut relever qu'aucun témoignage ne le confirme dans ses données essentielles. Le seul renseignement valable nous vient de Boileau par Brossette : il fait état seulement de la liaison ancienne entre Madeleine et Jean-Baptiste, à laquelle auraient succédé les relations avec la De Brie. Rien ne permet de croire aux entreprises de Molière sur la Du Parc; rien n'autorise à ajouter foi à la version selon laquelle la jalousie de Madeleine serait la cause du mariage d'Armande. Retenons seulement que Molière ne dut pas s'embarrasser de convenances morales qui, si elles régissaient la bourgeoisie dont il sortait, n'avaient pas cours dans le milieu où il avait choisi de vivre. Retenons aussi que les intrigues qu'il dut mener pour concilier ses amours passées et présentes dans le cercle d'une troupe d'acteurs lui ont sans doute beaucoup appris sur les femmes et lui ont rendu familières les situations mises en œuvre par la tradition comique.

★

Au printemps de 1658, Molière a trente-six ans. Va-t-il passer sa vie dans une condition avantageuse certes par rapport à celle de beaucoup de confrères, mais médiocrement glorieuse? Va-t-il se borner à courir la province ou l'étranger, quitte à se permettre de temps en temps de rapides incursions dans les murs de Paris et à y mesurer son obscurité? C'est à quoi jusque-là se sont résignés les comédiens de campagne. Depuis trente ans, la capitale est chasse gardée pour deux troupes privilégiées, celle de l'Hôtel de Bourgogne, les Grands Comédiens, comme on les appelle, et celle du Marais, auxquelles se joignent, il est vrai, les Italiens. Il a pu pénétrer les faiblesses des uns et des autres au cours des années où il livrait la bataille de l'Illustre-Théâtre. Il sait que le Marais ne se soutient plus guère : bientôt il n'aura de recours que dans le théâtre à machines. L'Hôtel de Bourgogne s'enlise dans une tradition sans vertu. Les Italiens jouent dans leur langue et ne sont que des farceurs. Molière est ambitieux; il connaît ses forces ou croit les connaître (il s'abuse sur une possible rénovation du tragique); il a confiance dans la solidité de son équipe; des protections lui sont promises : tout l'incite à tenter sa chance avant qu'il soit trop tard.

Le voici à Rouen : Madeleine Béjart va louer à Paris un jeu de paume où la troupe jouerait en alternance avec celle du Marais. Le chef fait mieux : s'établir au Marais, dans un quartier écarté, c'est recommencer l'entreprise fâcheuse d'autrefois; il fait agréer ses services à Monsieur, frère du Roi, qui lui permet de se servir de son nom et lui accorde une pension. Il résilie le bail conclu par Madeleine. Monsieur le présente au Roi et à la Reine Mère; le 24 octobre 1658, sa troupe joue au Louvre devant le souverain et la Cour.

Une nouvelle carrière commence. Sans doute n'est-il pas quitte avec le passé : les créanciers de l'Illustre-Théâtre ne le perdent pas de vue; pendant des années encore, il se débattra contre des réclamations qu'il estime inéquitables ou excessives. Tout cela s'éloigne pourtant. Son ambition n'était pas vaine puisqu'il va se maintenir à Paris. Ce ne sera pas sans peine. Du moins il ne subira pas l'avanie que voudraient lui infliger ses rivaux : il ne sera pas rejeté dans les rangs obscurs des troupes pérégrines. Il fait en peu d'années la conquête de la capitale. La vocation qui, seize ans plus tôt, le fit « se jeter dans la comédie », ne l'a pas trompé : ce fils de bourgeois avait l'étoffe d'un comédien.

LE CHEF DE TROUPE

Ses qualités. — Le recrutement. — La distribution des rôles. — Les répétitions. — La diction. — La mise en scène. — Les costumes. — — Le masque. — Les décors. — Les machines. — La salle. — Les jours de représentation. — Collaborateurs d'occasion. — Récapitulation.

Il importe de mettre en lumière la multiplicité des occupations qui s'imposèrent à Molière en tant que responsable des destinées de sa compagnie, dès son arrivée à Paris et jusqu'à sa disparition prématurée. G. Mongrédien, dans la *Vie privée de Molière*, a dressé sommairement ce tableau; d'autres en ont peint des parties : personne à notre connaissance n'en a présenté l'ensemble. C'est pourtant dans cette activité fondamentale (et dans celle d'acteur), plus que dans la composition de ses pièces, que le comédien s'est usé, compromettant le tempérament vigoureux qu'attestait la réussite de l'expérience provinciale. Ces occupations peuvent s'ordonner sous trois chefs; comme tout directeur de théâtre, Molière a eu des rapports avec trois catégories de personnes : les acteurs, les auteurs, les spectateurs. Une troupe, un répertoire, un public, voilà les facteurs du succès... ou de l'échec.

Molière a laissé la réputation d'un grand chef de troupe. Une compagnie de comédiens n'est pas un état facile à gouverner; le caractère inhérent à la profession accroît les forces de dissension que la nature humaine fait surgir au sein de toute équipe. Au XVIIᵉ siècle surtout, dans un temps où les troupes n'avaient que des règlements succincts et une tradition courte, l'autorité du chef était souvent contestée. Le chef n'avait d'ailleurs pas une situation à part : il n'était ni désigné, ni élu; la pratique seule le portait à la tête de ses camarades et un assentiment tacite l'y maintenait. Aucune rétribution particulière ne payait son activité directoriale.

Floridor, à l'Hôtel de Bourgogne, réussissait dans ces fonctions : Molière, au Petit-Bourbon et au Palais-Royal, effaça la réputation de son rival. Déjà à l'Illustre-Théâtre, puis en province dès 1650, quand il prit la tête de la troupe de Dufresne désemparée par le départ du duc d'Épernon, il fut quasi d'emblée le *chef*. Et pourtant ce n'était pas sa valeur d'acteur qui lui valait la confiance de ses camarades : il jouait « fort mal le sérieux », dit de Visé, et « dans le comique il n'était qu'une copie de Trivelin et de Scaramouche ». Il est trop évident qu'il n'avait pas assez d'expérience pour dépasser sur ce point un Dufresne ni même un Joseph Béjart. Mais il triomphait « par son adresse et par son esprit ».

Spirituel et adroit, tel il apparaît au chroniqueur de 1663, telles sont les qualités qui ont assuré très tôt son autorité et lui ont donné en peu de temps une réputation enviée parmi les chefs des compagnies itinérantes. On peut penser, nous l'avons dit, qu'il tenait ces qualités non seulement de sa nature, mais de son origine sociale, plus relevée que celle de la plupart des comédiens, et de son éducation, exceptionnelle dans ce milieu.

Le même esprit, la même adresse furent les meilleurs facteurs de son succès à Paris. De Visé insiste : « Il avait de l'esprit et il savait ce qu'il fallait faire pour réussir. » C'est ainsi qu'il ne se risqua dans la bagarre qu'après s'être assuré les protections nécessaires.

Tout au long de sa carrière, il sut « ce qu'il fallait faire pour réussir ». La Grange, narrant dans son Registre les événements d'octobre 1660, à la suite desquels la troupe fut privée de l'usage de sa salle et faillit être réduite aux errances de l'Illustre-Théâtre, rend hommage à celui qui préserva ses camarades de ce destin. En quelques mots, il complète les indications un peu sèches de Donneau de Visé : « Tous les acteurs aimaient le sieur de Molière, leur chef, qui joignait à un mérite et à une capacité extraordinaires une honnêteté et une manière engageante... »

Un chef habile, un chef aimable, voilà Molière. Il sait se tirer des mauvais pas; il sait se faire aimer. C'est ce qui assure son commandement. On lui fait confiance, on l'écoute, on lui obéit, on accepte ses remontrances; car on connaît son dévouement au bien commun et on lui rend son affection.

L'*Impromptu de Versailles*, dans sa première scène, nous offre un tableau vivant des relations qu'entretenait Molière avec ses camarades. Il lui arrive d'enrager quand il n'obtient pas d'eux ce qu'il désire : « Ah! les étranges animaux à conduire que des comédiens! » s'écrie-t-il. Il devient fou quand il s'évertue à les rassembler pour une répétition à laquelle ils ne sont pas prêts. Mais ce sont les circonstances qui rendent

pour un instant difficile la situation et acrimonieux les propos. Le Roi
exige qu'on lui présente un divertissement dont les préparatifs ont été
brusqués. Le chef veut satisfaire son protecteur; la troupe a peur de ne
pouvoir répondre à la confiance qu'on lui témoigne. Le dissentiment n'est
pas grave. Madeleine Béjart veut qu'on s'excuse; Molière veut qu'on
s'exécute : il l'emporte et le ton s'adoucit. Voici Madeleine conseillant
affectueusement son chef sur le choix d'un nouveau sujet de comédie.
Voici la De Brie qui, avec une curiosité bien féminine, insiste pour
entendre du poète acteur les badineries satiriques qu'il a composées sur
les comédiens de l'Hôtel de Bourgogne. Le poète ne résiste guère à ces
instances. La scène se déroule dans une familiarité suggestive. L'autorité
de Molière n'était point celle d'un tyran, pas même d'un maître : elle
était celle d'un camarade estimé, respecté, aimé.

On savait ce qu'il valait et ce qu'il donnait. Il donnait son temps, ses
pensées, sa santé, il donna même sa vie. En 1673, quand il présenta au
public le *Malade imaginaire* (il tenait le rôle d'Argan), il était réellement
malade. « Le dix-septième février, écrit La Grange, jour de la quatrième
représentation du *Malade imaginaire*, il fut si fort travaillé de sa fluxion
qu'il eut de la peine à jouer son rôle : il ne l'acheva qu'en souffrant beaucoup, et le public connut aisément qu'il n'était rien moins que ce qu'il
avait voulu jouer; en effet, la comédie étant faite, il se retira prompte-
ment chez lui; et à peine eut-il le temps de se mettre au lit que la toux
continuelle dont il était tourmenté redoubla sa violence. Les efforts qu'il
fit furent si grands qu'une veine se rompit dans ses poumons... Un
moment après, il perdit la parole et fut suffoqué en une demi-heure par
l'abondance du sang qu'il perdit par la bouche. »

★

Si ce n'est pas lui qui en constitua le noyau, c'est lui qui entretint sa
compagnie et la renforça, c'est lui qui para aux risques de désagrégation,
internes et externes, qui l'assaillirent. A l'intérieur, le plus difficile fut
sans doute de maintenir l'accord entre les comédiennes, du moins entre
celles qui pouvaient prétendre à la vedette. Geneviève Béjart n'y prétendait pas. Mais Madeleine, qui avait pour elle l'ancienneté, la De Brie, qui
pouvait se targuer de son talent, la Du Parc, fière des hommages rendus
à sa beauté, furent dès leur conjonction en 1653 vouées à une longue
rivalité. Il n'est pas besoin de supposer à leurs disputes une origine autre
que professionnelle. Nul besoin en particulier d'imaginer entre la Du
Parc et Molière un sentiment que rien ne rend vraisemblable. Chapelle,

dans une lettre à son ami, qui est probablement du début de 1659, donc de peu postérieure à l'installation à Paris, fait écho au « déplaisir » que donnent au chef de la troupe « les partialités » des trois grandes actrices pour la distribution des rôles. Et il ajoute : « En vérité, grand homme, vous avez besoin de toute votre tête en conduisant les leurs et je vous compare à Jupiter pendant la guerre de Troie... Qu'il vous souvienne donc de l'embarras où ce maître des dieux se trouva pendant cette guerre, sur les différents intérêts de la troupe céleste, pour réduire les trois déesses à ses volontés...

> *Fais-en donc ton profit; surtout*
> *Tiens-toi neutre, et, tout plein d'Homère,*
> *Dis-toi bien qu'en vain l'homme espère*
> *Pouvoir jamais venir à bout*
> *De ce qu'un grand dieu n'a su faire.*

Molière n'apaisa pas la dispute aussi facilement que le souhaitait l'amitié de Chapelle : à Pâques, la Du Parc quitta la compagnie où elle jouait depuis six ans et dont elle était une étoile; avec son mari, elle se laissa débaucher par le théâtre du Marais. D'autres tentatives de débauchage, d'origine extérieure, menacèrent la troupe l'année suivante. Les comédiens de l'Hôtel de Bourgogne, aussi bien que ceux du Marais, profitant du chômage dans lequel la démolition inopinée de la salle du Petit-Bourbon avait jeté pour un temps les camarades de Molière, tentèrent de les détourner de leur chef et de s'annexer les meilleurs. Diverses propositions leur furent faites. « Mais, dit La Grange dans son Registre, toute la troupe de Monsieur demeura stable. » Malgré l'incertitude du lendemain, tous protestèrent auprès de Molière « qu'ils voulaient courir sa fortune et qu'ils ne le quitteraient jamais, quelque proposition qu'on leur fît et quelque avantage qu'ils pussent trouver ailleurs ».

La compagnie qui s'installa au Petit-Bourbon à la fin de 1658 comprenait dix acteurs et actrices, dont certains travaillaient ensemble depuis une quinzaine d'années; les plus récentes acquisitions remontaient à 1653 : la cohésion ne manquait pas. Du côté des femmes, une tragédienne réputée, la Béjart; une actrice au talent éprouvé et sur qui le chef pouvait compter, la De Brie; une jolie femme, bonne danseuse à tout le moins, la Du Parc; du côté des hommes, un bon comique, Molière lui-même. C'était l'essentiel. S'y ajoutaient six comédiens de second ou troisième ordre : Dufresne, Joseph Béjart, Louis Béjart, Du Parc, De Brie et Geneviève Béjart, et le gagiste, homme à tout faire, Croisac. Certains estiment que c'était peu pour lutter contre l'Hôtel de Bourgogne : ils oublient que la force principale d'une troupe est dans sa judicieuse composition et dans son unité plus que dans l'éclat des vedettes.

Les Béjart étaient avec Molière depuis 1643, du moins Madeleine, Geneviève et Joseph; Louis avait probablement pris place dans l'équipe vers 1652, peu après avoir atteint sa vingtième année. Charles Dufresne était l'ancien chef de la troupe du duc d'Épernon. Ceux-là, Molière ne les avait pas choisis. Mais il avait eu le mérite d'enrôler vers 1650 Catherine Du Rosé, puis, en 1651, Edme Villequin dit De Brie, qui entra dans la compagnie pour épouser Catherine : si le mari resta médiocre, la femme fut la meilleure acquisition que fit jamais Molière, avec celle de Baron, dont il ne profita pas longtemps. En 1647, il s'était attaché René Berthelot dit Du Parc : en 1653, Marquise Thérèse de Gorla épousa René Berthelot et, de ce fait, fut intégrée à la compagnie, lui apportant un concours de valeur.

Avec ces deux femmes, on peut dire que le chef avait eu la main heureuse. Son bonheur ne se démentit pas à Paris. A Pâques 1659, Dufresne se retira pour se reposer dans sa province natale et les Du Parc firent sécession; Croisac fut congédié. Molière para à ces départs : le Marais lui prenait les Du Parc, il prit au Marais Jodelet et son frère L'Espy. Si Jodelet était en déclin, sa réputation était grande et le public prisait en lui le meilleur comique du temps. En même temps, le Petit-Bourbon vit arriver La Grange et Du Croisy, deux comédiens de province, qui se révélèrent d'excellentes recrues; avec Du Croisy, sa femme, dont le concours fut moins profitable. Trois départs, cinq entrées : la troupe ne perdait pas ses forces.

Il est vrai que Joseph Béjart mourut au mois de mai : un vieux compagnon disparaissait. Au Vendredi saint de l'année suivante, Jodelet décéda lui aussi. La perte était sérieuse; mais à Pâques, Du Parc et sa femme, se repentant de leur sécession, revinrent au Petit-Bourbon. Or Du Parc, Gros-René au théâtre, avait gagné la faveur du public parisien par sa rondeur comique : le chroniqueur Loret estimait qu'il valait « trois fois Jodelet ». Et le talent de sa femme n'avait rien perdu de sa force de séduction. La troupe restait à douze parts : sept hommes, cinq femmes.

En juin 1662, on créa deux parts nouvelles. Molière, continuant son offensive contre le Marais en décadence, prit à cette compagnie deux nouveaux acteurs : La Thorillière et Brécourt. Et en 1663, Armande Béjart, Mlle Molière, commença sa carrière avec la *Critique de l'École des femmes*. L'Espy, âgé de plus de soixante ans, s'était retiré à Pâques. En dépit de ce départ, la troupe était passée en moins de cinq années, de dix à quatorze unités : six femmes au lieu de quatre, huit hommes au lieu de six. Molière n'avait pas mal conduit la barque : on pouvait le tenir pour un « habile ».

Brécourt, poursuivant une carrière d'acteur et d'auteur, qui ne fut pas sans éclat et ne trouvant pas au Palais-Royal, dans une compagnie qui réussissait surtout dans la comédie, un emploi répondant à son talent de tragédien, lâcha Molière pour l'Hôtel de Bourgogne, comme il avait lâché le Marais pour Molière. Il avait travaillé avec celui-ci pendant près de deux années. Le vide fut comblé par Hubert, venu lui aussi du Marais. La substitution se fit à Pâques 1664. Elle laissait intactes les forces de l'équipe.

A l'automne, Du Parc mourut. La perte était plus grave. C'était un vieux collaborateur. Il semble avoir aidé le chef dans ses fonctions de direction. Sa disparition rendit plus pesante une charge déjà lourde. Peut-être est-ce la raison pour laquelle Molière cessa à ce moment-là de faire chaque soir l'annonce et confia à La Grange l'office d'*orateur*. De plus Du Parc était un excellent comique : il ne fut pas remplacé.

Mlle Du Croisy, au même moment, ou presque, s'effaça : elle ne mourut ni ne s'en alla; son mari resta fidèle au Palais-Royal; on suppose qu'elle ne s'éloigna guère de ses camarades. On sait seulement qu'à Pâques 1664, la compagnie fut saisie d'une proposition visant à l'exclure de la répartition des bénéfices; si la proposition n'obtint alors qu'un succès partiel, l'année suivante il en fut autrement. La troupe revint alors à douze parts : cinq comédiennes, sept comédiens.

Comment se fait-il que Molière, qui avait fait passer ses effectifs de dix à quatorze unités entre 1658 et 1663, les laissa tomber à douze en 1665 ? On comprend qu'il n'ait pas jugé opportun de remplacer Mlle Du Croisy; mais le gros Du Parc? Il faut constater qu'il ne fera plus aucune acquisition jusqu'en 1670, pendant cinq années. Et pourtant il perdit encore la Du Parc à Pâques 1667 : elle quitta le Palais-Royal pour aller jouer *Andromaque* à l'Hôtel de Bourgogne, attirée chez les Grands Comédiens par l'impérieuse humeur d'un amant qui voulait faire d'elle une grande tragédienne et lui confiait, pour commencer, le rôle de la veuve d'Hector.

Les comédiens du Palais-Royal n'étaient plus que onze : sept hommes et quatre femmes. Madeleine Béjart vieillissait. Ils revenaient à peu près à leur point de départ. Molière ne s'en émut pas. Et pourtant son théâtre n'était pas moins actif ni moins fréquenté. Jugeait-il son équipe assez forte pour faire face à son travail avec des effectifs réduits? Voulait-il maintenir aux parts une consistance mise en danger non seulement par la baisse des recettes aux guichets, mais aussi par la moindre productivité des *visites?* C'est ce qui ressort du Registre de La Grange. Les visites se raréfient après 1665 : nous le montrerons. La part, qui s'établit à plus de 4.000 livres pour la saison 1661-1662, et encore pour celle de 1663-1664, à plus de 3.000 pour celles de 1662-1663 et de 1664-1665, descend à Pâques 1666 à 2.200 livres environ; elle remonte à 3.300 en 1667, mais redescend à 2.600 en 1668. Elle ne revient à un haut niveau qu'avec le triomphe de *Tartuffe* en 1669, année où elle dépasse 5.000 livres; et dès lors elle se tient au-dessus de 4.000 livres avec régularité.

En 1670, les affaires sont donc prospères. Louis Béjart est mis à la retraite avec une pension de 1.000 livres. Molière reprend sa campagne d'engagement, interrompue depuis l'arrivée d'Hubert en 1664. Il fait appeler d'une troupe de campagne le jeune Baron; deux mois plus tard, il prend à la même troupe Beauval et sa femme; il s'attache un gagiste, Châteauneuf. Les effectifs remontent alors à treize unités : huit hommes et cinq femmes. C'est à peu près le chiffre maximum, celui de 1663-1664.

Si Madeleine Béjart meurt en février 1672, La Grange épouse et fait entrer dans la troupe Marie Ragueneau en avril. La compagnie reste au chiffre de treize. Un gagiste est encore engagé d'avril à août 1672 et trouve emploi dans les nouveaux intermèdes du *Mariage forcé*.

Ainsi Molière a assuré la permanence des forces de son équipe. Sept acteurs l'ont entouré dans sa carrière parisienne quasi d'un bout à l'autre : Madeleine, Geneviève et Louis Béjart, les De Brie, La Grange et Du Croisy. Quatre autres ont été avec lui pendant la plus grande partie de cette période : La Thorillière à partir de 1662, Hubert à partir de 1664, Armande à partir de 1663, la Du Parc de 1658 à 1659 et de 1660 à 1667. Sept ont favorisé ses débuts : Dufresne pendant le premier hiver; Jodelet pour une saison; Du Parc pour une saison aussi et de nouveau de 1660 à 1664; Joseph Béjart jusqu'en 1660; L'Espy de 1659 à 1663; Mlle Du Croisy de 1659 à 1664; Brécourt de 1662 à 1664. Quatre ont rejoint sur le tard : Baron et les Beauval en 1670, Mlle La Grange en 1672.

En tout, vingt-deux comédiens sont passés sur la scène du Petit-Bourbon ou du Palais-Royal sous l'égide de Molière, vingt-trois en y comprenant le chef. Tous n'ont pas montré le même talent, ni rendu les mêmes services. Les forces vives sont faciles à déceler : c'est d'abord Madeleine Béjart, la De Brie, La Grange et Du Croisy; c'est, un peu moins continûment, Armande, la Du Parc, la Thorillière, Hubert; c'est, pour trop peu de temps, Du Parc, Jodelet, Baron, Mlle Beauval. Une douzaine de bons collaborateurs, voilà ce qui en premier lieu permit à Molière de réaliser son ambition; voilà ceux qu'il sut s'attacher ou garder. Une seule défection affecta sérieusement cette équipe fondamentale : le départ de la Du Parc, dont on sait la raison. Tous les autres furent fidèles : seule la mort, la leur ou celle du chef, dénoua le lien qu'ils avaient accepté de nouer et que l'autorité de Molière ne cessa de renforcer.

*

Il ne suffit pas de former une troupe, il faut la faire travailler. Le travail commence par la distribution des rôles et ce n'est pas le moment le moins délicat. Nous avons déjà évoqué les compétitions féminines autour de la vedette. L'*Impromptu* souligne la difficulté qu'éprouvait le chef à faire accepter à ses camarades un emploi qui leur convenait, mais auquel ils répugnaient par l'effet de l'amour-propre ou de quelque préjugé. C'est Mlle Du Parc qui est visée dans ce passage et peut-être est-ce elle en effet qui donna le plus de tablature à Molière. C'est elle qui fit défection en 1659, quitte à s'en repentir l'année suivante; c'est la seule parmi les acteurs de valeur qui ne fut pas fidèle à celui qui l'avait distinguée à l'origine de sa carrière.

Elle craint de mal tenir son rôle. « Mon Dieu, Mademoiselle, lui répond Molière, voilà comme vous disiez lorsque l'on vous donna celui de la *Critique de l'École des femmes*; cependant vous vous en êtes acquittée à merveille, et tout le monde est demeuré d'accord qu'on ne peut pas mieux faire que vous avez fait; croyez-moi, celui-ci sera de même, et vous le jouerez mieux que vous ne pensez. »

Il lui fallait ainsi complimenter l'un, rassurer l'autre, les encourager, pour qu'ils donnent ce qu'ils étaient capables de donner. Mais il ne fallait pas se tromper sur leurs possibilités. A chacun il convenait d'attribuer le personnage qui répondait à sa nature d'acteur, non point forcément au caractère qui était le sien à la ville, dans ses relations quotidiennes, mais à son caractère de théâtre, qui n'était pas toujours identique au premier. Molière avait cet art. Grimarest, informé par Baron, en témoigne : « Sa troupe était bien composée; et il ne confiait point ses rôles à des acteurs qui ne sussent pas les exécuter, il ne les plaçait point à l'aventure. » Charles Perrault, dans ses *Hommes illustres*, affirme de son côté qu'il savait assurer la parfaite convenance du personnage au comédien, soit par une judicieuse distribution des rôles, soit par l'instruction qu'il dispensait libéralement à ses camarades.

★

Les répétitions étaient soignées, minutieuses. Il arrivait trop souvent que la volonté brusque du souverain laissât trop peu de temps pour les multiplier à souhait. Du moins, si elles étaient peu nombreuses, ne perdaient-elles pas de leur efficacité. Quand rien ne venait hâter leur déroulement, elles occupaient la troupe pendant des semaines. *Psyché* fut mise en répétition pour la représentation à la Ville (elle avait déjà été présentée à la Cour) au début du mois de juin 1671, quand la première eut lieu le 24 juillet; on commença la préparation du *Malade imaginaire* le 22 novembre 1672 et la première intervint le 10 février.

A la répétition, on élaguait le texte de superfluités dont l'embarras n'avait pas frappé le poète ni les premiers lecteurs, mais que faisaient ressortir le jeu et la diction. Ce sont ces vers que, dans l'édition de 1682, La Grange encadre de guillemets. Il arrive que la suppression s'explique par des raisons morales ou anecdotiques; presque toujours la cause en est technique : ce sont des longueurs qui dans l'imprimé ne gênent guère et qui apparaissent insupportables à la scène.

Ces remaniements étaient parfois importants. Les comédiens n'avaient pas la superstition du texte écrit. Les convenances, même momentanées, de la représentation primaient toute considération. Le texte pouvait varier de la première à une reprise et d'une reprise à l'autre, et même au cours d'une série de représentations. L'exemple des avatars de *Tartuffe* est connu. D'autres comédies ont subi des modifications, moins importantes certes, et motivées d'autre façon, curieuses néanmoins. Une édition contrefaite du *Sicilien*, de 1668, révèle cette liberté des comédiens. Elle donne en effet un état de la pièce assez différent de celui que l'édition authentique nous a transmis. Les retouches visent souvent, ou bien à rendre le jeu plus facile à suivre, ou bien à donner au style une rondeur qui étoffe le débit. Sans doute cette édition a son origine dans une troupe de province; mais on peut affirmer que les compagnies parisiennes n'étaient pas plus fidèles à l'original.

Les répétitions prenaient parfois l'aspect de leçons. Molière était là aussi un maître. De Visé, parlant de l'*École des femmes* en 1663, le reconnaît : « Il a pris le soin de faire si bien jouer ses compagnons que l'on peut dire que tous les acteurs qui jouent dans la pièce sont des originaux que les plus habiles maîtres de ce bel art pourront difficilement imiter. » Et plus haut : « Jamais comédie ne fut si bien représentée, ni avec tant d'art : chaque acteur sait combien il doit faire de pas et toutes ses œillades sont comptées. » Le même critique, en 1673, dans son éloge du disparu, revient sur ce sujet en termes imagés : « Ce n'est pas sans raison que Molière disait qu'il ferait jouer jusqu'à des fagots. Des fagots acteurs! des fagots! oui, Messieurs... » Est-ce à L'Espy qu'il fait allusion? Guéret, dans la *Promenade de Saint-Cloud*, rapporte que, lors de la première représentation de l'*École des maris*, on n'attendait « rien que de très médiocre » de cet acteur et il parut « inimitable ». N'est-ce pas au chef qu'il devait de s'être surpassé?

La Grange en 1682, comme de Visé en 1663, insiste sur la minutie des exigences de Molière. Il faut faire prendre aux acteurs le caractère de leur rôle, comme le rappelle l'*Impromptu*, les amener à se figurer qu'ils sont ce qu'ils représentent. Pour atteindre à cette perfection, on doit surveiller tout : un coup d'œil, un pas, un geste, chaque mouvement, chaque expression ont leur importance pour donner aux mots leur pleine valeur.

Revenons à l'*Impromptu* : c'est le meilleur document que nous puissions désirer sur une répétition au Palais-Royal. Comme le dit un critique, nous avons là un morceau curieux : « Ce n'est pas un personnage vu par Molière, c'est Molière lui-même que nous voyons agir et que nous entendons parler. Le voilà dans une situation où il se trouvait souvent. C'était de cette manière sans doute qu'il expliquait aux comédiens les rôles dont il les chargeait; c'était ainsi que, développant à leurs yeux le caractère de chaque personnage, il leur apprenait à le revêtir des formes les plus vraies et les plus expressives. »

Il est vif, impatient parfois; il s'emporte, il peut être âpre dans ses propos. Mais il peut aussi y mettre de la douceur : il sait flatter Mlle Du Parc, vanter son talent, concéder qu'elle n'est pas « façonnière », bien qu'elle en fasse le rôle à merveille. Il ne perd pas son temps à répéter à La Grange ce qu'il a déjà dit, non plus qu'à Armande. En revanche, il précise en une phrase riche d'idées le caractère que doit tenir Madeleine Béjart ou Mlle De Brie. Ce n'est là encore que la préparation. Voici la répétition qui s'engage. Cette fois, La Grange, épargné tout à l'heure, est sévèrement repris. On corrige son ton; le dialogue se poursuit; Brécourt intervient, non moins maladroitement que La Grange; il est repris lui aussi avec brusquerie. Plus loin, il se montre à nouveau insuffisant : le maître, s'emparant du rôle, débite à sa place le discours où il s'engageait gauchement. Brécourt est éclairé, les femmes entrent : Molière ne manque pas d'insister auprès de Mlle Du Parc sur l'artifice qu'elle doit imprimer à sa démarche. Il use d'un ton si persifleur qu'on en vient à se demander si la concession de tout à l'heure n'était pas elle

aussi un trait d'ironie. Mlle Du Parc ne serait-elle pas, malgré ses protestations, une « façonnière »? Le poète joue de l'ambiguïté. Cette fois
la répétition avance rondement. Il faut l'autorité de Madeleine Béjart
pour l'interrompre et donner un autre cours à la comédie. Mais nous
en savons assez : nous avons vu travailler Molière et ses camarades.

Michaut remarque que les impatiences que s'attribue le poète dans
ces scènes ne sont pas forcément un trait de nature : il y a là une nécessité de la pièce. Un directeur qui sent que sa troupe n'est pas prête,
un acteur qui voit que ses camarades ne possèdent pas leur texte, un
auteur en pleine bagarre littéraire, ce sont là des personnages qui ne
pourraient sans contresens être présentés comme sereins. C'est vrai :
d'autres répétitions ont pu se passer autrement, plus gaies, moins ner-
veuses. Mais si elles avaient un autre ton, elles n'avaient pas une contex-
ture différente : le chef n'y était pas moins exigeant, pas moins pressant,
pas moins impérieux, tout en sachant user de douceur, pas moins
précis dans ses recommandations, pas moins clair, pas moins attentif
au détail, pas moins efficace, pas moins écouté, pas moins obéi, pas
moins respecté, pas moins aimé.

                            ★

Un jour où on représentait *Tartuffe*, Champmeslé, qui jouait alors
au Marais, vint causer avec Molière dans sa loge, près de la scène.
Tout à coup le poète s'écria : « Ah! chien; ah! bourreau! » Champmeslé
le regarde avec stupeur; Molière s'excuse : « Ne soyez pas surpris de
mon emportement, j'ai entendu un des acteurs débiter quatre vers de
ma pièce d'une façon fausse et pitoyable; or je ne veux pas voir ainsi
maltraiter mes enfants sans souffrir toutes les tortures de l'enfer! »

Cette anecdote, rapportée par Grimarest, quelle que soit son authenticité, témoigne de l'intérêt que l'on portait à la diction au Palais-Royal.
La diction n'avait pas moins d'importance que le jeu. Molière avait
là-dessus des idées qui n'ont pas eu l'heur d'agréer à tout le monde.
Il importe d'éclairer ce débat, qui n'a pas toujours été considéré dans
sa réalité historique.

La diction dramatique a évolué d'une façon à peu près continue
depuis l'origine du théâtre classique ou du théâtre professionnel. Cette
histoire est l'un des aspects de l'évolution de la conception du *naturel*.
Faguet l'a dit dans son *XVIIIe siècle* : « D'âge en âge, le naturel de
l'époque précédente paraît le pire conventionnel à celle qui vient. »
Chaque génération reproche ses errements à celle qui l'a devancée;

chaque génération manifeste à celle qui la suit sa mauvaise humeur de se voir remplacée. Les premiers venus s'insurgent contre le mauvais goût, la familiarité, le manque de dignité des nouveaux venus; les nouveaux venus ne peuvent supporter l'enflure, la prétention, la déclamation vociférante ou chantante, la monotonie de leurs prédécesseurs. Les griefs sont contradictoires. Pourtant on peut croire qu'ils ne s'annulent pas : cette évolution a peut-être un sens, qui porterait d'une dignité soumise à la bienséance vers une expressivité assurant la convenance du ton au caractère et à la situation; ou, si l'on veut, du chant vers la diction, de la déclamation musicale vers le langage commun.

Ces remarques valent surtout pour la déclamation tragique. Mais Molière et ses camarades, pendant une longue partie de leur carrière ont joué la tragédie et ils n'ont jamais séparé leur façon de dire le vers comique et celle de dire le vers tragique : il est évident qu'à cet égard un vers du *Misanthrope* n'est pas foncièrement différent d'un vers d'*Attila*.

De nombreuses anecdotes ont cours sur la déclamation tragique au XVIIe siècle : Montdory, récitant en 1637 les imprécations d'Hérode dans la *Marianne* de Tristan l'Hermite, poussa tellement son jeu qu'il fut frappé d'apoplexie; plus tard, Montfleury serait mort des efforts qu'il faisait en interprétant les fureurs d'Oreste dans *Andromaque*; Brécourt se serait rompu une veine en jouant son *Timon;* la Champmeslé aurait terminé sa carrière en se dépensant dans la *Médée* de Longepierre. Peut-être faudrait-il examiner tout cela de plus près. On tient cependant pour assuré que vers 1660 l'emphase et la vocifération viciaient la diction de nombre de tragédiens.

Le continuateur du *Roman comique* de Scarron, à une date qui ne doit pas être de beaucoup postérieure, fait dire au comédien La Rancune, conseillant l'avocat Ragotin, qui veut passer du barreau au théâtre : « La déclamation des vers est plus difficile que vous ne pensez. Il faut observer la ponctuation des périodes et ne faire pas paraître que ce soit de la poésie, mais les prononcer comme si c'était de la prose; et il ne faut pas les chanter, ni s'arrêter à la moitié ni à la fin des vers, comme fait le vulgaire, ce qui a très mauvaise grâce; et il y faut être bien assuré : en un mot il les faut animer par l'action. »

Scherer a remarqué que la tirade était une loi du théâtre classique, ou plutôt une forme dont il use et abuse. Or la tirade se prête éminemment à la déclamation pompeuse ou chantante. Molière, en tant que poète, ne la proscrira point : les tirades sont fréquentes dans le *Misanthrope*; elles ne sont pas rares dans *Tartuffe* et les *Femmes savantes*; on en trouve jusque dans le *Malade imaginaire* et dans *Pourceaugnac*. Mais, en tant qu'acteur et chef de troupe, il en sait le défaut et tâche d'en atténuer l'artifice.

Il est revenu à deux reprises sur la question de la diction. Dans les *Précieuses* déjà, sous le masque de Mascarille, il se moque de ses rivaux, les Grands Comédiens, les seuls « qui soient capables de faire valoir les choses ». Il ajoute : « Les autres sont des ignorants qui récitent comme l'on parle; ils ne savent pas faire ronfler les vers, et s'arrêter au bel endroit; et le moyen de connaître où est le beau vers, si le comédien ne s'y arrête et ne vous avertit par là qu'il faut faire le brouhaha? » Cathos fait chorus : « En effet, il y a manière de faire sentir aux auditeurs les beautés d'un ouvrage et les choses ne valent que ce qu'on les fait valoir. »

Il se prononçait ainsi dès ses débuts contre la diction artificieuse de l'Hôtel de Bourgogne et préconisait une diction naturelle. Réciter comme l'on parle! C'est ce que disait de son côté le continuateur de Scarron.

Mais une question préalable se pose : connaissait-il bien le jeu de ses rivaux? En parlait-il par ouï-dire? On a observé que, jouant les mêmes jours de la semaine qu'eux, il ne pouvait aller les entendre. Ce n'est pas vrai de l'hiver 1658-1659. On peut penser qu'il a beaucoup fréquenté à cette époque l'Hôtel de Bourgogne, ne fût-ce que pour s'y former sur d'illustres modèles, et que c'est alors que sa déception l'a conduit à la sévérité.

Quatre ans plus tard, le voici qui de nouveau se lance à l'attaque. Dans l'*Impromptu*, il parodie ouvertement la déclamation de ses rivaux. Prenant ses textes dans *Nicomède*, *Horace*, le *Cid*, *Sertorius* et *Œdipe*, il présente sur le mode ironique cinq scènes du théâtre cornélien, c'est-à-dire de celui qui était le plus en vogue dans le genre sérieux. Il varie ses effets. C'est d'abord une confidence du roi Prusias à son capitaine des gardes, où, imitant Montfleury, il prend un « ton de démoniaque » pour énoncer des propos qui doivent être comme une prise de conscience de sentiments à peine avoués, et que la voix doit chuchoter. Il passe à l'entretien entre Camille et Curiace : là encore, le ton est plus douloureux que violent, plus suggestif qu'emporté; Mlle Beauchasteau est accusée de ne pas accorder l'expression de son visage aux paroles qu'elle prononce. Dans une troisième parodie, Beauchasteau récite les stances de Rodrigue; dans une quatrième, Hauteroche joue le rôle de Pompée rendant hommage à son ennemi Sertorius; dans une cinquième, Villiers, dans le personnage du Vieillard de Corinthe, annonce à Œdipe la mort de celui que le roi de Thèbes prend pour son père.

Il est vrai, comme on l'a fait remarquer, que, faute de cette notation complète du jeu et du ton dont nous regrettons l'absence, il est difficile de préciser les reproches adressés à Beauchasteau, à Hauteroche et à Villiers : le texte dit seulement qu'ils sont contrefaits avec tant de netteté qu'on ne peut pas ne pas les reconnaître. Pour Mlle Beauchasteau et pour Montfleury, la critique est sans ambiguïté. D'ailleurs, à regarder les textes choisis pour ces parodies, on s'aperçoit qu'ils comportent tous une force expressive qui doit être contenue. Prusias, Camille, Rodrigue, Iphicrate sont en proie à des sentiments qui les agitent ou les bouleversent, et ils ne doivent pas s'y laisser aller : ils doivent en surveiller les manifestations, soit par souci de dignité, soit par considération pour leur interlocuteur, soit pour assurer la réussite de leur dessein. Pompée est dans un cas un peu différent; cependant lui aussi, il doit éviter une exagération qui pourrait rendre suspecte la sincérité de l'hommage rendu à Sertorius. Dans ces textes délicats, la voix doit se colorer d'*humanité*. On peut supposer que c'est ce qui manquait aux comédiens attaqués. Ils ne parlaient pas « humainement », ni « naturellement ».

D'où venait à Molière ce besoin de naturel dans la diction? Bidou a soutenu sur ce point une thèse ingénieuse : « Convaincu de mal dire le vers tragique, Molière fit ce qui se fait encore. Il composa une théorie de ses défauts et les nomma des qualités. Polémiste terriblement adroit, il se défendit en attaquant. Il fit le procès de la tragédie et des tragédiens. » A quoi on peut objecter qu'en 1659 il était un peu tôt pour que Molière ressentît comme définitif son échec dans la déclamation tragique et en tirât l'idée d'une réforme. On peut par contre estimer que la théorie de la tragédie parlée est bien née chez le comédien d'une exacte conscience de ses moyens, mais ceci avant même les expériences parisiennes, plutôt dans le laboratoire que constitua la vie provinciale.

Bidou fait encore deux remarques : il croit pouvoir affirmer que Molière n'appliquait pas sa théorie et était aussi emphatique que ses rivaux; il se demande ce que peut être « une récitation naturelle de vers qui sont les moins naturels du monde ».

Le premier point a une certaine importance. Pour l'établir, Bidou fait état de témoignages contemporains qu'il ne précise pas et que nous n'avons pas découverts. Nous devons donc tenir son jugement pour gratuit. Tout ce qu'on peut dire, c'est que les amis de l'Hôtel de Bourgogne ont dénié toute valeur aux critiques venues du Palais-Royal : « On récite chez eux comme il faut réciter », disait des Grands Comédiens l'auteur de l'*Impromptu de l'Hôtel de Condé* (c'était le fils

de Montfleury). La tragédie resta l'apanage de l'Hôtel; le Palais-Royal
n'y réussit pas et finit par se confiner dans le comique. Ainsi, s'il n'y
a pas lieu de supposer que Molière ait été infidèle à ses théories, il faut
reconnaître que sa réforme ne fut pas soutenue par le public.

En tout cas, on ne saurait douter de la réalité de cette réforme. Peut-
être même fut-elle moins inefficace qu'il semble, sinon dans l'immédiat,
du moins après la mort de son promoteur. Mlle Poisson en effet, tardivement il est vrai, rapporte que « pour varier ses inflexions, Molière mit le
premier en usage certains tons inusités ». De son côté, l'abbé Dubos, un
peu plus tôt, dans ses *Réflexions critiques sur la poésie et la peinture*, prétend que le comédien aurait imaginé « des notes pour marquer les tons
qu'il devait prendre en déclamant les rôles, qu'il récitait toujours de la
même manière ». Baron aurait dû à ce système le naturel de sa diction.
Selon Mlle Poisson encore, la réforme fit d'abord accuser son auteur d'un
peu d'affectation, mais on s'y accoutuma.

Que retenir de ces propos? Ajoutera-t-on foi à cette notation quasi
musicale appliquée à la diction dramatique? Dubos est seul à en parler.
Croira-t-on avec Mlle Poisson que contrairement aux apparences, les
idées de Molière entrèrent dans la pratique? Est-ce par Baron que ce
changement s'est produit? Baron en effet fut formé au Palais-Royal. On
admet qu'il marqua un progrès dans la déclamation par rapport à Montfleury. Peut-être ce progrès est-il celui qu'avait entrevu son maître.

Le second point soulevé par Bidou est d'un autre ordre. Comment se
justifie la revendication de naturel élevée par Molière pour la diction?
Le vers est un artifice; le théâtre, plus généralement, est un artifice;
la comédie de Molière est un tissu de conventions : nous aurons l'occasion
d'y revenir souvent. On peut trouver incongrue la réclamation qui vise
à trouver naturel ce qui est fondamentalement conventionnel : Bidou a
raison de s'étonner. Mais n'est-ce pas une querelle de mots? Tout au
long de l'histoire, les générations se sont combattues au nom du naturel :
Molière reprochait à Montfleury son artifice; Baron fera de même pour
ses prédécesseurs, puis Lekain, puis Talma; et depuis Talma, les choses
ont-elles changé? Une convention se substitue à l'autre : l'ancienne a
vieilli et ce vieillissement fait éclater le malentendu sur lequel elle avait
pris naissance; celle qui la remplace n'est pas aperçue comme convention,
on la prend pour le naturel; quelques années, un demi-siècle au plus,
changeront la perspective; une autre convention sera imaginée que l'on
décorera encore du nom de naturel et qui ne sera qu'un nouvel artifice.
La loi du théâtre le veut, la loi de ce domaine qui est le royaume de l'illusion. Tout au plus peut-on suggérer que ces conventions ne sont pas

égales, qu'à tout prendre, l'artifice diminue de l'une à l'autre, que la diction devient plus nuancée, s'approprie à la situation et au caractère, que le langage dramatique se rapproche peu à peu du langage ordinaire. Encore serait-il imprudent de l'affirmer trop haut.

★

Il est difficile de se rendre compte de ce qu'était la mise en scène au XVIIe siècle. Les poètes n'avaient pas coutume de s'occuper de ces détails qui visaient la seule représentation. Corneille le leur reprocha dans son *Discours des trois unités*. Il n'était pas lui-même prodigue de ces indications, qui conditionnent cependant la création dramatique. Les éditions originales des comédies de Molière ne nous en disent pas davantage. Un mouvement, un geste, une expression sont notés ici ou là. Mais que d'incertitudes dans nombre de passages! Le comédien complétait le poète. Aucune trace n'est restée de cette part essentielle de son activité.

Aucune trace? C'est trop dire. Il n'est pas téméraire, semble-t-il, d'avoir recours à cette édition contrefaite du *Sicilien* dont nous avons mentionné l'intérêt à un autre point de vue. Elle comporte en effet des instructions aux comédiens qui esquissent une véritable mise en scène de la pièce. Si l'on observe que ces instructions n'émanent point de Molière et ne s'adressent point à la troupe du Palais-Royal, il est loisible de répondre qu'à tout le moins nous avons là une idée de ce qui se passait communément; on ajoutera que certainement cette mise en scène pour la province s'inspirait de la mise en scène originale. La comédie fut présentée au Palais-Royal le 10 juin 1667; l'édition authentique parut à la fin de l'année sous la date de 1668; la contrefaçon porte la même date : le délai est trop court pour que l'altération de la tradition soit considérable.

Notons d'abord des modifications que la troupe de province dut apporter au jeu initial. Il en est une dont la raison n'est pas douteuse, à la scène III. C'est une sérénade offerte par Adraste à la belle Isidore : chez Molière, trois musiciens chantent sur une musique de Lully; la troupe ambulante, dépourvue sans doute de chanteurs, substitua à la sérénade une entrée de ballet exécutée sur un air de violon, ce qui se justifie mal dans la nuit régnant sur le théâtre. Comment Isidore, malgré deux flambeaux, jouirait-elle du spectacle?

A la scène XII, un changement intervient aussi, qui est plutôt un complément apporté à la version initiale pour la rendre plus expressive. Adraste est en apparence occupé à peindre le portrait d'Isidore sous la surveillance du jaloux Don Pèdre. Le valet d'Adraste, déguisé en Turc, détourne l'attention du maître d'Isidore pour que le peintre improvisé fasse sa cour à la belle. Dans le texte original, Don Pèdre ne se méfie guère du pseudo-Turc : ce n'est qu'après l'avoir laissé sortir qu'il reprend sa fonction de surveillant et s'aperçoit du manège des amants. Dans la version provinciale, ce jeu de scène intervient deux fois, avant et après la sortie d'Hali : deux fois Adraste est troublé dans son entreprise, deux fois il s'évertue à expliquer en peintre des gestes de galant. Il est vrai que l'édition de 1682, authentique elle aussi, complète de la même façon l'originale. On peut croire que sur ce point la contrefaçon explicite un jeu de scène que l'originale avait laissé tomber, mais qui avait cours au Palais-Royal.

D'autres compléments intéressants interviennent. A la scène VII, le texte authentique montre Hali comiquement empêtré dans ses révérences à Don Pèdre et tâchant au milieu de son jeu de nouer une conversation par signes avec la belle Isidore. Dans l'édition contrefaite, les révérences s'adressent alternativement au maître et à la galante esclave.

A la scène XI, nous voyons Adraste peignant le portrait d'Isidore; à la fin de la scène suivante, Don Pèdre tente de voir le portrait et Adraste le cache. Pourquoi? Évidemment parce que ce faux peintre n'a rien peint. Le metteur en scène provincial a trouvé insoutenable l'excuse qu'Adraste oppose au Sicilien pour l'empêcher de jeter un coup d'œil sur son travail, et voici ce qu'il a imaginé : « Il faut observer que le châssis est de couleur blanche, qu'il y a un visage représentant l'actrice, lequel visage est couvert de blanc, lequel s'efface fait à fait que le pinceau touche dessus et ôte ledit blanc, ce qui fait paraître que l'acteur peint; pour les couleurs de dessus sa palette, elles sont sèches et ne servent que d'apparence, si bien que, tout le blanc qui est sur le visage étant ôté, il semble que l'acteur l'ait peint lui-même. »

Il n'est pas moins instructif de constater avec quelle précision les mouvements et gestes des acteurs sont notés, quand l'édition originale reste vague ou muette sur ce point : « Il faut observer dans la première scène, qu'Hali se poste devant la porte de Don Pèdre, qui est au côté droit du théâtre; et qu'en la scène deuxième, Adraste sort du côté gauche, précédé de deux flambeaux, dont l'un se met à droite du théâtre et l'autre à gauche... Dans la quatrième scène, Don Pèdre sort de la porte et s'en va se poser derrière le dos d'Adraste dans le moment qu'il appelle Hali, lequel étant près de lui, Don Pèdre se met entre eux deux, toutefois plus en arrière, et quand Hali a dit qu'il voudrait bien tenir le Sicilien pour le battre et pour se venger de lui, il quitte Adraste et va à tâtons jusqu'à la porte, et cependant Adraste continue près du Sicilien comme s'il parlait à lui [à Hali], et dans le moment qu'il est averti que la porte est ouverte, Don Pèdre y retourne, et se met au milieu d'icelle, si bien qu'Hali et lui s'étant longtemps tâté le visage et la tête, Don Pèdre donne un soufflet à Hali, qui lui rend, comme il est marqué. »

A la scène XI, nous avons la liste des accessoires du peintre, apportés par les laquais : le châssis à peindre, le chevalet et la palette. Nous voyons la place de chaque personnage : Isidore à droite, Pèdre à gauche, Adraste au milieu. Nous sommes instruits du jeu de scène : Adraste se lève de temps en temps pour rectifier la posture d'Isidore ou pour ouvrir son vêtement et le jaloux rapproche son siège chaque fois qu'Adraste se lève.

Ce n'est qu'une esquisse de mise en scène : du moins elle nous fait entrevoir le travail qu'accomplissait Molière au Palais-Royal dans les répétitions. Nous avons déjà dit l'impression de minutie qu'avait produite sur de Visé la préparation de l'*École des femmes* : les mouvements, le nombre de pas à faire dans tel ou tel sens, les gestes, les attitudes, les expressions, jusqu'aux œillades, tout était prévu. De cette précision du jeu, le texte original ne nous donne qu'une faible et rare idée; la tradition orale seule conservait, plus ou moins fidèlement, les instructions nécessaires à l'interprétation. L'édition de 1682, œuvre d'un comédien, fut pourtant moins avare d'indications; celle de 1734 fit encore des progrès dans ce sens. Mais ni l'une ni l'autre ne restituèrent la mise en scène voulue par Molière, dont nous serions si curieux aujourd'hui. Il est à craindre qu'aucun document ne nous la rende jamais.

Une question se pose encore. On sait qu'au milieu du XVIIe siècle, et même plus tard, la scène était encombrée par des spectateurs privilégiés occupant des sièges placés sur les côtés du plateau. Ils entraient et sortaient à leur guise, conversaient à voix haute, s'offraient en spectacle au détriment du vrai spectacle. Le acteurs étaient interrompus ou gênés par ce tumulte. Éraste, dans les *Fâcheux*, nous donne un bon témoignage sur cette pratique. Acaste, dans le *Misanthrope*, se vante de faire figure sur les bancs de la scène.

Molière connaissait les inconvénients de cette présence. On dit qu'il les atténua en remplaçant les chaises, trop mobiles (le Fâcheux dont parle Éraste transporte la sienne jusque sur le devant de la scène), par des bancs, plus fixes. Cependant il ne semble pas que la liberté de sa création en ait été affectée. Malgré le rétrécissement du plateau, il arrivait à y introduire ensemble une demi-douzaine d'acteurs. Au début de *Tartuffe*, sept personnages évoluent côte à côte; à la fin de la même pièce, ils sont dix; à la fin de l'*Avare*, on en compte onze.

Sur une scène dont la largeur ne dépassait guère une dizaine de mètres, il fallait régler minutieusement les mouvements pour éviter le désordre. La mise en scène était donc conditionnée par deux facteurs : le rétrécissement du plateau dû aux bancs qu'on y avait installés, et la multiplication des personnages inhérente, nous le verrons, au système comique du poète. La minutie qui la distingue traduit donc non seulement les exigences d'un tempérament, mais aussi les conséquences d'une situation matérielle tenant aux circonstances.

*

« Il a entendu admirablement les habits des acteurs », dit Charles Perrault de Molière. C'est encore un point que ne pouvait négliger un metteur en scène avisé.

Au milieu du XVIIᵉ siècle, le public était habitué à un certain faste dans la représentation auquel les comédiens devaient sacrifier. L'exactitude historique était hors de propos, en dépit des réclamations de quelques critiques comme d'Aubignac. On ne s'inquiétait pas même d'une certaine cohérence entre les différentes parties du costume. La richesse, l'éclat, l'élégance étaient les qualités qu'appréciaient les spectateurs. Les représentations à la Cour avaient contribué à introduire ces exigences. Les pastorales, les ballets et les tragédies à machines appelaient le luxe des costumes. Les tragédies, même à la Ville, avaient subi la contagion. La comédie cependant se permettait davantage de simplicité et l'*expressivité* d'un vêtement y avait le pas sur son éclat.

Dans ses débuts, Molière ne songea sans doute pas à réformer un usage qui avait au moins un inconvénient, celui d'être onéreux pour les comédiens. Il vit dans ce faste un moyen de parvenir qu'il ne pouvait négliger. En 1653, quand il présenta sa troupe à Conti, il comptait non seulement sur le talent de ses acteurs, mais sur la magnificence de leurs habits pour l'emporter sur ses rivaux.

Par la suite, même quand sa compagnie se consacra presque uniquement au genre comique, il ne rompit pas avec la coutume. Nous en avons pour preuve la liste des costumes que La Grange se fit faire pour les représentations à la Cour, du *Mariage forcé* à *Escarbagnas*, et des subventions royales dont il bénéficia pour faire face à ces dépenses. Il lui fut alloué chaque fois au moins cent livres, généralement deux cents, trois cents pour l'*Amour médecin*. En tout, il reçut pour onze pièces 2.000 livres et il note que les dits habits lui ont coûté plus de 2.000 livres supplémentaires. Ainsi il a dépensé plus de 4.000 livres pour onze costumes. Pour un répertoire pouvant atteindre une trentaine de pièces, on arrive à un chiffre considérable. Il est vrai que pour les comédies qui n'ont pas été représentées originellement à la Cour, les frais étaient moindres. Chapuzeau estime un équipage de comédien à 10.000 livres : il n'est certainement pas au-dessous de la vérité. Si l'inventaire des costumes laissés par Molière à sa mort ne monte qu'à 646 livres, c'est que ces biens sont estimés à leur valeur vénale et non à leur valeur d'achat, et que celle-ci est infiniment plus élevée que celle-là.

Au reste, cet inventaire ne manque pas d'éloquence dans sa technicité. On ne s'étonnera pas qu'Alceste soit vêtu avec élégance : il porte un haut-de-chausses et un justaucorps de brocart rayé d'or et de soie grise, doublés de tabis, garnis de rubans verts, à quoi s'ajoutent veste de brocart d'or, bas de soie et jarretières. Dorante, le Chasseur des *Fâcheux*, est habillé d'un justaucorps galonné d'argent fin; une paire de gants de cerf, une paire de bas à botter de toile jaune, un sabre et sa sangle complètent l'équipement. Dandin, gentilhomme campagnard, ne néglige pas cet article : son pourpoint est de satin cramoisi; un pourpoint de dessus est en brocart bigarré garni de dentelle d'argent; le haut-de-chausses et le manteau sont de taffetas musc, le col de même, le tout garni encore de dentelle avec boutons d'argent; une ceinture et une fraise terminent l'ajustement. Pourceaugnac avait besoin d'une garde-robe double : habillé en cavalier, il a le haut-de-chausses de damas rouge garni de dentelle, le justaucorps de velours bleu garni d'or faux, un ceinturon à franges, des jarretières vertes, un chapeau gris avec une plume verte, une écharpe de taffetas vert et des gants; déguisé en dame, il s'affuble d'une jupe de taffetas vert garni de dentelle et d'un manteau de taffetas noir. Un bourgeois comme le Sganarelle du *Mariage forcé* porte haut-de-chausses et manteau de couleur olive, doublé de vert, garni de boutons violets et argent faux, avec le jupon de satin à fleurs aurore, pareillement garni, et la ceinture. Enfin il n'est pas jusqu'au costume du valet d'Amphitryon, de l'esclave Sosie, qui ne soit si luxueux qu'on s'est demandé si ce n'était pas plutôt celui du général thébain : il comporte en effet un tonnelet de taffetas vert avec petite dentelle d'argent fin, une chemisette de même, deux cuissards de satin rouge, des souliers avec laçures garnies d'un galon d'argent, des bas de soie céladon, festons, ceinture, jupon et bonnet brodé or et argent fin.

Molière n'a-t-il donc fait que se conformer sur ce point au goût public? On ne lui fera pas un mérite d'avoir présenté les acteurs de l'*Impromptu* en costume de ville : c'était le costume des répétitions et la comédie nous fait assister à une répétition. On ne tiendra pas non plus pour exceptionnels les scrupules, très relatifs, dont il fit preuve dans l'établissement des projets de costumes turcs pour le *Bourgeois gentilhomme*, pour lequel il s'assura le concours d'un expert en turquerie, le chevalier d'Avrieux.

Qu'a donc voulu dire Perrault quand il le loue d'avoir donné aux habits des acteurs « leur véritable caractère »? Sans doute entend-il que Molière essaya d'établir quelque conformité entre la condition ou la situation d'un personnage et le costume qu'il porte. Pour la condition, cette conformité est parfois difficile à discerner, mais elle n'est jamais absente. Nous avons décrit le costume de Sosie et rappelé qu'on s'est demandé si ce n'était pas celui d'Amphitryon : un détail est spécifiquement lié à l'état d'esclave : le bonnet. De même dans le choix des couleurs et des étoffes, l'habit du paysan se distingue généralement de celui du bourgeois ou du gentilhomme : si Sganarelle dans le *Cocu* est encore vêtu de satin rouge, ce qui ne lui convient guère, dans l'*École des maris* le même satin devient brun; dans le *Médecin malgré lui*, passé à l'état de paysan, le personnage est habillé de serge jaune; Harpagon a un costume de satin noir; Orgon, sans rechercher le luxe, est un peu moins sobrement vêtu.

La situation est aussi prise en considération. On raconte qu'Armande, désignée pour le rôle d'Elmire, voulait, par coquetterie, s'habiller fastueusement : son mari eut de la peine à la persuader qu'une femme sortant de maladie ne se livre pas à cette fantaisie vestimentaire. Argan, le Malade imaginaire, est en négligé : une camisole, un mouchoir de cou, un bonnet de nuit et une coiffe de dentelle, de gros bas et des mules, voilà qui ne prête pas à malentendu.

Il a même pu arriver que des considérations de personne soient intervenues pour dicter le choix d'un habit. La chronique veut que pour vêtir Trissotin, Molière se soit procuré un costume porté par l'abbé Cotin lui-même; de même pour le rôle du Maître de philosophie de Jourdain, il aurait donné à Du Croisy le chapeau de son ami Rohault, un professeur. Ces anecdotes ne sont pas très vraisemblables, mais la préoccupation prêtée au metteur en scène est plus véridique.

Ainsi, sans bruyante révolution, sans se lancer dans une réforme que l'esprit du temps n'eût pas admise et qui eût nui aux intérêts de la compagnie, Molière n'a pas ignoré les soucis qui sont ceux de la scène moderne en matière de costume. Il ne s'est pas embarrassé d'un scrupule d'authenticité inconcevable à l'époque et qui contredirait les tendances profondes de sa comédie. Il s'est contenté de rechercher l'expressivité. Le costume doit concourir, comme tous les éléments de la mise en scène, à assurer l'efficacité du spectacle. S'agissant de comédie, il doit généralement porter au rire et les contrastes y trouvent place; mais il doit aussi servir un dessein esthétique, où vérité et fantaisie se fondent dans l'unité.

*

Le masque jouait encore un rôle considérable dans la technique dramatique à l'époque des débuts de Molière. Il semble avoir été introduit
en France par les Italiens, qui en faisaient grand usage dans la *commedia
dell'arte*. Nos farceurs et comiques l'adoptèrent : Turlupin, Briguelle,
Gaultier-Garguille par exemple, au début du siècle. Il avait toujours été
indispensable pour les rôles de femmes joués par des hommes; la comédie au XVIIᵉ siècle continuait à utiliser pour un effet burlesque la discordance qu'il accusait entre les traits. Dans la tragédie et la tragi-comédie,
la nourrice le portait nécessairement, puisqu'un homme tenait ce personnage; mais le remplacement progressif de la nourrice par la suivante
en raréfia l'emploi dans les pièces sérieuses, le rôle de la suivante étant
généralement dévolu à une comédienne et non à un comédien.

Avec le masque, les farceurs utilisaient un procédé plus simple pour
donner à leur visage un caractère grotesque : la farine. Gros-Guillaume
l'enfariné n'avait pas moins de succès que Turlupin masqué. Là encore
l'usage se perdit progressivement au long du siècle. Son origine, contrairement à celle du masque, paraît être française.

L'auteur de la *Vengeance des marquis* dit de Molière : « Il contrefaisait
d'abord les marquis avec le masque de Mascarille. Il n'osait les jouer
autrement; mais à la fin il nous a fait voir qu'il avait le visage assez
plaisant pour représenter sans masque un personnage ridicule. »

On a longtemps épilogué sur le sens de ce texte. Certains ne pouvaient admettre que l'auteur du *Misanthrope* ait galvaudé son génie
jusqu'à jouer sous le masque du farceur. Ils entendaient ce terme au
sens figuré : le masque de Mascarille, ce serait le rôle de Mascarille.
On scrutait le frontispice de l'édition de 1666 des Œuvres de Molière.
Chauveau y a gravé les traits de Mascarille et de Sganarelle. La figure
du premier est ombrée; celle du second est claire. L'ombre qui noircit
le visage de Mascarille serait-elle due à un masque? Les mêmes critiques
férus de dignité y voyaient plutôt une ombre portée. Si on leur rétor-
quait que la lumière venait de gauche dans tout le dessin et que par
suite elle devait éclairer le visage, ils préféraient croire à une maladresse
du graveur plutôt qu'à ce masque indigne d'un grand poète.

La question est tranchée depuis que Brugmans, dans une étude sur
le *Séjour de Christian Huyghens à Paris*, a publié un document irréfu-
table, émanant de Huyghens lui-même, qui a assisté à une représentation des *Précieuses* et noté le 28 janvier 1661 que Mascarille jouait

masqué. Le texte de la *Vengeance des marquis* doit donc être pris à la lettre.

Quant à Jodelet, on ne doutait guère qu'il ne jouât enfariné. Furetière, Tallemant des Réaux, La Fontaine, Loret nous ont appris que c'était sa coutume. Les gravures appuient leurs dires. Le témoignage de Huyghens est probant là encore.

En revanche, Molière joua Sganarelle sans masque. Les documents figurés méritent qu'on leur fasse confiance. Ce n'est pas que le comédien ait renoncé à l'effet comique que produit la transformation des traits du visage. Délaissant le masque, il s'est noirci les sourcils et la moustache au charbon ou à l'encre. L'artifice eut du succès, puisqu'on parlait d'une moustache à la Sganarelle : le *Bolaeana* l'atteste beaucoup plus tard.

Mascarille, le petit masque, n'a donc été qu'un personnage transitoire dans la création moliéresque. Emprunté à l'Italie, il disparut dès que le poète se sentit assez fort pour créer une figure qui lui fût propre. Ce fut ce Sganarelle qui connut six avatars de 1660 à 1666 : né pour prendre place au centre du *Cocu imaginaire*, il revint dans l'*École des maris* et dans le *Mariage forcé*, toujours en tête de l'interprétation; il fit la fortune de *Don Juan*, dans le rôle du valet; on le retrouve un peu en retrait dans l'*Amour médecin* et de nouveau au premier plan dans le *Médecin malgré lui*. Ce fut sa fin.

Le masque italien fixe les traits. Les personnages comiques que concevra Molière garderont toujours quelque chose de cette fixité : Harpagon et Argan seront encore à certains égards des *masques*. Nous aurons l'occasion de reprendre cette question. Notons seulement qu'en abandonnant Mascarille, Molière n'a pas délaissé définitivement un accessoire qui lui paraissait trop grossier pour ses grands rôles : il y eut recours encore fréquemment tout au long de sa carrière.

Déjà dans l'*Amour médecin*, autour de Sganarelle charbonné, quatre masques s'affairaient pour rendre la santé à sa fille : c'étaient les quatre médecins, Des Fonandrès, Tomès, Macroton et Bahis. Guy Patin nous assure qu'ils portaient des masques faits exprès pour la représentation. Michaut estime invraisemblable qu'on ait osé de telles caricatures de personnages considérables. Car derrière ces grotesques, on reconnaissait les médecins du Roi, de la Reine, de Monsieur et un consultant renommé. Était-ce la première fois? Le Roi lui-même n'avait-il pas désigné à Molière un de ses grands officiers pour qu'il en fît le portrait satirique dans les *Fâcheux*? Il est vrai que la satire était cette fois plus vive. On ne saurait pourtant douter de son objet ni de son efficacité comique.

Molière utilisa probablement le masque pour les Philosophes du *Mariage forcé* : ne sont-ce pas les Docteurs traditionnels de la *commedia dell'arte* ? De même pour le spadassin Alcidas : n'est-ce pas une réincarnation du Capitan ? Les mêmes raisons qui avaient imposé la *typification* de ces rôles exigeaient l'usage du masque. On peut dire la même chose de Monsieur Bobinet dans la *Comtesse d'Escarbagnas* : c'est le Pédant. Et aussi des Médecins du *Malade imaginaire* : Purgon, les Diafoirus, nouveaux masques! Enfin, des deux Vieillards des *Fourberies*, deux variantes de Pantalon.

Lully joua sous le masque un Médecin grotesque dans *Pourceaugnac* et le Mufti dans le *Bourgeois gentilhomme*. Mais peut-être y eut-il là, à côté de l'intention comique, le désir de dissimuler les traits d'une personnalité dont le talent n'était qu'occasionnellement utilisé au théâtre.

Le masque trouva enfin son emploi dans plusieurs rôles féminins. Louis Béjart, Hubert, Beauval eurent tour à tour la charge de ce travestissement. Masqués et faisant entendre une voix de fausset, ils s'acquittèrent à merveille de rôles comme ceux de Mme Pernelle, Mme de Sotenville, Mme Jourdain, Philaminte, peut-être Bélise : des femmes vieilles et des moins vieilles, car Philaminte est encore en pleine maturité.

Ainsi Molière, pour assurer son succès, tire parti de toutes les techniques. Si lui-même il préfère se découvrir le visage pour nuancer l'expression, dans d'autres rôles il maintient la fixité des traits, soit pour tirer le comique de cette monotonie, soit pour créer des contrastes non moins opérants. Il ne craint pas qu'on le traite d'écolier et qu'on le renvoie à Scaramouche; car par ailleurs il se révèle un maître.

*

La décoration n'est pas le moindre souci du metteur en scène. Les décorateurs italiens avaient beaucoup travaillé depuis le XVIe siècle et leurs procédés n'étaient pas inconnus en France. Certains prêtaient leurs services aux troupes parisiennes, surtout pour les représentations de gala. Dans le cours ordinaire de la vie dramatique, la conception du décor incombait sans doute au chef de troupe. Si à l'Hôtel de Bourgogne, un ou plusieurs décorateurs aidaient les comédiens dans cet office et veillaient à l'exécution, nous n'avons aucun indice nous permettant de croire qu'il en fut de même au Palais-Royal.

Au reste, nous sommes mal renseignés sur l'art de la décoration à cette époque. Les traités théoriques, abondants en Italie, n'existent pas en France; les documents sur la pratique sont insuffisants pour nous satisfaire. On fait beaucoup de bruit autour du *Mémoire des décorateurs de l'Hôtel de Bourgogne*. Il n'est pas niable que le document soit précieux. Mais sa valeur provient à peu près exclusivement des dessins représentant la scène telle qu'elle était disposée pour une cinquantaine de pièces. Aucune de ces pièces n'est de Molière ni n'a été jouée sur son théâtre. Toutes sont antérieures à 1636. Ces planches ne sont donc d'aucune utilité pour nous. Quant aux notices qui les accompagnent, elles concernent bien un plus grand nombre de pièces, dont certaines sont de Molière. Mais que sont ces mémoires de décorateurs? Des listes d'accessoires, et c'est à peu près tout.

Sommes-nous renseignés sur le décor de l'*Avare* quand nous lisons que « le théâtre est une salle, et, sur le derrière, un jardin »? Il est vrai que le mémoire ajoute : « Il faut deux souquenilles, des lunettes, un balai, une batte, une cassette, une table, une chaise, une écritoire, du papier, une robe; deux flambeaux sur la table au cinquième acte. » Nous nous en doutions!

Pour le *Malade imaginaire* (laissons de côté les accessoires), nous voyons que « le théâtre est une chambre et une alcôve dans le fond... Il faut changer le théâtre au premier intermède et représenter une ville ou des rues, et la chambre paraît comme l'on a commencé ». Entendez : à l'issue de l'intermède. Pour *Amphitryon*, « le théâtre est une place de ville. Il faut un balcon; dessous, une porte ». Pour la *Princesse d'Élide*, « le théâtre est une forêt. Il faut un grand arbre au milieu ». Pour les *Fâcheux*, « la décoration est de verdure ». Pour le *Cocu imaginaire*, « il faut deux maisons à fenêtre ouvrante ».

Cela suffisait au décorateur pour lui rappeler le décor à planter. On ne peut dire que ces indications ajoutent beaucoup au texte, et encore avons-nous choisi les moins squelettiques.

Les éditions originales sont parfois plus explicites, surtout s'il s'agit d'une comédie de cour, dont le caractère spectaculaire est accentué. Pour les *Amants magnifiques* par exemple, dont le texte parut pour la première fois dans l'édition de 1682, nous avons des précisions abondantes en tête des intermèdes. C'est d'abord une mer, bordée de quatre grands rochers; chaque rocher supporte un fleuve; au pied des rochers, deux groupes de Tritons; au milieu de la mer, des Amours sur des Dauphins; derrière, Éole sur un nuage... Pour le troisième intermède, une forêt, dont une Nymphe fait les honneurs et d'où sortent ensuite Faunes et Dryades... Au quatrième, une grotte avec huit Statues portant chacune deux flambeaux. Au sixième, une grande salle en amphithéâtre, ouverte dans le fond par une grande arcade, au-dessus de laquelle est une tribune fermée d'un rideau; dans l'éloignement paraît un autel pour le sacrifice.

En revanche, on discute encore du décor du *Médecin malgré lui*. L'action se passe-t-elle tout entière devant les maisons de Sganarelle et de Monsieur Robert? Se transporte-t-elle à l'acte II dans une chambre de la maison de Géronte? A l'acte III, sommes-nous dans une chambre ou dans un jardin? Rien n'éclaircit la question dans l'édition de 1667. Le mémoire des décorateurs de l'Hôtel de Bourgogne ne donne que la liste des accessoires et ne dit mot du décor.

Des incertitudes semblables subsistent pour mainte pièce, pour le *Sicilien* par exemple. Pour l'*École des femmes*, Molière nous dit : « La scène est dans une place de ville. » Le décorateur de l'Hôtel de Bourgogne précise qu'il faut une maison de chaque côté sur le devant du théâtre. Mais l'action se déroulait-elle toute sur la place ainsi encadrée? se transportait-elle dans les maisons? Qui le dira? Pour *Don Juan*, une seule indication, combien vague! « La scène est en Sicile. » Il faut imaginer que nous passons d'un palais à une campagne au bord de la mer; puis nous nous trouvons dans une forêt; à l'acte IV, nous avons sous les yeux un appartement; au Ve, une campagne. Et encore les contradictions ne sont-elles pas toutes résolues par ces changements de lieu. Pour l'*Amour médecin*, Molière est précis et nous n'en sommes pas plus satisfaits : « La scène, écrit-il, est dans une salle de la maison de Sganarelle. » Mais les intermèdes se passent obligatoirement hors de la maison. D'autre part Lucinde nous dit qu'elle vient « prendre l'air » au lieu où se trouve son père. Il faut donc supposer un décor plus complexe que celui que signale l'édition originale. Et là encore le décorateur de l'Hôtel de Bourgogne s'en tient à la liste des accessoires.

Dans un tel dénuement documentaire, il faut bien se résigner à l'ignorance. Assurément Molière s'est occupé activement du décor des pièces qu'il montait sur son théâtre. Il a été grandement aidé par les décorateurs italiens pour les représentations de gala qu'il donnait à la Cour. Mais de quel matériel disposait-il? Le renouvelait-il? Flattait-il le public par l'agrément du spectacle? Simplifiait-il la décoration au point de négliger parfois l'accord du texte et de la figuration dans laquelle ce texte était joué? Nous risquons fort de ne le savoir jamais.

Nous sommes même dans l'incertitude sur la question, pourtant essentielle, du changement de décor. Pour *Don Juan* par exemple, nous disions que l'action se transporte d'un lieu dans un autre à chaque changement d'acte. S'ensuit-il qu'un décor était substitué à un autre à chaque entracte? ou bien les cinq décors étaient-ils montés dès le début, côte à côte, cachés derrière cinq rideaux, et se contentait-on de découvrir pour chaque acte le décor approprié? Si l'on admet la première hypothèse, la substitution se faisait-elle sous les yeux du public ou derrière un rideau de scène? Que devenaient les spectateurs occupant les bancs de chaque côté du plateau? On ne peut supposer qu'ils restaient au milieu des machinistes. Si on se range à la seconde solution, on remarquera l'exiguïté de ces décors : quelque symboliques qu'ils aient été, pouvait-on figurer juxtaposés un palais, la mer, une forêt, un appartement, une campagne avec un tombeau sans choquer les spectateurs par excès d'invraisemblance? On l'avait fait en 1620; le faisait-on encore en 1665? Des problèmes semblables naissent à propos de comédies comme le *Médecin malgré lui* ou l'*Amour médecin* : si l'on admet que l'action se déplace, faut-il supposer qu'on se servait du décor simultané, ou d'un décor à compartiments, ou qu'on changeait le décor au cours du spectacle?

*

Les machines avaient toujours été goûtées par le public : elles flattaient le sens du merveilleux et aussi le goût du faste. Coûtant cher, elles n'étaient guère utilisées que dans les représentations de cour. Il y fallait une scène vaste et bien agencée, des appareils ingénieux, des décors importants et un personnel spécialisé. A l'occasion, l'Hôtel de Bourgogne se permettait de monter pour son public ordinaire une pièce mythologique où les machines avaient place, mais dans une proportion réduite. Jusqu'en 1660, ces représentations restèrent rares. A ce moment-là, et en particulier avec la *Toison d'or* de Corneille, les machines trouvèrent une nouvelle faveur. Faut-il en rendre responsable la concurrence des troupes ou l'influence croissante des techniciens italiens? Il ne semble guère en tout cas que cette vogue soit due aux auteurs : ils ne firent que répondre à la demande.

Le théâtre du Marais prit l'initiative, palliant ainsi son insuccès dans les autres genres : avec l'aide de Boyer, puis de Donneau de Visé, il tint le rôle de théâtre des Machines de 1660 à sa disparition en 1673. L'Hôtel de Bourgogne ne resta pas étranger au mouvement, mais n'y participa qu'épisodiquement. Molière suivit aussi, tout en tardant longtemps à monter une vraie pièce à machines.

Il est probable qu'il utilisa les machines sur son théâtre du Petit-Bourbon, dès sa deuxième saison parisienne, pour la tragédie de Gilbert, les *Amours de Diane et d'Endymion*. Cette pièce datait de plusieurs années.

Gilbert était alors le principal auteur collaborant avec Molière. *Endymion* vint compléter *Sganarelle* pour une douzaine de représentations dans l'été de 1660, puis disparut du répertoire. L'essai ne fut sans doute pas encourageant. En tout cas, les recettes n'eurent rien d'exceptionnel.

Le dernier intermède de la *Princesse d'Élide* nécessita une machine : un grand arbre sortait du théâtre, chargé de seize Faunes musiciens. Mais c'était à Versailles et pour la Cour.

L'année suivante, la machine fut utilisée au Palais-Royal pour le dénouement de *Don Juan* : un spectre s'envole, le tonnerre retentit, la foudre tombe, la terre s'ouvre pour engloutir l'impie dans un gouffre de feu. Cette pièce eut une brève carrière, on sait pour quelle raison.

En 1668, Molière revint à la machine. Il donnait une pièce mytho-logique : *Amphitryon*. Les sujets de ce genre appelaient le merveilleux. Le poète servit habilement le directeur de troupe. Pour ne pas lui impo-ser des dépenses trop lourdes, il lui fit utiliser les machines seulement pour le prologue et le dernier acte. Au prologue, Mercure apparaît sur un nuage; et la Nuit, dans un char traîné par deux chevaux. Au dénoue-ment, Mercure s'envole; Jupiter se montre dans la nue, porté par un aigle et armé de son foudre, au bruit du tonnerre et à la lueur des éclairs. Le succès fut grand. Pourtant l'appareil était modeste, surtout comparé à celui qu'utilisait alors le Marais pour les *Amours de Jupiter et de Sémélé*.

Si, en 1670, Molière fait un nouvel effort avec les *Amants magnifiques*, c'est qu'il s'agit d'une pièce de cour, que la scène du Palais-Royal ne recevra jamais et qui s'encadre dans un divertissement dont le spécialiste en machines prend la responsabilité. Aussi ne s'étonne-t-on pas d'y voir une mer en furie qui se calme, une île qui sort des ondes, des pêcheurs de perles et de corail qui apparaissent dans les flots; plus loin, des statues qui s'animent et dansent, etc.

C'est pour *Psyché*, en 1671, que la compagnie se décida à s'engager vraiment dans le théâtre à machines, et ce non plus seulement pour la Cour, avec le soutien des dons royaux, mais pour la Ville, à ses risques et périls. *Psyché* exige en effet un appareil important, inaccoutumé sur le théâtre de Molière, beaucoup plus considérable que celui des *Amants magnifiques*. La décoration demande au prologue une campagne avec un rocher percé, à travers lequel on voit la mer; Vénus descend du ciel avec l'Amour et deux Grâces; à la fin, l'Amour s'envole et Vénus se retire. Le théâtre change pour le premier acte : c'est alors une grande ville en perspective et, de chaque côté, des palais et maisons de divers ordres d'architecture. Pour le premier intermède, la scène offre à la vue des rochers affreux; au fond du désert, une grotte obscure. A la fin de

l'acte II, Psyché est enlevée en l'air par deux Zéphyrs et l'Amour apparaît dans les cintres. Au second intermède, le théâtre devient une cour
de palais, bordée de colonnes et de statues. Pour l'acte IV, nous passons
dans un autre palais, coupé dans le fond par un vestibule, au travers
duquel on voit un jardin, décoré d'orangers en vases et de multiples
arbres chargés de fruits. Au milieu de l'acte, un nuage descend au sol,
puis remonte rapidement, emportant Zéphyre et les deux Sœurs de
Psyché; plus loin, l'Amour s'envole, en faisant disparaître les palais et le
jardin, auxquels se substituent une vaste campagne et un fleuve sauvage;
le Dieu du fleuve est assis sur des joncs et des roseaux, appuyé sur une
urne d'où sort une source limpide. Le quatrième intermède forme le
clou de la décoration : la scène représente les Enfers; une mer de feu
s'agite incessamment, bordée de ruines en flammes; au milieu, une gueule
affreuse, dans laquelle on distingue le palais de Pluton; des Furies en
sortent, puis un Lutin; Psyché passe la mer dans la barque de Caron.
A l'acte V, l'Amour descend du ciel auprès de Psyché évanouie; Jupiter
paraît en l'air sur son aigle, au milieu du tonnerre et des éclairs. Au dernier intermède, deux machines descendent auprès de Jupiter : Vénus
et sa suite montent dans l'une, l'Amour et Psyché dans l'autre, tous sont
enlevés dans l'empyrée.

Cet appareil fastueux, conçu pour la représentation aux Tuileries,
fut sans doute singulièrement réduit au Palais-Royal. Même simplifié,
il exigeait la transformation d'une scène qui n'était jusque-là qu'une scène
de comédie. La proposition fut discutée par la troupe en mars 1671.
Psyché fut donnée devant le public le 24 juillet. On avait engagé douze
grands danseurs, quatre petits danseurs, sept chanteurs, douze violons,
une symphonie, deux sauteurs, des figurants, un machiniste, un chef
d'orchestre et un chef de ballet, etc. La Grange note que les dépenses
faites au Palais-Royal pour la seule préparation de *Psyché* montèrent à
plus de 4.300 livres; Beauchamps, pour la conduite de l'orchestre et
l'invention des ballets, reçut 1.100 livres; les frais quotidiens furent de
350 livres. Molière rivalisait avec le Marais.

La tentative fut sans lendemain. L'ambition ombrageuse de Lully,
qui se substitua alors à Perrin pour acclimater l'opéra en France, ramena
bientôt les théâtres de comédie à leur fonction propre, en leur interdisant l'engagement d'orchestres trop nombreux. La musique et la danse
ne pouvaient plus y être qu'un agrément; les pièces à grand spectacle
étaient réservées à l'Académie royale de musique. Et d'ailleurs Molière
disparut peu après s'être ainsi heurté à son ancien collaborateur.

*

Nous avons déjà fait allusion aux deux salles que la compagnie de Molière occupa à Paris. Ce fut encore, à certains moments du moins, une charge pour le chef de troupe que l'établissement de ses comédiens en un lieu propice au succès. L'Illustre-Théâtre avait souffert d'être relégué dans des quartiers peu fréquentés. Pareille aventure ne devait plus être courue. C'est pour cela que Molière, en 1658, n'accepta pas la combinaison négociée par Madeleine Béjart avec le Marais et préféra poursuivre ses démarches personnelles jusqu'à ce qu'il obtînt de s'installer au Petit-Bourbon.

Cette salle n'était pas mal située. C'était la salle des fêtes d'un hôtel attenant au Louvre, devenu propriété royale à la trahison du connétable de Bourbon. Aménagée en salle de spectacle, elle servait aux représentations données à la Cour. Parfois on autorisait des troupes de comédiens à s'y installer temporairement. Elle était assez grande : environ trente-cinq mètres de long sur quinze de large. La scène était à peu près carrée : quinze mètres de côté. De part et d'autre du parterre, la salle comportait deux balcons superposés, partagés en loges. Une loggia à balcons régnait au-dessus de l'ouverture de la scène. Certains estiment que plusieurs milliers de spectateurs y trouvaient place : ce devait être la plus grande salle de Paris. Le public en connaissait le chemin. Quand Molière en obtint la disposition, une troupe italienne y était en effet installée depuis des années, avec laquelle sa compagnie fit commun ménage, et cette troupe avait du succès. Donc les perspectives étaient favorables à la compagnie débutante. Molière versa aux Italiens la somme de 1.500 livres comme contribution aux frais que ceux-ci avaient faits pour une installation dont il allait profiter.

Il ne resta au Petit-Bourbon que deux années à peine. Ses débuts datent du 2 novembre 1658; il en fut chassé le 11 octobre 1660. Ce fut un coup très dur pour lui. Une décision royale prévoyait en effet la démolition de l'hôtel pour les agrandissements du Louvre. Il est impossible que Molière n'ait pas connu cette décision. Mais la mise à exécution lui en semblait sans doute lointaine et elle le surprit douloureusement. Il faut relever que la démolition commença sans que les comédiens fussent avertis et qu'elle les privait de travail au début de la saison d'hiver, donc au moment le plus désavantageux pour eux.

On a supposé que le surintendant des bâtiments royaux, qui intervint si brutalement et ménagea si peu les intérêts de la compagnie, s'était fait l'instrument de rivaux inquiets. Philippe de la Croix, dans sa *Guerre comique*, qui date de 1664, prétend que les acteurs de l'Hôtel de Bourgogne avaient laissé Molière s'installer à Paris sans réagir contre la concurrence, parce qu'ils ne voyaient en lui qu'un farceur sans importance. Ils se repentirent de cette imprudence dès que le succès se dessina. Faut-il les soupçonner d'avoir essayé dès 1660 de casser les reins du rival trop heureux? En tout cas, La Grange était persuadé des mauvaises intentions du surintendant des bâtiments.

Molière para à la menace. Il n'insista guère, si nous en croyons La Grange, pour faire révoquer l'ordre qui lui portait préjudice et qui sans doute avait déjà reçu un commencement d'exécution, mais il obtint du Roi la disposition d'une nouvelle salle, celle du Palais-Royal.

Cette salle avait été construite et aménagée en 1637-1641 par l'ordre de Richelieu dans son propre palais, alors le Palais-Cardinal, en remplacement d'une plus petite datant de 1630. Elle était un peu plus large que celle du Petit-Bourbon; sa longueur nous est inconnue. Nous ignorons aussi la profondeur de la scène. Deux balcons superposés régnaient sur les côtés, au-dessus du parterre et d'un amphithéâtre dont les vingt-sept gradins garnissaient le fond arrondi de la salle.

Le Palais-Royal, proche du Louvre, n'était pas mal situé et Molière pouvait s'y installer sans inquiétude. Mais il fallait y faire des réparations longues et coûteuses. La charpente était à moitié pourrie et tenue par des étais; la couverture était en très mauvais état. Les gros travaux furent exécutés par le service des bâtiments. Ceux qui concernaient l'installation du théâtre incombaient aux comédiens. L'Espy, le frère de Jodelet, en eut la charge. Il y fallut des semaines. Pendant ce temps, la troupe était en chômage : elle ne pouvait plus jouer qu'en visite ou au Louvre pour le Roi. Les rivaux tentaient de la disloquer : nous avons dit qu'ils n'y réussirent pas. Du moins ce fut un moment délicat.

Une autre mésaventure aggrava la situation. Molière avait obtenu de transporter de l'ancienne salle à la nouvelle un attirail utile, y compris les loges. Il voulut y joindre les décors. Mais il se heurta à Vigarani, le nouveau machiniste royal, qui les obtint pour la salle des Tuileries et qui d'ailleurs, loin de les utiliser, les fit brûler parce qu'ils étaient l'œuvre de son prédécesseur Torelli, dont il voulait effacer jusqu'à la mémoire.

Ces incidents n'améliorèrent point la situation financière de la troupe. Elle dépensa plus de 2.000 livres dans le changement de salle. Si elle reçut du Roi 3.000 livres pour ses services au Louvre et plus de 2.000 en visites, ces 5.000 livres formaient une somme bien inférieure à ce qu'elle eût gagné dans le même temps au Petit-Bourbon. L'année précédente, du 11 octobre au 20 janvier, les recettes avaient dépassé 20.000 livres.

La compagnie débuta dans son nouvel établissement le 20 janvier 1661. Molière y resta jusqu'à sa mort et ses camarades quittèrent le Palais-Royal pour la rue Guénégaud quelques mois plus tard.

Nous avons déjà dit qu'en 1671 des réparations furent faites à la salle. Elles n'avaient pas seulement pour objet un aménagement permettant la représentation de pièces à machines; elles étaient nécessitées d'abord par la vétusté d'installations qui, en 1660, avaient dû être faites à la hâte. Elles intéressèrent la charpente, les loges, l'amphithéâtre, les balcons, les sièges, les tapisseries, etc. On fit faire un plafond : jusque-là ce n'était qu'une toile bleue suspendue par des cordages. On ajouta un rang de loges. On restaura les peintures. Le tout coûta près de 2.000 livres, indépendamment des 4.000 dépensées pour la préparation de *Psyché*.

Les Italiens, qui avaient quitté le Petit-Bourbon pour rentrer chez eux en juillet 1659, et qui étaient revenus au Palais-Royal en janvier 1662, prirent leur part de ces dépenses. En 1658, Molière leur avait versé 1.500 livres pour profiter de leurs installations. En 1662, ils lui donnèrent 2.000 livres pour jouir de celles du Palais-Royal et, en 1671, près de 1.000 livres encore comme contribution aux frais de réfection.

★

Le partage des salles auquel Molière dut se plier et qui d'ailleurs le servit pour ses débuts parisiens, eut d'autres conséquences que financières. Il entraînait la répartition des jours de représentation entre les deux troupes usagères de la salle.

Selon Chapuzeau, qui écrit en 1674, les théâtres ne jouaient que le vendredi, le dimanche et le mardi, et les jours de fêtes non solennelles; le lundi, le mercredi et le samedi n'étaient pas propices, pour diverses raisons tenant aux affaires; le jeudi, parce qu'il était occupé par les réunions académiques et les distractions écolières. En fait, on jouait au Petit-Bourbon et au Palais-Royal beaucoup plus souvent que ne le dit Chapuzeau. Mais il est exact que l'on considérait comme jours *ordinaires* de représentation le vendredi, le dimanche et le mardi; le lundi, le mercredi, le jeudi et le samedi étaient dits jours *extraordinaires*.

En arrivant au Petit-Bourbon à l'automne de 1658, Molière trouva la troupe italienne installée : elle jouait les jours ordinaires. Il dut se contenter des jours extraordinaires. Il continua ainsi jusqu'au jeudi 19 juin 1659. Du 22 juin au 7 juillet, la répartition fut irrégulière : il joua un dimanche et deux mardis. Les Italiens, préparant leur départ, lui laissèrent sans doute ces jours. Car ils quittèrent Paris sur ces entrefaites et dès le 12 juillet, Molière se mit à jouer les jours ordinaires. Cela ne faisait plus que trois représentations par semaine au lieu de quatre; mais, placées sur des jours plus favorables, elles rapportaient davantage.

On peut se demander si Molière n'a pas tiré profit de la situation, en apparence défavorable, qui lui fut faite à son arrivée au Petit-Bourbon et qui ne dura d'ailleurs que huit mois. Jouant les jours extraordinaires, il put, en partie du moins, disposer de son temps dans les jours ordinaires pour compléter sa formation d'acteur. Il ne se fit point faute d'assister aux représentations de ses concurrents, et en particulier de l'Hôtel de Bourgogne, pour déceler le secret de leur supériorité et aussi les défauts de leur jeu, insuffisances de talent ou de caractère, qu'il allait cruellement dénoncer quelques années plus tard, dans l'*Impromptu*. Il n'eût pu s'informer ainsi s'il eût été retenu à son théâtre aux heures où ses rivaux montaient sur la scène.

On peut penser aussi qu'il profita de la situation pour se mettre à l'école des farceurs italiens. Là il n'avait même pas besoin de changer de théâtre. Il pouvait les voir jouer aux jours ordinaires et même répéter n'importe quand presque sans se déranger. Cette promiscuité était précieuse; car les Italiens étaient des maîtres du jeu dramatique.

Quand Scaramouche ramena sa troupe à Paris en janvier 1662, il dut à son tour prendre les jours extraordinaires; Molière continua de jouer les jours ordinaires et cette situation dura jusqu'à sa mort.

★

Une dernière question peut être évoquée à propos de l'activité du chef de troupe : celle des collaborateurs occasionnels. La compagnie n'était pas en effet limitée strictement aux effectifs que nous avons dénombrés, qui sont ceux des *preneurs de parts*. Si le besoin s'en faisait sentir, on introduisait dans un rôle accessoire un acteur ou une actrice d'occasion. Pour le *Dépit amoureux*, le gagiste Croisac a dû prendre un rôle masculin. Pour les *Précieuses*, il fallut, pour tenir le personnage de Marotte, faire appel à une amie de la troupe, que l'on identifie généralement à Marie Ragueneau, la fille du célèbre pâtissier, qui épousa plus tard La Grange; l'un des Porteurs de chaise fut aussi un *extra*. On eut encore recours à un nommé Châteauneuf, peut-être le gagiste engagé en 1670, pour un rôle de Pâtre dans la *Pastorale comique*; en tout cas, le gagiste Châteauneuf figure dans *Psyché*, dans le rôle de Lycas.

Pour certains rôles de valets et de servantes, muets ou quasi muets, on engageait aussi des *extras* : on en trouve trois dans la *Comtesse d'Escarbagnas*. Dans les *Femmes savantes*, la légende veut que le personnage de Martine ait été tenu par une servante de Molière : la responsabilité eût été lourde pour son inexpérience.

Les rôles d'enfant étaient confiés à des fils ou filles d'acteurs de la troupe. Dans *Psyché*, on chargea le jeune La Thorillière, âgé de onze ans, du personnage de l'Amour, dans sa première forme, sa forme mythologique; les filles La Thorillière et Du Croisy firent les deux Grâces accompagnant Vénus. Dans la *Comtesse d'Escarbagnas*, un jeune Gaudon, inconnu par ailleurs, tint le rôle du Petit Comte. Dans le *Malade imaginaire*, la fille Beauval, âgée de huit ans, fut Louison.

Dans certains cas, il fallait des acteurs sachant à la fois jouer et chanter : dans la *Pastorale comique*, les chanteurs d'Estival et Blondel eurent chacun un rôle où ils passaient de la musique à la déclamation. Lully fit sa partie dans le Médecin grotesque de *Pourceaugnac* et dans le Mufti du *Bourgeois gentilhomme*.

Mais nous débordons ici sur la collaboration des chanteurs et danseurs. Ils étaient extrêmement nombreux pour les spectacles de cour : l'épilogue de *Psyché* réunit un chœur de trois cents exécutants. Il faudrait mentionner aussi les maîtres de ballet. Contentons-nous de signaler qu'à l'occasion la compagnie s'adjoignit des danseurs, même pour des représentations ordinaires : La Grange nous apprend qu'à plusieurs reprises, en 1662, en 1664, et même en 1668, le programme comportait une ou deux danses. Était-ce la Du Parc qui assurait ce numéro? Ce serait en tout cas impossible pour 1668. Il est probable qu'on fit appel à un concours extérieur.

*

Notre lecteur peut maintenant mesurer l'infinie complexité du labeur de Molière directeur de troupe. Nous n'avons pas tout dit : nous avons dit l'essentiel. Le recrutement des acteurs, la distribution des rôles, le travail des répétitions, la surveillance de la diction, l'invention de la mise en scène, le dessin des costumes, l'usage du masque, la construction des décors et celle des machines, l'aménagement et l'entretien de la salle, enfin l'engagement de collaborateurs d'occasion, tout dépendait du chef. C'est ce labeur qui l'a épuisé.

LE DIRECTEUR ET LES AUTEURS

Le choix des pièces et le droit d'auteur. — A la recherche des auteurs.
— Les compositeurs. — Le répertoire. — Les saisons. — Les premières. — Le programme.

Il ne suffit pas de constituer et de faire travailler une troupe : il faut lui assurer un répertoire. Un directeur de théâtre vit surtout avec les comédiens; mais il doit aussi entretenir des rapports avec les auteurs. Voilà un nouveau champ d'activité où son habileté et son urbanité ne sont pas moins utiles que dans l'exercice de son autorité sur ses camarades.

On serait porté à croire qu'au XVIIᵉ siècle comme aujourd'hui les auteurs n'attendaient guère d'être sollicités et que chaque directeur recevait nombre de manuscrits à examiner pour une éventuelle mise au programme. Selon Chapuzeau, le poète demandait à être entendu; rendez-vous était pris; le poète lisait lui-même son œuvre devant tous les comédiens (Chapuzeau remarque que les comédiennes s'abstenaient en général de participer à cet office); à la fin de chaque acte, une discussion s'instaurait; à la fin de la pièce, une décision était prise : ce pouvait être un simple refus et aussi bien une totale approbation, le plus souvent des corrections étaient demandées. Ainsi fonctionnait une sorte de comité de lecture, dans lequel le directeur avait peut-être la prépondérance, mais où ses camarades détenaient un pouvoir d'opiner égal au sien. L'état des comédiens était un état républicain : le choix des pièces et la constitution du programme étaient l'affaire de tous.

Quand une pièce était acceptée, il fallait déterminer le prix qu'on la payerait. Chapuzeau nous apprend que les débutants ne recevaient aucune rémunération, trop heureux de l'occasion offerte d'accéder à la réputation. Pour les poètes arrivés, la coutume la plus ancienne était l'établissement d'un forfait, dont on convenait en supputant les chances de succès : si les prévisions se révélaient trop prudentes, la troupe allouait une rémunération supplémentaire, sous forme de cadeau en espèces offert à l'auteur. En mai 1660, Gilbert toucha 550 livres pour la *Vraie et la Fausse Précieuse*; Boyer, en 1662, reçut autant pour *Oropaste ou le Faux Tonaxare* : dans l'un comme dans l'autre cas, il s'agissait d'une pièce fournissant à elle seule la totalité du programme. En 1663, on versa à La Calprenède 800 livres pour une pièce à écrire, que sa mort, survenue dans la même année, l'empêcha d'achever. Corneille se faisait payer plus cher : on fixa à 2.000 livres sa rémunération pour *Attila;* de même pour *Tite et Bérénice*. Ces chiffres, s'ils ne sont pas comparables à ceux auxquels s'élèvent les droits perçus aujourd'hui, sont cependant considérables pour l'époque. Les économistes estiment que la livre de 1660 valait 6 ou 7 francs de 1914 : Gilbert et Boyer auraient donc reçu l'équivalent de 3.500 francs-or; Corneille, plus de 12.000 francs-or.

Un autre système de rémunération devenait plus fréquent à l'époque de Molière, celui des *parts*, considéré comme plus équitable. Il faisait dépendre la rémunération de la recette. Chaque soir, le produit des entrées, diminué des frais, était réparti entre les acteurs : dans ce système, l'auteur concourait à la répartition. En général, il avait droit à deux parts. Dans une troupe de douze acteurs et actrices, il touchait donc deux quatorzièmes, un septième de la recette nette. Cet arrangement n'était valable que pour un temps déterminé, généralement jusqu'à ce que la pièce soit retirée de l'affiche : pour les reprises, les comédiens ne versaient rien à l'auteur. Le système fut appliqué à Racine (c'était pourtant un débutant) pour la *Thébaïde* en 1664. La tragédie tint pendant deux mois. Si l'on interprète exactement les comptes de La Grange, elle rapporta au poète entre 300 et 400 livres. Le même arrangement intervint pour *Alexandre*, mais ne fut pas exécuté pour des raisons que nous exposerons.

Molière, sur son propre théâtre, n'était pas traité autrement que les écrivains du dehors. Il toucha pour les *Précieuses* un forfait primitif de 500 livres; le mois suivant, il en reçut autant en quatre versements; pour le *Cocu*, il y eut aussi un forfait initial de 500 livres, suivi de deux paiements d'égale valeur; pour *Don Garcie*, 550 livres. Par la suite, donc vers 1662, le poète fut mis au régime des parts : on lui alloua pour chacune de ses pièces une part, quelquefois deux. Mais sur ce point le Registre de La Grange est d'une interprétation délicate : les versements sont parfois insuffisamment justifiés. Peut-être faut-il admettre comme plus vraisemblable que Molière ne fut pas traité chez lui plus mal que Racine et qu'en général il toucha lui aussi deux parts en tant que poète, indépendamment de sa part de comédien.

*

A quels auteurs le directeur du Petit-Bourbon, puis du Palais-Royal fit-il appel? Reçut-il beaucoup d'ouvrages? Entretint-il de bonnes relations avec les poètes? Se tourna-t-il vers les réputations consacrées? Lança-t-il des talents nouveaux? On aimerait pouvoir répondre avec précision à ces questions : on peut du moins ajouter aux propos habituels des critiques et tirer des enseignements d'un tableau correctement dressé.

Il est à peu près sans utilité de remonter à l'Illustre-Théâtre. Nous ne savons pas grand-chose de ce qui y fut joué. Les auteurs en vogue fournirent sans doute l'essentiel du répertoire. Certains étaient liés plus ou moins étroitement à Molière ou aux Béjart : Tristan l'Hermite, Magnon, Nicolas Desfontaines. Ce dernier fut même affilié à la troupe comme acteur. On monta le *Scévole* de Du Ryer et la *Mort de Crispe* de Tristan, peut-être la *Mort de Sénèque* du même Tristan, *Artaxerce* de Magnon, sans doute quelques nouveautés de Desfontaines. Du Ryer était déjà âgé et sa réputation était établie; Tristan n'était pas non plus un débutant. Seuls, Desfontaines et Magnon étaient encore à l'aube de leur carrière.

Il y a encore moins de certitudes sur le répertoire de la troupe pendant les treize années de province. Il est assuré qu'on se contenta en général, comme dans les compagnies similaires, de jouer des pièces déjà imprimées, donc qui avaient été créées par d'autres et étaient tombées dans le domaine public. Les seules exceptions connues sont les suivantes : d'abord les deux premières comédies de Molière, l'*Étourdi* et le *Dépit*, créées à Lyon en 1655 et à Béziers en 1656; puis quelques farces, dont les titres seuls nous sont parvenus et qui, si elles ont fait, à en croire La Grange, la réputation de la troupe, n'étaient que des remaniements hâtifs opérés par Molière lui-même sur des scénarios d'une parfaite banalité; en troisième lieu, le *Ballet des Incompatibles*, dansé au Carnaval de 1655 à Montpellier, dont l'auteur est ignoré; enfin une tragédie d'*Irène*, qui aurait été créée à Lyon vers 1653 et serait l'œuvre d'un avocat du cru nommé Claude Basset. A cette liste, on a ajouté sans preuve décisive la création par la troupe du duc d'Épernon d'une tragi-comédie de Magnon, *Josaphat*, et d'une tragédie de Mareschal, *Papyre ou le Dictateur romain*. L'énumération est brève et ne nous apporte rien sur les relations de Molière avec les auteurs. On peut penser que, dans les conditions où il travaillait, il n'eut guère de rapports avec la littérature vivante.

En 1658, il arrive à Paris; mais il ne peut espérer attirer les auteurs avant d'avoir prouvé que sa compagnie les servira dignement et que son installation sera durable. Il joue donc d'abord des tragédies et des comédies du domaine public, sans doute celles qu'il a déjà présentées à son public de province et auxquelles ses acteurs sont formés, et aussi les comédies qui font le succès de Jodelet, le bouffon truculent qu'il s'attache à Pâques 1659, et que la mort lui enlève l'année suivante : du Corneille surtout, des tragédies de Du Ryer, Rotrou, Tristan, des comédies de Scarron, Th. Corneille, Desmarets, Boisrobert, etc., son *Étourdi* et son *Dépit*, enfin les farces qu'il a brochées pour les Méridionaux. Dans tout cela, pas une pièce nouvelle.

La première nouveauté est constituée par les *Précieuses*, en novembre 1659, un an après l'installation. Deux ou trois créations suivent au cours de l'hiver. L'épreuve est-elle donc jugée suffisante? C'est d'abord une tragédie d'un auteur rouennais, Coqueteau la Clairière, qui semble avoir gravité dans le cercle Thomas Corneille-abbé de Pure : la pièce est intitulée *Pylade et Oreste*; elle est disparue. C'est ensuite la *Zénobie* de Magnon, qui n'est qu'une adaptation versifiée d'une tragédie en prose de l'abbé d'Aubignac : Magnon était un vieil ami de la troupe; il s'était éloigné du théâtre depuis quelques années. C'est enfin un arrangement du *Don Quichotte* de Guérin du Bouscal, mis au point par Madeleine Béjart. Ces premiers contacts avec la littérature sont peu glorieux : un provincial sans réputation, un vieil ami au terme de sa carrière, une comédienne de la troupe. Non, Molière n'a pas encore vaincu la méfiance des écrivains; ils gardent les yeux fixés sur l'Hôtel de Bourgogne. Mascarille le dit nettement : on ne peut encore confier une pièce qu'aux Grands Comédiens.

Mais voici dès la saison suivante un succès à l'actif du directeur du Petit-Bourbon. Il s'assure le concours d'un écrivain considéré, secrétaire des commandements de la Reine de Suède, Gabriel Gilbert, dont il monte en mai 1660 la *Vraie et la Fausse Précieuse*, en août *Huon de Bordeaux* et en février 1661 le *Tyran d'Égypte*, sans parler de la reprise des *Amours de Diane et d'Endymion* en juin 1660 : quatre pièces, dont trois nouveautés, dans la même saison, une comédie, deux tragi-comédies, une tragédie à machines. Gilbert avait alors environ quarante ans. Il écrivait depuis 1640. Il avait donné déjà huit pièces, tragédies et tragi-comédies, représentées pour la plupart à l'Hôtel de Bourgogne, la der-

nière en tout cas. Pourquoi quitta-t-il l'Hôtel pour le Petit-Bourbon?
Fut-ce pour prendre parti dans la querelle des Précieuses et donner
son avis sur une question qui l'intéressait? Évidemment, s'il voulait
épauler Molière, il devait le faire sur la scène de Molière. Le succès
fut peu encourageant, ce qui ne l'empêcha pas de travailler à nouveau
pour le même théâtre. Des amitiés s'étaient-elles nouées entre le poète
et les comédiens? Nous ne pouvons que constater que la collaboration
dura malgré la médiocrité des résultats. La *Vraie Précieuse* n'eut que
neuf représentations; *Endymion*, onze; *Huon*, sept; le *Tyran d'Égypte*,
au Palais-Royal, sept. Le *Tyran d'Égypte* fut repris encore trois fois
et *Huon* quatorze fois au cours de la saison suivante. Le nom de Gilbert
ne reparut plus sur l'affiche du Palais-Royal après le 25 juillet 1661.
Il est aussi difficile d'expliquer cette rupture après quatorze mois de
collaboration que la collaboration elle-même. Gilbert retourna à l'Hôtel
de Bourgogne, où il fit jouer son *Théagène* en juillet 1662. Le succès
du directeur du Palais-Royal avait été sans lendemain.

En mai 1661, il monta une comédie de Chapuzeau, le *Riche impertinent*, qui eut huit représentations, puis passa à l'Hôtel de Bourgogne.
Ce fut encore une occasion manquée. Chapuzeau avait du talent et des
relations. Il avait déjà fait jouer plusieurs comédies et farces, tantôt au
Marais, tantôt chez les Grands Comédiens.

Molière tenta un nouvel effort dans l'hiver 1662-1663. Il s'assura la
propriété d'un ouvrage qui avait déjà été lu en plusieurs salons et annoncé
au Marais, puis à l'Hôtel de Bourgogne, mais qui, écrit depuis plus de
dix ans, n'avait jamais été joué. C'était une tragédie intitulée *Arsace, roi,
des Parthes*. L'auteur, un esprit fort, se nommait de Prade. Il n'avait
écrit que deux autres pièces. Le public se refusa à ratifier ce choix :
Arsace fut retiré de l'affiche au bout de deux semaines.

Oropaste lui succéda : c'était encore une création. Cette fois la pièce
tint cinq semaines, jusqu'à la présentation de l'*École des femmes*. Le
résultat était honorable. L'auteur d'*Oropaste* était l'abbé Claude Boyer,
un personnage de premier plan, rival de Quinault, plus tard de Racine.
Chapelain, en 1662, le classait immédiatement au-dessous de Corneille.
Il composa plus de vingt tragédies : *Oropaste* fut la onzième. Molière
avait fait un coup de maître en le détachant de l'Hôtel de Bourgogne.
Mais il ne le garda pas. Boyer ne revint d'ailleurs au théâtre qu'en 1666,
pour donner au Marais la grande tragédie à machines de l'époque, les
Amours de Jupiter et de Sémélé, suivie trois ans plus tard, au même
théâtre, de la *Fête de Vénus*.

Ainsi, depuis cinq ans, la compagnie avait dû limiter son répertoire d'une part aux pièces tombées dans le domaine public, d'autre part aux comédies du chef. Rien de vraiment profitable ni de durable n'avait été fait avec les nouveautés obtenues d'autrui. Quinault et Th. Corneille restaient fidèles à l'Hôtel de Bourgogne; Gilbert y rentrait; Boyer se taisait; P. Corneille passait du Marais à l'Hôtel.

On ne tiendra pas pour méritoire la création au Palais-Royal de *Bradamante ridicule* en janvier 1664, tragi-comédie apportée à Molière par le duc de Saint-Aignan, premier gentilhomme de la Chambre du Roi, grand organisateur des divertissements du monarque. Le duc se donna le plaisir de faire monter cette pièce dont il était peut-être l'auteur et de la faire jouer devant le Roi. Elle arriva à neuf représentations, avec d'assez belles recettes, assurées sans doute par l'afflux des courtisans. Mais cela ne pouvait durer davantage. Ce n'était qu'une entreprise épisodique.

Bradamante fut soutenue sur la fin de sa courte carrière par une farce, le *Grand Benêt de fils aussi sot que son père*, œuvre du comédien Brécourt, membre de la troupe depuis Pâques 1662. La farce servit en général de complément de spectacle; présentée seule trois fois, elle ne réussit guère. Après onze représentations, elle disparut. Et son auteur quitta le Palais-Royal deux mois plus tard.

En juin, Molière monta la *Thébaïde*. Cette fois, il était en droit de s'enorgueillir. Il avait deviné le talent d'un jeune poète sensible et ambitieux, qui avait hâte de se faire applaudir. Ce jeune homme s'appelait Racine. Il fréquentait parfois la bohème, où il pouvait rencontrer Molière et ses comédiennes. Ce fut sans doute ainsi que la connaissance se fit. La tragédie eut seize représentations consécutives; mais les recettes ne furent pas brillantes. Elle reparut en février, à la veille de *Don Juan*, avec deux représentations, puis en avril et encore en octobre. Les reprises attestent que la troupe n'était pas mécontente de l'accueil fait à ce début ou du moins qu'on tenait à ménager un auteur duquel on attendait beaucoup. Le poète de son côté devait être satisfait, puisqu'il confia à Molière sa seconde tragédie, *Alexandre*. Mais ici l'affaire se complique.

Il convient, pour bien comprendre les événements, de relater ce qui se passa au Palais-Royal entre la *Thébaïde* et *Alexandre*. En avril 1665, on fit appel à une poétesse en vogue, Mlle Desjardins. Elle avait débuté au théâtre en 1662, avec une tragédie jouée à l'Hôtel de Bourgogne; elle y avait encore donné *Nitétis* en 1663; Molière obtint d'elle une tragi-comédie, la *Coquette ou le Favori*, qui resta au répertoire pendant deux saisons et fut jouée en tout au moins vingt-six fois. A en croire Tallemant des Réaux (c'est P. Mélèse qui a cueilli cette historiette), les rela-

tions entre la poétesse et le directeur furent difficiles. La pièce avait été
annoncée sous le nom de Mlle Desjardins. Or Mlle Desjardins avait
épousé M. de Villedieu; l'union était illégale, car Villedieu était déjà
marié; mais Mlle Desjardins tenait à être nommée de son nom de femme :
elle querella Molière sur l'erreur commise. « Molière répondit doucement qu'il avait annoncé sa pièce sous le nom de Mlle Desjardins; que
de l'annoncer sous le nom de Mme de Villedieu, cela ferait du galimatias, qu'il la priait pour cette fois de trouver bon qu'il l'appelât Mme de
Villedieu hormis sur le théâtre et dans ses affiches. »

　　Le 23 octobre, le Palais-Royal présenta une comédie intitulée la *Mère
coquette;* une semaine plus tôt, l'Hôtel de Bourgogne en avait présenté
une autre sous le même titre : les deux pièces se ressemblaient étrange-
ment. Celle-ci était de Quinault; celle-là, de Donneau de Visé. Comment
de Visé, qui avait combattu Molière lors de l'*École des femmes*, était-il
passé de son côté, c'est une autre histoire, que nous conterons tout à
l'heure. La rivalité n'était pas seulement entre deux auteurs, mais entre
deux théâtres. C'était un nouvel épisode de la lutte qui opposait les Grands
Comédiens aux camarades de Molière à peu près depuis les *Précieuses*.
Le plagiat était manifeste : quel était le plagiaire? Quinault était un auteur
arrivé, de Visé débutait ou presque : le risque était inégal, mais aussi le
bénéfice éventuel. Le public s'amusait de la querelle. Les deux théâtres
en profitaient. L'Hôtel céda le premier; quelques jours plus tard, Molière
retira à son tour sa *Mère coquette*. Mais la lutte allait renaître et chacun
fourbissait déjà ses armes.

　　Le 29 novembre en effet, Robinet, dans sa Gazette, annonçait que
deux *Alexandres* allaient succéder aux deux *Mères coquettes*. L'*Alexandre*
de Racine était affiché au Palais-Royal; l'Hôtel lui opposait, semble-t-il,
une pièce de Boyer, créée en 1647, exhumée pour les besoins de la lutte.
Le 4 décembre, la tragédie du jeune Racine faisait ses débuts : la recette
fut satisfaisante. Pendant ce temps, l'Hôtel soutenait la concurrence
avec l'œuvre du vétéran Boyer; le 14, c'est encore cet ouvrage qui fut
présenté chez Mme d'Armagnac. Mais, le 18, une substitution inattendue fut opérée : l'Hôtel joua l'*Alexandre* de Racine et non celui de Boyer.
Ce soir-là, la même pièce passa donc simultanément sur deux théâtres.
Molière et ses camarades en furent surpris, peinés et même outrés. La
complicité de Racine était évidente. Il avait procuré en secret aux Grands
Comédiens une copie de sa tragédie; les répétitions avaient été menées
dans le plus grand mystère, jusqu'au moment où la lutte avait pu devenir
ouverte. La rivalité dura jusqu'au 27; puis Molière renonça à la pièce,
qui resta acquise à l'Hôtel. Il ne prit qu'une mesure contre son colla-

borateur infidèle, qui fut de lui supprimer le service de ses parts d'auteur.

Pourquoi Racine commit-il cette vilenie, dont on ne connaît pas d'exemple dans l'histoire du théâtre français? Il avait été satisfait du lancement que lui avait procuré Molière avec la *Thébaïde*; il lui avait confié de bon gré sa deuxième tragédie; il en avait assurément suivi les répétitions, permis la représentation. Et, quelques jours plus tard, il osait cette mauvaise action! Était-il mécontent du jeu des camarades de Molière? Ce mécontentement était bien tardif. Il est plus vraisemblable qu'il fut circonvenu par les Grands Comédiens et qu'il succomba à la tentation : le prestige de l'Hôtel était grand en matière de tragédie! C'était là qu'un poète tragique pouvait aller à la gloire!

Molière dut être horriblement déçu. Il avait enfin acquis le concours d'un jeune talent : non plus le vieillissant Boyer, ni l'inconstant Gilbert, mais un poète d'avenir, qu'il avait deviné et dont il conseillait les premières démarches, un poète tragique, qui lui fournirait ce qui lui manquait pour assurer le succès de sa compagnie, la contrepartie dans le genre sérieux de ce qu'il donnait dans le genre plaisant. Et l'ingrat le lâchait vilainement! Atteint dans ses intérêts, il le fut aussi dans ses sentiments.

Se découragea-t-il dans sa quête de concours profitables? En tout cas, on ne vit pas de nouveaux talents se produire de sitôt au Palais-Royal. Il avait pourtant de Visé à son service depuis quelques mois : ce n'était pas un homme à dédaigner. De Visé avait débuté dans les lettres en 1663. Nouvelliste et critique, il s'était fait un nom en prenant parti avec vivacité dans les querelles en cours. Il était intervenu dans la dispute née de l'*École des femmes*. Reprenant la plupart des reproches faits au poète par ses adversaires, il avait néanmoins parsemé sa diatribe de quelques éloges. On sentait à le lire qu'il tenait surtout à faire parler de lui et que des revirements n'étaient pas exclus. De fait, après avoir attaqué Corneille, il le défendait. Mais, pour le moment, il redoublait de méchanceté contre Molière : les *Nouvelles* tâchaient parfois d'être équitables; *Zélinde*, quelques mois plus tard, allait jusqu'à la perfidie; la *Vengeance des marquis*, jouée à l'Hôtel de Bourgogne, enfin la *Lettre sur les affaires du théâtre* ne montraient guère plus de bonne foi. Molière ne répondit jamais directement à cet adversaire : il est fort douteux qu'il ait pensé à lui en crayonnant la figure du pédant Lysidas. Du moins il ne dut pas être enclin à beaucoup de bienveillance pour un critique si peu scrupuleux et si acharné.

Et voici que, deux ans plus tard, il montait une comédie de ce critique, désireux de tenter l'aventure de la scène, non plus en pamphlétaire, mais en peintre des mœurs! Que s'était-il passé pour rapprocher les deux adversaires? P. Mélèse nous l'a dit excellemment. De Visé, partant d'une comédie espagnole, avait bâti une pièce en trois actes, à laquelle il avait donné le titre de *Mère coquette*. Il en faisait des lectures dans les salons, pour en préparer la présentation aux Grands Comédiens, dont il avait soutenu la cause contre le Palais-Royal et qui avaient déjà joué sa satirique *Vengeance des marquis*. Quinault dut avoir ainsi connaissance du texte de son jeune émule. De Visé s'était bien gardé d'avouer sa source espagnole. Quinault, la découvrant, vit là l'occasion d'une bonne affaire. Il partit de la même source pour écrire à son tour une *Mère coquette*, qui ne pouvait que ressembler à l'autre. Puis il porta son ours aux Grands Comédiens, dont il était un fournisseur habituel et qui n'hésitèrent pas à le satisfaire. De Visé se vit frustré dans ses espoirs. Il accusa son rival de plagiat. Quinault, sans s'embarrasser de scrupules, lui renvoya l'accusation. L'affaire s'envenima, la Cour s'y intéressa. Quinault était trop puissant pour que de Visé pût le démolir. Le jeune pamphlétaire, dont le renom ne pouvait que gagner à ces débats, imagina de lâcher l'Hôtel de Bourgogne et de rallier le Palais-Royal, comme il avait naguère lâché d'Aubignac et rallié Corneille. Après tout, il n'avait aucune raison de garder rancune à sa victime! Mais Molière? Molière était un directeur de théâtre. Son premier souci visait la destinée de sa compagnie et ses ressentiments personnels le cédaient aux intérêts de ses camarades. Il trouvait là une occasion double : il livrait combat à ses rivaux, il gagnait un collaborateur. C'est ainsi qu'il décida de monter la *Mère coquette*.

Le résultat ne fut pas décevant : la comédie tint l'affiche pendant plus d'un mois. Celle de l'Hôtel dura quelques jours de moins. De Visé vit son œuvre reparaître au cours des trois saisons suivantes, mais toujours pour quelques représentations seulement, et, dès l'été de 1668, ce fut fini, alors que Quinault eut la bonne fortune de fréquentes reprises jusqu'à la fin du siècle.

Du moins Molière y gagna de s'attacher un poète comique qui n'était pas sans talent. Ce n'était pas une compensation à la défection de Racine, du poète tragique sur lequel il avait tant compté; néanmoins il pouvait se réjouir de ce secours imprévu. De Visé fut en effet fidèle pendant plus de trois années. Il donna à Molière, après la *Mère coquette*, quatre pièces : une comédie, la *Veuve à la mode*, en mai 1667; une pastorale, *Délie*, en octobre de la même année; une farce en novembre, l'*Accouchée;* enfin, en janvier 1669, encore une comédie, les *Maux sans remèdes*. D'autre part, en décembre 1666, il écrivit une *Lettre sur le Misanthrope*, que Molière ne jugea pas indigne de figurer en tête de l'édition de la pièce. La *Veuve à la mode* n'eut que six représentations dans sa nouveauté; elle reparut dix-neuf fois jusqu'au 30 octobre 1668 : la recette fut rarement satisfaisante. *Délie* eut une fortune à peu près identique : dix-huit représentations en tout et des recettes moyennes. L'*Accouchée* atteignit aussi près de vingt représentations. Les *Maux sans remèdes* eurent des recettes normales aux deux premières représentations et disparurent de l'affiche sans qu'on sache pourquoi : ce fut une rupture entre de Visé et Molière, et totale. En effet, ce retrait est du 13 janvier 1669; la dernière représentation de *Délie* est du 25 novembre précédent; celle de l'*Accouchée* du 18 novembre; de la *Veuve à la mode*, du 30 octobre; de la *Mère coquette*, du 5 août. Il est évident qu'une disparition si générale en quelques mois ne s'explique que par un dissentiment personnel sur lequel nous ne sommes pas éclairés.

De Visé passa du Palais-Royal au Marais : il y donna trois pièces à machines et deux comédies de 1670 à 1672. Après quatre années de séparation, il revint chez Molière : ce retour se place au début de 1673, pour la comédie des *Maris infidèles*, qui, comme la *Mère coquette*, suscita une concurrence à l'Hôtel de Bourgogne. Cette fois, la querelle avorta : la comédie de Donneau de Visé n'eut que quatre représentations (il est vrai que Molière disparut le mois suivant) et celle de Hauteroche ne fut pas même jouée.

Les tragédies de Corneille et son *Menteur* avaient fourni, avec les comédies de Molière, la majeure partie du répertoire du Petit-Bourbon et du Palais-Royal. C'est *Nicomède* qui fut présenté à la Cour pour la séance inaugurale du 24 octobre 1658. Dans la saison suivante, la troupe joua sept pièces du maître; quatre restèrent à l'affiche en 1660-1661 et 1661-1662 : le *Menteur*, *Nicomède*, *Héraclius* et *Rodogune*. La première et les deux dernières s'y retrouvèrent encore en 1662-1663, avec *Cinna*. De plus Molière monta *Sertorius*.

Cette création vaut qu'on s'y arrête. *Sertorius* avait été confié par Corneille au Marais, qui le joua en février 1662. La pièce fut publiée en juillet. Dès lors elle tombait dans le domaine public et l'Hôtel de Bourgogne l'annexa immédiatement. Molière n'avait même pas attendu la publication pour la monter au Palais-Royal, où elle parut le 23 juin, mais pour une seule représentation, la suivante n'intervenant qu'en septembre. Ce fut une rencontre curieuse que celle des trois troupes entrant en concurrence sur le même texte.

Par la suite, Molière joua de temps en temps *Cinna*, *Sertorius* et le

Menteur. Il s'agissait toujours de pièces du domaine public. Corneille
ne donnait ses nouveauté qu'à l'Hôtel de Bourgogne ou au Marais. Les
relations entre les deux écrivains semblent même avoir été délicates.
L'auteur de l'*École des femmes*, par la bouche d'Arnolphe, avait parodié
un vers de *Sertorius*, adressé par Pompée à Perpenna :

> *C'est assez.*
> *Je suis maître, je parle, allez, obéissez.*

Il y avait dans la même pièce une allusion explicite à la manie aristocratique de Thomas Corneille, qui se fait appeler Corneille de l'Isle,
aussi gratuitement qu'Arnolphe prenait le nom de M. de la Souche.
Th. Corneille était d'ailleurs parmi les détracteurs de Molière. On
conçoit mal que son frère ait jugé autrement que lui. En janvier 1663,
Sophonisbe, jouée à l'Hôtel de Bourgogne, entra en concurrence devant
le public avec l'*École des femmes* au Palais-Royal : c'était le duel entre le
sérieux et le plaisant. On entend un écho de ce conflit dans la *Critique*,
quand Dorante, voulant laver la comédie du mépris dans lequel la tient
une partie de l'opinion, affirme qu'il est plus difficile de faire rire les
honnêtes gens que de les faire pleurer.

Au début de 1667, Corneille était moins satisfait des Grands Comédiens : ils avaient attiré chez eux Racine, dont la réputation grandissait
et pouvait déjà porter ombrage à un esprit susceptible. Préparaient-ils
Andromaque? La Du Parc, qui allait créer le rôle de la veuve d'Hector,
passa à l'Hôtel à Pâques. Revenir au Marais n'était guère tentant : la
tragédie à machines seule y réussissait. Corneille se laissa solliciter par le
Palais-Royal. Il confia *Attila* à Molière, trop heureux de cette recrue
providentielle. Depuis *Alexandre*, Molière n'avait reçu aucun ouvrage
de qui que ce fût. C'est seulement dans les mois qui suivirent qu'il vit
arriver les trois pièces de Donneau de Visé montées en 1667. *Attila* fut
joué le 4 mars. Il eut vingt représentations consécutives, coupées par le
relâche de Pâques : les recettes baissèrent rapidement; deux représentations intervinrent en octobre, deux en novembre, une en décembre, une
en avril 1668, en tout vingt-six. Qu'en pensa l'auteur?

Il ne semble pas avoir fait grief à Molière de ce demi-succès, puisqu'il
lui confia sa production suivante, *Tite et Bérénice*. Mais pouvait-il faire
autrement, quand *Bérénice* passait à l'Hôtel de Bourgogne? C'était encore,
comme pour la *Mère coquette*, une rivalité de théâtres autant que de
poètes. Bon gré, mal gré, Corneille était désormais allié au Palais-Royal,
puisque Racine occupait l'Hôtel. *Tite* fut présenté le 28 novembre 1670;

Bérénice l'avait été le 21 : il eut vingt et une représentations, avec de belles recettes. Cette fois, c'était le succès.

Au cours du même hiver, Corneille prêta sa plume à Molière pour achever *Psyché*, que le comédien n'eut pas le loisir de mener à terme. C'est la preuve qu'ils entretenaient de bons rapports. Pourtant, en 1672, c'est au Marais que Corneille donna la comédie héroïque de *Pulchérie*.

Revenons en arrière : dans la saison 1667-1668, le Palais-Royal créa, avec les comédies de Donneau de Visé déjà citées et sans parler des productions de Molière, une tragi-comédie intitulée *Cléopâtre*. C'était l'œuvre d'un comédien de la troupe, La Thorillière, qui ne fit pas d'autre tentative de ce genre. Le succès fut médiocre.

En 1668-1669, apparut Subligny, un publiciste de second ordre, auquel on confia une mission de satirique. Il fut probablement chargé par Molière (il est douteux qu'il en ait pris l'initiative) de présenter sur la scène une critique d'*Andromaque*, qui triomphait insolemment à l'Hôtel de Bourgogne. Le Palais-Royal pouvait-il supporter patiemment que le transfuge de 1665 fît la preuve que son ambition ne l'avait pas trompé? La satire prit le titre de la *Folle querelle*. Jouée en mai 1668, elle eut en tout vingt-six représentations dans l'année, mais avec des recettes médiocres.

Après le retrait des *Maux sans remèdes* de Donneau de Visé en janvier 1669, Molière renonça à tout concours étranger. Si l'on excepte la farce anonyme du *Fin lourdaud*, l'affiche n'annonça plus une seule pièce qui ne fût de sa main, ceci jusqu'à la création d'une nouvelle comédie de Subligny, le *Désespoir extravagant*, le 1er août 1670, qui eut quinze représentations et donna des recettes fort menues. Ajoutons que la création de *Tite et Bérénice* se place en novembre de la même saison; celle des *Maris infidèles*, en janvier 1673. Ainsi, dans les quatre dernières saisons de la carrière de Molière, on ne trouve à l'affiche, en dehors des pièces du maître et de l'anonyme *Fin lourdaud*, que trois créations : le *Désespoir extravagant*, *Tite et Bérénice*, les *Maris infidèles*; à quoi s'ajoute une seule reprise : *Sertorius*. Le Palais-Royal avait perdu à peu près tout contact avec les auteurs.

Cette histoire est donc celle d'un échec. Bidou dit que le malheur de la troupe de Molière est d'avoir été une troupe sans auteurs. Le directeur du Palais-Royal a cherché des concours partout : auprès de Magnon, de Prade, Boyer, Gilbert, Racine, Corneille enfin, pour la tragédie et la tragi-comédie; auprès de Donneau de Visé, Chapuzeau, Brécourt, Subligny pour la comédie. Il n'en a jamais tiré qu'une pièce ou deux, après quoi la collaboration a pris fin. Gilbert a donné un peu plus,

mais en une seule année. De Visé a été plus fidèle et plus fécond : c'était
un ancien adversaire! Racine a trahi les espoirs mis en lui. Corneille
s'est rallié tardivement et temporairement. Molière fut seul, ou presque
seul, à soutenir son théâtre. Sur cinquante-cinq créations, vingt-neuf
lui appartiennent. Il faut dire que la plupart des pièces d'autrui qu'il
monta n'eurent guère de succès. Étaient-elles mal jouées? Ce pourrait
être vrai des tragédies, et nous aurons à en discuter; mais les comédies?
Bidou dit excellemment que Molière ne pouvait trouver des auteurs,
parce qu'il n'y en avait plus; la pléiade de 1640 était dispersée; les
années 60 furent des années stériles pour le théâtre, mis à part Corneille vieillissant et Racine débutant, et, naturellement, Molière lui-
même. Quinault, Th. Corneille, Boyer, ce sont les trois talents majeurs
de cette période! L'Hôtel de Bourgogne garda obstinément les deux
premiers; il partagea la production du dernier avec le Marais.

Remarquons en particulier qu'on ne trouve guère de jeunes talents
distingués et lancés par Molière : Racine, oui; de Visé, si l'on veut;
les autres ne débutèrent pas au Palais-Royal ou furent seulement des
dramaturges d'occasion. Là aussi, c'est le désert. Mais, à la décharge
de Molière, il faut dire qu'entre 1660 et 1670, il n'y eut pas, en dehors
de Racine toujours, un seul poète tragique dont le talent se révélât, et
ceci sur aucune des trois scènes parisiennes. Si les jeunes poètes comiques
furent plus nombreux, on comprend que le Palais-Royal n'ait pas eu
besoin de s'assurer leur concours, quand il tenait un Molière.

*

A la recherche des auteurs, il faut ajouter celle des compositeurs.
Car la part de la musique dans les représentations organisées par Molière
ne fut pas sans importance. Du moins les soucis causés par ces collaborateurs ne devinrent aigus que sur le tard et longtemps le travail en
commun fut d'une parfaite facilité.

Molière eut sans doute recours à des musiciens pour la représentation
d'une pastorale comme *Félicie* ou d'une tragédie à machines comme les
Amours de Diane et d'Endymion, en 1660; mais il s'agissait de reprises,
donc de pièces dont la musique était déjà écrite. En revanche, dès
l'année précédente, il avait intercalé dans les *Précieuses*, donc dans sa
première création parisienne, un morceau de chant (Mascarille chante
son impromptu) pour lequel il dut demander le concours d'un compositeur. Les *Fâcheux*, en 1661, exigèrent davantage : un ballet était cousu
à la comédie, dont Beauchamps écrivit la musique, composa les pas et

assura l'exécution. Cependant la courante chantée et dansée par Lysandre
au premier acte était l'œuvre de Lully.

Beauchamps fut donc le premier collaborateur musicien de Molière.
Il avait alors une trentaine d'années; sa réputation grandissait. Il fut
le maître à danser de Louis XIV, maître de ballets de la Cour, plus
tard maître de ballets de l'Opéra. Molière eut recours à ses services
pour tous ses grands spectacles, mais uniquement pour la composition
et l'exécution de la chorégraphie; une fois aussi, pour *Psyché*, il lui
confia la direction de l'orchestre. Après les *Fâcheux*, Beauchamps s'effaça
devant Lully pour la composition musicale.

Ainsi Lully devint très tôt et pour longtemps le collaborateur principal de Molière. D'une dizaine d'années plus jeune que le comédien,
il était entré avant lui au service du Roi et il avait avancé très vite dans
la faveur publique. Ce brillant baladin, ce danseur bouffon avait ce qui
était nécessaire pour plaire dans une Cour vouée à la gaieté; musicien
de talent, il avait obtenu la surintendance de la musique royale; on lui
confiait généralement l'organisation (mais non la composition) des ballets. Son importance était déjà assez grande en 1662 pour que le Roi
lui fît l'honneur de signer en personne au bas de son contrat de mariage.

Molière et Lully commencèrent à travailler ensemble en 1664 (en
laissant de côté la courante des *Fâcheux*). L'occasion en fut le *Mariage
forcé*, c'est-à-dire la première comédie-ballet commandée à la troupe
du Palais-Royal pour le service du souverain. Lully fit la musique et
Beauchamps le ballet. Nous retrouvons le Florentin quelques mois plus
tard fournissant à Molière la musique de la *Princesse d'Élide*, puis en
1665 celle de l'*Amour médecin*. Pour le *Médecin malgré lui*, il composa
l'air sur lequel Sganarelle chante la chanson de la bouteille. Faut-il lui
attribuer aussi l'air de Sosie au début d'*Amphitryon*? En tout cas, la
musique de la *Pastorale comique*, celle du *Sicilien*, celle qui encadre
George Dandin, celle de *Pourceaugnac*, des *Amants magnifiques*, du *Bourgeois gentilhomme*, de *Psyché* lui reviennent. Ainsi il fournit à Molière
la musique de dix spectacles plus ou moins importants, sans parler de
sa collaboration épisodique dans deux ou trois autres comédies. C'est
une contribution considérable. Rappelons qu'on lui attribue avec vraisemblance les paroles des airs italiens chantés dans *Pourceaugnac* et dans
Psyché et qu'il montra sa virtuosité de bouffon en créant les rôles d'un
médecin dans *Pourceaugnac* et du Mufti dans le *Bourgeois gentilhomme*.

Les relations entre le comédien et le musicien durent être par moments
fort intimes. Mais, dès que leurs intérêts s'opposèrent, c'en fut fini de
huit années de travail en commun. En mars 1672, Lully fit transférer

à son nom le privilège que le chevalier Perrin avait obtenu trois ans
plus tôt pour créer à Paris une Académie de musique, jouissant du
monopole de la représentation des pièces chantées. En avril, il fit signifier aux troupes de comédie l'interdiction d'engager des orchestres dépassant douze musiciens et des chœurs de plus de six voix. C'était le moment
où Molière faisait entrer le Palais-Royal dans la voie de la tragédie à
machines : *Psyché* fut montée en 1671. Lully arrêtait brutalement l'essor
nouveau de son ami. Les frais que celui-ci avait engagés devenaient
inutiles. La rupture était inévitable.

   Molière remplaça Lully par Charpentier. Il demanda à ce nouveau
collaborateur la musique du spectacle cousu à la *Comtesse d'Escarbagnas*
pour la présentation de cette comédie au public parisien en juillet 1672,
écartant celle que Lully avait écrite pour la Cour quelques mois plus
tôt. En même temps, il le chargea d'un travail semblable pour la reprise
du *Mariage forcé* qui accompagnait *Escarbagnas* : là encore Charpentier
devait substituer une composition de sa façon à celle que Lully avait
fournie à l'origine. La brouille était publique. Lully riposta en septembre en revendiquant le droit de publier, avec les airs de sa composition, « les vers, paroles, sujets, desseins et ouvrages » sur lesquels ces
airs avaient été écrits : à la limite, il aurait pu publier à son profit le
Mariage forcé ou *Pourceaugnac*; c'était la guerre des deux Baptiste.
Pourtant, en novembre, le Palais-Royal reprit *Psyché* avec la musique
de Lully et sans réduction excessive de l'orchestre ni du chœur. Mais
ce fut Charpentier qui reçut la commande de la musique du *Malade
imaginaire*.

   Marc-Antoine Charpentier était un musicien de talent et l'un des
rivaux du Florentin. Il avait à peu près son âge; mais ses débuts avaient
été plus lents et moins brillants. C'est à Rome, où il avait passé sa jeunesse, qu'il s'était formé à la musique. De retour en France, il fit carrière à la Cour. Nommé maître de chapelle du Dauphin, il se vit écarté
de ce poste de choix sous l'influence de Lully. Molière avait de bonnes
raisons de s'adresser à lui pour remplacer le Florentin en 1672. Mais
leur collaboration fut brève.

   Il ne faut pas se méprendre sur les rapports qui ont uni dans leur
commun travail le poète et les compositeurs. Si le premier eut dans
certains cas l'initiative et l'autorité, par exemple pour le *Malade imaginaire* et pour *Psyché*, le plus souvent il fut prié d'apporter un texte
prenant place dans un ensemble monumental fixé par autrui : pour le
Ballet des Muses en particulier, il reçut commande de Benserade à l'effet
de fournir pour la troisième entrée la comédie de *Mélicerte*, bientôt

remplacée par la *Pastorale comique*, puis, pour une entrée surnuméraire, le *Sicilien*. Il va sans dire qu'en pareil cas le compositeur avait la prépondérance et que le poète faisait un peu l'office d'un librettiste d'opéra. D'ailleurs le public de la Cour parfois s'intéressait plus à la musique et à la danse qu'à la comédie : il est certaines comédies-ballets de Molière que le chroniqueur présenta sous le seul nom de Lully.

*

Le répertoire de la troupe de Molière au cours des quatorze saisons de son activité parisienne comprend tout près de cent pièces différentes : le chiffre peut paraître énorme pour une compagnie d'une douzaine de comédiens. C'est qu'en ce temps-là il n'y avait pas un public assez vaste pour soutenir longtemps même un spectacle qui réussissait. L'*École des femmes* réussit à merveille : dans sa nouveauté, elle eut au Palais-Royal entre Noël et le relâche de Pâques trente-deux représentations; jusqu'au Mardi gras, la recette se tint presque toujours au-dessus de 1.000 livres; elle alla jusqu'à 1.500 et ne descendit pas au-dessous de 800; pendant le carême, elle oscilla entre 400 et 800. Reprise au 1er juin, accompagnée de la *Critique*, la comédie connut un regain de faveur : trente-deux représentations encore; jusqu'au 3 juillet, les recettes atteignirent même 1.700 livres et ne descendirent pas au-dessous de 800; en juillet, elles se situèrent entre 400 et 800; le 12 août, elles tombèrent à moins de 300. Une reprise isolée le 11 septembre rapporta 400 livres; trois représentations, à la fin de l'année, donnèrent de 700 à 200; une, le 9 février, 400; une, le 23 mars, 300. La pièce reparut rarement dans les deux saisons suivantes et ne fut reprise que dans la saison 1668-1669. On se rend compte par cet exemple du rythme auquel devaient se succéder les programmes. L'*École des femmes* usée en soixante-dix représentations! Parmi nos modernes dramaturges, ils ne sont pas rares ceux qui fêtent la *millième* de leurs *superproductions!*

Nombre de pièces ne furent jouées que dix ou vingt fois : ce furent presque uniquement des pièces apportées par des auteurs du dehors. Certaines n'eurent qu'une représentation. Les productions de Molière furent plus heureuses en général. Le *Cocu imaginaire* atteignit cent vingt représentations en tout. Mais *Don Garcie* ne fut joué que sept fois dans sa nouveauté et ne fut repris qu'avec l'*Impromptu*, en deux seules représentations : neuf représentations publiques, à quoi s'en ajoutent trois devant le Roi et une à Chantilly. *Don Juan* fut arrêté après la quinzième.

Des quatre-vingt-quinze pièces montées au Petit-Bourbon et au Palais-Royal (par exception, à la Cour seulement), Molière fournit le tiers, exactement trente et une. De Corneille, il prit dix tragédies et une comédie : les chefs-d'œuvre consacrés, le *Cid, Horace, Cinna, Pompée, Rodogune, Nicomède* (mais non *Polyeucte*), des œuvres plus contestées comme *Héraclius*, trois nouveautés, *Sertorius, Attila, Tite et Bérénice*, sans oublier la comédie ancienne du *Menteur*. De Visé apporta, nous l'avons vu, six pièces : quatre comédies, une farce, une pastorale; Gilbert, quatre : une tragédie, deux tragi-comédies, une comédie. De Scarron, Molière reprit trois comédies; de Th. Corneille, deux comédies; de Tristan, deux tragédies; autant de Du Ryer; de Rotrou, une tragédie et une comédie. De Racine, il monta deux tragédies nouvelles; de Subligny, deux comédies nouvelles. Il reprit encore une comédie des quatre auteurs suivants : Guérin du Bouscal, Desmarets de Saint-Sorlin, Gillet de la Tessonnerie, Boisrobert; et une pastorale de Montauban. Il monta en nouveauté une tragédie de Coqueteau la Clairière, une de Magnon, une de de Prade, une de Boyer; une tragi-comédie de Mlle Desjardins et une de La Thorillière; une comédie de Madeleine Béjart, une de Chapuzeau, une de Brécourt. A ce tableau, il convient d'ajouter l'anonyme *Bradamante ridicule*, et aussi les treize farces non moins anonymes que mentionne La Grange, du *Docteur amoureux* au *Fin lourdaud*. Ainsi vingt-cinq auteurs (en écartant les anonymes) alimentèrent l'affiche, mais combien inégalement!

Si l'on répartit cette production dans les genres traditionnels (dans certains cas, cette répartition est quelque peu problématique), on constate la nette supériorité du théâtre gai sur le théâtre sérieux. On relève dans ces quatre-vingt-quinze pièces : cinquante et une comédies, treize farces, vingt-trois tragédies, quatre tragi-comédies et quatre pastorales. La différence est encore plus marquée si l'on totalise le nombre de représentations se référant à chaque genre : on arrive à près de deux mille représentations de comédies et de farces contre moins de cinq cents représentations de tragédies, tragi-comédies et pastorales. En général, les comédies ont réussi et les tragédies n'ont eu que de courtes carrières.

Nous allons nous en rendre compte en étudiant le programme de chaque saison : nous mesurerons la faveur que connurent les pièces et les genres; nous apercevrons l'effort intense que soutint la troupe dans ses débuts; nous verrons que peu à peu cet effort put se relâcher, mais qu'il fallut jusqu'au bout varier le répertoire. La concurrence n'a jamais permis à Molière de se reposer sur un succès au-delà de quelques mois.

*

La Grange n'ayant rejoint la troupe qu'à Pâques 1659, son Registre est très sommaire pour la saison, ou plutôt la demi-saison que constitua le premier hiver parisien. Nous savons que Molière se produisit devant la Cour avec *Nicomède*, qui fut froidement accueilli, et la farce du *Docteur amoureux*, qui racheta cet échec. Le répertoire des mois qui suivirent est à peu près inconnu. Il comprit l'*Étourdi* et le *Dépit*, qui, au témoignage de La Grange, remportèrent un franc succès, puisque chaque comédien reçut pour ces quatre ou cinq mois 140 pistoles au titre de ces deux pièces (pour toute l'année suivante, La Grange n'aura que 3.000 livres). A ces deux comédies, on adjoignit certainement quelques-unes des pièces représentées par la suite.

La saison 1659-1660 débuta par une série d'échecs retentissants. On monta successivement *Héraclius*, *Jodelet Maître*, *Rodogune*, *Cinna*, les *Visionnaires*, *Marianne*, le *Menteur*, *Pompée*, *Don Japhet*, la *Mort de Crispe*, *Scévole*, *Don Bertrand*, *Venceslas*, etc. Pas une seule représentation ne rapporta plus de 250 livres jusqu'au 5 juillet; on descendit à 60 avec *Jodelet* et à 40 avec *Rodogune*. On reprit l'*Étourdi*, puis le *Dépit*, qui ne furent pas plus avantageux. Le 5 juillet, *Sancho Pansa*, une vieillerie de Guérin du Bouscal, fit 320 livres : ce fut exceptionnel. La situation ne changea guère jusqu'à l'automne. En novembre seulement, la création des *Précieuses* vint alimenter une caisse exsangue : alors enfin, les recettes dépassèrent parfois le millier de livres et se tinrent ordinairement entre 400 et 1.000. Mais on ne joua pas les *Précieuses* tous les jours jusqu'à la fin de la saison. On créa *Pylade et Oreste* de Coqueteau la Clairière, *Zénobie* de Magnon, *Don Quichotte* de Madeleine Béjart, qui sombrèrent rapidement et pour toujours. Dans toute cette saison, il fallut monter vingt-neuf pièces différentes, de quatorze auteurs (sans compter un ou deux anonymes) : treize tragédies, quatorze comédies, deux farces. Aucune ne s'imposa, en dehors des *Précieuses*, représentées plus de trente fois. Cependant l'*Étourdi* et le *Dépit* parurent eux aussi souvent au programme. Parmi les autres, *Sancho Pansa*, *Don Japhet* et *Don Bertrand* ne firent pas trop mauvaise figure : trois comédies! *Alcionée*, une tragédie de Du Ryer, n'eut qu'une représentation; *Héraclius*, *Marianne*, *Venceslas*, *Horace*, deux : cinq tragédies! Ainsi, dès le début, la troupe, tout en répartissant également son effort entre le tragique et le comique, réussit moins bien dans le premier que dans le second. La réputation des auteurs n'influa nullement sur les résultats. Même dans

la comédie, la compagnie eut de la peine à s'imposer. On croit généralement que Jodelet lui fut d'un grand secours. Il était la vedette de plusieurs comédies de Scarron et de Th. Corneille : *Jodelet Maître Valet*,
Jodelet Prince, etc. On ne voit pas qu'elles aient eu un bien meilleur sort
que les autres.

Molière n'était pas homme à se décourager. D'ailleurs ses *Précieuses*
lui montraient qu'il n'était pas impossible d'amener le public dans sa
salle. Il monta la saison de 1660-1661 comme la précédente ou à peu près.
Du répertoire de 1659-1660, il garda seize pièces; treize disparurent.
Parmi ces seize pièces ne figurent que trois tragédies : *Rodogune*, *Héraclius*
et *Venceslas*, à quoi il joignit *Nicomède*, qui appartenait au répertoire de
1658. Par contre, il maintint au programme douze comédies et une
farce : ses trois comédies, les trois de Scarron et les deux de Th. Corneille,
le *Menteur*, *Sancho Pansa* de Guérin du Bouscal, les *Visionnaires* de
Desmarets, la *Folle gageure* de Boisrobert, et la farce du *Médecin volant*.
Treize pièces apparurent pour la première fois : six farces anonymes,
dont plusieurs avaient dû être jouées par la troupe en province; une
pastorale de Montauban, datant de 1653; les quatre pièces de Gilbert
dont nous avons déjà parlé, soit une tragédie à machines de 1656, deux
tragi-comédies nouvelles et une comédie nouvelle; enfin le *Cocu imaginaire*
et *Don Garcie*. Cela fit en tout trente pièces différentes (une de plus que
dans la saison précédente), dont cinq nouveautés (contre quatre), pro-
venant de dix auteurs connus (contre quatorze). On remarquera que déjà
le comique l'emporte nettement sur le tragique : quinze comédies et
sept farces s'opposent à cinq tragédies, deux tragi-comédies et une pastorale. Le succès alla surtout au *Cocu imaginaire*; en revanche *Don
Garcie* tomba; les *Précieuses* et le *Dépit* poursuivirent une carrière régulière; l'*Étourdi* parut moins souvent : avec ces cinq pièces, Molière fournit
à lui seul la moitié des programmes. Aucune autre pièce ne fut jouée
plus de dix fois, sauf les *Amours de Diane et d'Endymion*, qui supportèrent
onze représentations. Les belles recettes allèrent au *Cocu*; encore faut-il
noter que pas une fois on n'atteignit les 1.000 livres. Enfin on doit se
rappeler que c'est au cours de cette saison que la troupe fut réduite à
un quasi-chômage pendant plus de trois mois par la démolition du théâtre
du Petit-Bourbon. La *part*, qui avait été l'année précédente de près de
3.000 livres, descendit à moins de 2.500.

Avec la saison 1661-1662 commence le lent mouvement de réduction
et de concentration du répertoire qui atteste la faveur croissante du
théâtre du Palais-Royal. On ne joue plus que vingt-six pièces, dont vingt
et une reconduites de l'année précédente. Ce sont quatre tragédies : les

trois de Corneille et celle de Rotrou; deux tragi-comédies : les deux de
Gilbert; treize comédies : les quatre de Molière, les trois de Scarron,
les deux de Th. Corneille, celle de P. Corneille, celle de Guérin du
Bouscal, celle de Desmarets et celle de Boisrobert; deux farces enfin.
Les cinq nouveautés sont toutes du genre gai : l'*École des maris* et les
Fâcheux, le *Riche impertinent* de Chapuzeau et deux farces encore (peut-
être retrouvées dans le répertoire des années de province). Neuf auteurs
seulement figurent au programme. La répartition par genres oppose
quatre tragédies et deux tragi-comédies à seize comédies et quatre farces :
le glissement du répertoire vers le comique s'accentue. Pas une tragédie
ou tragi-comédie ne figure à l'affiche du 4 septembre au 26 mars, c'est-
à-dire dans la bonne saison. L'*École des maris* et les *Fâcheux* occupèrent à
eux seuls plus de la moitié des représentations. Pourtant le succès de
l'*École* fut moins brusque que celui des *Précieuses* : il grandit surtout à la
troisième semaine; les recettes n'allèrent que deux fois au-dessus de
1.000 livres. Les *Fâcheux* eurent une fortune plus franche, plus prononcée
et plus soutenue : à ce moment-là, Molière a dû sentir qu'il avait passé
le cap. Le *Cocu imaginaire* tint encore l'affiche de temps en temps; le
Dépit y apparut; en revanche, les *Précieuses* et l'*Étourdi* n'y figurèrent
plus que rarement. Parmi les autres pièces, seul *Huon de Bordeaux*,
une tragi-comédie de Gilbert, et la comédie de Chapuzeau firent quelque
figure; on pourrait aussi mentionner parmi les tragédies *Héraclius*, joué
sept fois. La prépondérance de Molière dans les programmes s'accentua
nettement : avec six pièces sur vingt-six représentées, on vit son nom
apparaître deux fois plus souvent que ceux de tous les autres poètes
réunis. Grâce à la faveur dont déjà le public l'entourait, les recettes
s'améliorèrent assez régulièrement pour que la *part* fût portée à plus de
4.300 livres.

Au printemps de 1662, Brécourt arriva au Palais-Royal. C'était plus
un tragédien qu'un comédien. Molière avait l'occasion d'arrêter le glissement de sa troupe vers la spécialisation comique. Il ne s'était pas encore
résigné à cette orientation de sa carrière. Il n'avait pas renoncé à faire
jouer *Don Garcie*. C'est ce qui explique la réapparition soudaine de la
tragédie à l'affiche du Palais-Royal. Alors que du 4 septembre 1661 au
26 mars 1662, on n'était pas sorti du comique, alors que la représentation
de *Venceslas* le 26 mars fut à tel point exceptionnelle qu'on ne vit rien
de semblable jusqu'à l'arrivée de Brécourt, *Sertorius* apparut le 23 juin;
au cours de l'été, ce fut *Rodogune*, puis *Héraclius*, *Marianne* et enfin
Cinna. Le résultat fut peu encourageant : *Cinna* rapporta 65 livres. Cependant *Sertorius* resta au répertoire jusqu'en 1670 et fut joué en tout une

quarantaine de fois. En novembre, Molière monta encore deux tragédies nouvelles, *Arsace* et *Oropaste*. Ainsi, dans toute la saison, il avait mis à l'affiche sept tragédies, dont trois nouvelles (il faut compter *Sertorius* comme une création) : la présence de Brécourt se faisait sentir.

A part ce retour momentané (et relatif) au tragique, la saison 1662-1663 ressembla aux autres. Le nombre des pièces présentées diminua encore un peu : trente en 1660, vingt-six en 1661, vingt-cinq en 1662. Sur ces vingt-cinq pièces, seize sont empruntées au répertoire de l'année précédente, deux à celui de 1660, deux à celui de 1659; on reprit aussi la *Sœur*, une comédie de Rotrou créée en 1656, que la troupe avait peut-être jouée en province, mais qu'elle n'avait pas encore donnée à Paris. Les quatre créations furent les trois tragédies mentionnées ci-dessus : *Sertorius*, *Arsace* et *Oropaste*, et la comédie de l'*École des femmes*, qui fut montée à la fin de l'année et remporta le succès que l'on sait. Un succès beaucoup plus modéré alla à *Oropaste*. L'*École des maris* et les *Fâcheux* prolongèrent leur carrière de 1661. La saison aurait été grise sans le redressement dû à l'*École des femmes*. Malgré cette fin brillante et les belles recettes apportées au début par les *Fâcheux*, la *part* ne dépassa guère 3.000 livres : la différence avec l'année précédente était importante. Il est vrai que l'extension de la troupe expliquait en partie cette diminution.

La saison 1663-1664 fut exceptionnelle. Ce fut celle de la querelle de l'*École des femmes*. Elle débuta avec des reprises; dès juin, l'*École* reparut, accompagnée de la *Critique;* en novembre, l'*Impromptu* fut présenté au Palais-Royal. Ainsi deux vagues de succès vinrent renforcer celle qui en décembre 1662 avait soulevé la barque de la troupe. La *part* atteignit un chiffre record. Sans doute ces succès ne pouvaient abuser Molière. Nous avons dit que même l'*École des femmes* fut assez vite usée; la *Critique* et l'*Impromptu* n'étaient que des ouvrages de circonstance et ne furent jamais repris devant le public parisien. Du moins, comme après les *Précieuses*, il pouvait faire des réflexions encourageantes : s'il n'arrivait pas à s'attacher le public avec les ouvrages d'autrui, ses propres ouvrages étaient en général bienvenus. On ne saurait donc s'étonner de le voir continuer dans la voie qui était celle de la réussite : en janvier, il récidiva avec la comédie-ballet du *Mariage forcé*, donnée au Louvre, présentée au Palais-Royal le mois suivant. Ce fut un peu une déception : les recettes furent inégales et les frais avaient été importants. Lully avait composé la musique et Beauchamps le ballet; les costumes, le salaire des violons et des danseurs avaient grevé le budget. Il fallut retirer la pièce après douze représentations : elle ne reparut devant le grand public qu'en 1668.

Cependant Molière ne refusa pas de monter en janvier la *Bradamante ridicule*, comédie anonyme apportée par le tout-puissant duc de Saint-Aignan, et le *Grand Benêt de fils*, œuvre de son camarade Brécourt. La *Bradamante* eut autant de spectateurs que le duc avait d'amis et d'obligés; le *Grand Benêt* profita de cette affluence provisoire et tomba dès qu'il fut privé de son soutien. Il semblait de plus en plus certain que la troupe ne réussissait qu'en jouant les ouvrages du chef.

Elle représenta en cette saison vingt-quatre pièces différentes, émanant de sept auteurs seulement (la concentration s'accentue) : cinq nouveautés et dix-neuf reprises : quinze de 1662, deux de 1661, deux de 1660. Sur ces vingt-quatre pièces, on ne trouve que quatre tragédies contre quinze comédies et cinq farces. Toutes les nouveautés sont des comédies. Si l'on prend les chiffres de représentation, la désaffection du public pour la tragédie est encore plus marquée : ce genre ne paraît à l'affiche que vingt-sept fois et le genre comique y figure dix fois plus souvent.

La saison 1664-1665 fut celle d'un grand espoir déçu : *Tartuffe*. Dès la fin d'avril, la troupe partit pour Versailles. Elle devait prendre une part importante aux fêtes des *Plaisirs de l'Ile enchantée*. La comédie nouvelle de la *Princesse d'Élide* fournit le spectacle d'une journée. Deux autres pièces furent jouées en dehors des fêtes, et enfin *Tartuffe*. Molière comptait beaucoup sur cette tentative, qui témoignait à la fois de sa maîtrise technique et de la faveur dont il jouissait. L'interdiction brisa son élan. Plus de trois années s'écoulèrent avant que le public vît jouer la comédie au Palais-Royal, près de cinq avant que l'interdiction fût définitivement levée. L'été passa en reprises; la *Thébaïde* fut cependant créée le 20 juin et tint jusqu'à la fin d'août. En novembre, on monta la *Princesse d'Élide* au Palais-Royal avec un certain succès, qui se prolongea jusqu'en janvier. Le 15 février, ce fut la première du *Festin de Pierre* : le succès fut encore plus accusé et il ne faiblit guère jusqu'au relâche de Pâques.

Quatre auteurs seulement fournirent la totalité du répertoire : Molière pour une douzaine de comédies, Corneille pour deux tragédies (*Cinna* et *Sertorius*), Racine pour une tragédie, Scarron pour deux comédies (l'*Héritier ridicule* et *Don Japhet*), à quoi il faut ajouter cinq farces anonymes. On mesure la rapidité avec laquelle la concentration du répertoire s'opérait. Au reste *Cinna* ne fut joué que deux fois et *Sertorius* cinq fois; la *Thébaïde* eut vingt représentations : la comédie dominait toujours largement les programmes. Les belles recettes ne provinrent que de la *Princesse d'Élide* et du *Festin de Pierre* : en dehors de ces deux pièces, dont d'ailleurs la carrière ne fut pas longue, on n'atteignit 400 livres que cinq fois, trois avec les *Fâcheux*, deux avec la *Thébaïde*. La part souffrit terriblement de l'interdiction inattendue de *Tartuffe* : elle descendit à 3.000 livres, quand l'année précédente elle dépassait 4.500; elle n'avait été plus basse qu'en 1660-1661, l'année de la fermeture du Petit-Bourbon.

La saison suivante fut de nouveau une saison d'attente. *Don Juan*, sous le coup d'une interdiction officieuse, ne reparut plus; *Tartuffe*, malgré les efforts de Molière, resta proscrit. On monta, pour commencer, la *Coquette ou le Favori* de Mlle Desjardins, une tragi-comédie qui n'eut dans sa nouveauté que treize représentations et connut de médiocres recettes. Pendant tout le printemps et l'été, la troupe multiplia les reprises : treize pièces en quelques mois. Encore trois tragédies : avec la *Thébaïde* et l'éternel *Sertorius*, on remonta la *Marianne* de Tristan. Dans le domaine comique, aux deux comédies de Scarron on joignit le *Menteur*, effacé de l'affiche l'année précédente, la *Folle gageure* de Boisrobert et le *Sancho Pansa* de Guérin du Bouscal, disparus depuis trois ans, et même les *Visionnaires* de Desmarets, que le public n'avait pas applaudies depuis 1661; Molière fournit le reste. On voit qu'à ce moment-là il sentit le danger d'une concentration excessive du répertoire sur son œuvre propre, puisque non seulement il recruta comme collaborateurs Mlle Desjardins après Racine, mais qu'il présenta dix pièces d'autrui contre quatre de son cru. La deuxième partie de la saison confirme cette impression. Il monta encore trois nouveautés, dont une seule de lui : en septembre, l'*Amour médecin*; en octobre, la *Mère coquette*; en décembre, *Alexandre*. La première réussit à la Cour; au Palais-Royal, elle s'usa vite; la seconde, malgré la rivalité dont nous avons parlé, ne tint que six semaines; la troisième fut retirée pour les raisons déjà dites. La situation à la fin de l'année était catastrophique. Le théâtre ferma jusqu'au 21 février par suite de la maladie et de la mort d'Anne d'Autriche. Le chef tomba gravement malade : était-il épuisé? On put le craindre. A la réouverture, la troupe fit preuve d'une activité fébrile; en sept semaines, elle présenta quatorze pièces : la *Mère coquette*, le *Favori*, le *Menteur*, l'*Héritier ridicule*, les *Visionnaires*, *Sertorius* et huit comédies de Molière.

En tout, le répertoire de l'année, comme celui de la saison précédente, comporte vingt-deux ouvrages : quatre tragédies, une tragi-comédie et dix-sept comédies. Mais cette fois on trouve dix auteurs différents, dont deux nouveaux affiliés : Mlle Desjardins (épisodiquement) et de Visé.

Le Roi avait fait passer la troupe du service de Monsieur au sien. Cet encouragement officiel ne pouvait que pallier le désastre financier.

A part quelques bonnes soirées procurées très temporairement par les nouveautés, on ne connut que des recettes médiocres ou infimes. L'interruption de janvier-février tomba à un très mauvais moment. En mars, Molière se trouva à plusieurs reprises devant un déficit. La part tomba à 2.200 livres : jamais encore elle n'avait été si basse. Quelle chute depuis 1664! L'entreprise allait-elle sombrer au moment où le Roi lui manifestait sa faveur?

Molière fit face à la situation en travaillant encore davantage, malgré l'avertissement que sa santé venait de lui infliger. Dans la saison 1666-1667, il produisit cinq pièces différentes : jusque-là il n'en avait donné qu'une ou deux chaque année, exceptionnellement trois. Las de chercher de jeunes auteurs qui lui échappaient et qui n'apportaient qu'un médiocre secours à son théâtre, il entra en négociations avec le plus grand des poètes dramatiques du temps, avec Corneille lui-même. La saison commença, ou presque, avec le *Misanthrope* et finit sur *Attila*. Entre les deux se placèrent la création du *Médecin malgré lui* et celles (à la Cour) de *Mélicerte*, de la *Pastorale comique* et du *Sicilien*. D'autre part on prolongea la carrière de douze pièces seulement : deux tragédies, *Sertorius* et *Marianne;* une tragi-comédie, le *Favori;* neuf comédies, le *Menteur*, la *Mère coquette* et les *Visionnaires*, et six comédies de Molière. C'est ainsi qu'on remonta le courant : la part dépassa de nouveau le chiffre satisfaisant de 3.300 livres.

On discute encore sur le succès du *Misanthrope*. A coup sûr, ce ne fut pas un résultat aussi brillant que celui des *Écoles* ou des *Fâcheux*, mais ce ne fut pas l'échec auquel croit Grimarest. La pièce eut vingt et une représentations consécutives, avec des recettes inégales; reprise en septembre, elle eut encore une quinzaine de représentations. Néanmoins, il est évident que Molière avait espéré davantage. Il travaillait à cette comédie depuis deux années. Aucun de ses ouvrages n'avait encore exigé un tel soin; aucun n'avait une importance comparable. Tant d'efforts pour un si mince résultat!

Le *Misanthrope* fut créé en juin; le *Médecin malgré lui* le relaya en août et soutint les recettes jusqu'à la fin de la saison. Aurait-ce été suffisant pour renflouer la troupe sans le secours qu'elle trouva dans un séjour de trois mois à Saint-Germain? C'est là que Molière monta le *Ballet des Muses*, *Mélicerte* d'abord, une comédie pastorale, à quoi fut substituée la *Pastorale comique*, et enfin le *Sicilien*.

En tout, la troupe joua dix-huit pièces, dont trois tragédies, une tragi-comédie, douze comédies et deux pastorales. Six auteurs furent mis à contribution : Molière pour onze ouvrages, Corneille pour trois, Tristan,

Desmarets, de Visé et Mlle Desjardins, chacun pour un. La tendance
à la concentration se faisait de nouveau sentir.

Cette tendance est encore plus nette dans la saison 1667-1668 : seize
pièces seulement au programme, émanant de quatre auteurs. Molière
intervient neuf fois, avec huit reprises et une nouveauté, qui est *Amphi-*
tryon; Corneille, deux fois; de Visé, quatre, avec trois nouveautés, la
Veuve à la mode, Délie, et l'*Accouchée*; La Thorillière, une fois, avec
une nouvelle tragi-comédie, *Cléopâtre.* Molière ne soutient donc pas le
rythme de l'année précédente; sa santé de nouveau lui interdit tout
excès de travail; au printemps, on fait même courir le bruit de sa mort;
le théâtre ne rouvre qu'au 15 mai. Ce n'est qu'en fin de saison qu'il
lance *Amphitryon.* Il est vrai qu'en juin, il monte au Palais-Royal le
Sicilien, qu'il n'a encore montré qu'aux courtisans : la comédie, malgré
sa finesse, est moins bien accueillie à la Ville qu'à Saint-Germain; elle
n'atteint que dix-sept représentations et ne produit qu'une seule fois
plus de 300 livres. Molière travaille toujours à faire lever l'interdit qui
pèse sur *Tartuffe* : il croit y réussir et joue enfin la comédie remaniée
le 5 août. Le lendemain, l'interdiction est renouvelée en l'absence du
Roi par le premier président du Parlement. Des démarches sont entreprises; une mission est envoyée au souverain à son camp des Flandres;
les représentations sont suspendues. Tout cela est vain : il faut reprendre
le travail après une interruption de près de deux mois. On avait monté
tout au début de la saison la comédie de la *Veuve à la mode* de Donneau
de Visé, sans grand succès; on produit coup sur coup du même auteur :
Délie, une pastorale, et l'*Accouchée,* une comédie-farce; et du comédien
La Thorillière, une tragi-comédie, *Cléopâtre,* toutes trois entre la fin
d'octobre et le début de décembre. Les résultats ne sont pas très encou-
rageants. C'est alors que Molière lance *Amphitryon,* le 13 janvier, qui
relève les recettes et permet d'achever la saison sans inquiétude majeure.
Néanmoins la part tombe de nouveau sensiblement : elle n'est plus que
de 2.600 livres. Cette baisse est due aussi bien à la médiocrité quasi
générale des recettes qu'à l'interruption d'août-septembre (et aussi à la
rareté des *visites*). La troupe traverse de nouveau une mauvaise passe.

La tragédie reste toujours faiblement représentée au répertoire : avec
Attila, encore tout récent et qui est joué une quinzaine de fois, on ne
trouve que *Rodogune* pour cinq représentations. Une tragi-comédie s'y
joint, celle de La Thorillière, et la pastorale de Donneau de Visé. Le
regain de faveur de ce dernier genre est à noter : l'année précédente
avait vu Molière produire deux pastorales pour la Cour; de Visé en
donne une pour la Ville, que l'on retrouve jusqu'à l'hiver 1668. Mais

cette résurrection est sans lendemain. La comédie l'emporte toujours sur tous les autres genres réunis, avec douze pièces contre quatre.

La saison 1668-1669 différa des précédentes sur plusieurs points, et d'abord par le résultat financier. La part fut fixée au chiffre record de 5.500 livres (ou à peu près), c'est-à-dire à plus du double de celle de l'année précédente. Ce fut l'année de la plus grande prospérité du Palais-Royal, grâce à la résurrection de *Tartuffe* le 5 février 1669. Toutefois ce ne fut pas la seule raison d'un tel succès : cette résurrection intervint seulement en fin de saison. Molière changea de politique. Depuis ses débuts à Paris, il réduisait progressivement l'importance du répertoire : il l'avait fait passer de trente pièces en 1660-1661 à seize en 1667-1668 par un régulier amenuisement. En 1668-1669, il le fait remonter à vingt-cinq. Évidemment il veut ramener le public à un théâtre qu'on tend à déserter, en offrant un choix de spectacles plus varié. Il ne renforce pourtant guère l'effectif des tragédies : à *Attila* et *Rodogune*, qui continuent leur carrière de l'année précédente, il ajoute *Sertorius*, qui avait été presque constamment au répertoire depuis 1662, et *Venceslas*, de Rotrou, disparu depuis 1663; la tragi-comédie de La Thorillière se maintient elle aussi; de même la pastorale de Donneau de Visé. Par contre il fait figurer au programme dix-huit comédies, dont quatre nouvelles (non compris *Tartuffe*) et une farce nouvelle. La farce est anonyme comme toujours, les comédies proviennent surtout du chef (onze reprises et deux nouveautés), accessoirement de Donneau de Visé (trois reprises et une nouveauté) et de Subligny (une nouveauté). En tout six auteurs sont mis à contribution : Molière a toujours la part du lion; c'est sur lui qu'il compte encore pour renflouer la barque en péril.

Le succès ne vint pas d'emblée : pendant les six premières semaines, on joua une dizaine de pièces, dont aucune ne fit vraiment recette. Le 25 mai, on monta la *Folle querelle* de Subligny *ou la Critique d'Andromaque*, qui manifestait le ressentiment de la troupe pour le déserteur félon d'*Alexandre* : le public répondit assez bien à l'appel; la comédie eut vingt-sept représentations dans l'année; mais Molière ravivait de tenaces inimitiés en tentant ainsi de nuire à l'Hôtel de Bourgogne. En juillet, il créa pour la Cour *George Dandin;* en septembre, au Palais-Royal, l'*Avare*. Cette grande comédie en prose heurta le goût des spectateurs : elle n'eut que neuf représentations dans sa nouveauté; elle ne reparut qu'une douzaine de fois au cours de l'hiver. Au début de novembre, *George Dandin* fut présenté à la Ville; une douzaine de soirées en épuisèrent l'intérêt. La farce du *Fin lourdaud* put soutenir l'une ou l'autre de ces nouveautés, non remplir la caisse. En janvier, les

Maux sans remèdes de Donneau de Visé furent retirés au bout de deux représentations. Ainsi, si l'on réussit à vaincre la désaffection du public, ce ne fut pas tant en lui proposant du nouveau qu'en variant l'affiche par la multiplicité des reprises. Mais, en février, *Tartuffe* ressuscité permettait à la troupe de détendre son effort : désormais l'affiche n'avait plus à être changée.

Les perspectives de la saison 1669-1670 étaient toutes nouvelles : *Tartuffe* occupait la scène pour de longs mois. Une trentaine de représentations se succédèrent avant Pâques; autant au cours du printemps et de l'été. A quoi bon faire appel à d'autres auteurs ou composer de nouvelles pièces? Le répertoire se réduit à l'œuvre de Molière : Molière chaque soir tout au long de l'année! La seule pièce qui ne soit pas de lui est la farce anonyme du *Fin lourdaud*. Pas une tragédie! Le Palais-Royal est dès lors proprement le théâtre de Molière. Aussi bien il est inutile de diversifier le répertoire comme on a dû le faire l'année précédente. On reprend et on accentue le mouvement de concentration : on s'en tient à quatorze pièces pour toute la saison. Deux nouveautés seulement interviennent, et toutes les deux répondent à une commande royale : *Pourceaugnac* pour les fêtes de Chambord en octobre; les *Amants magnifiques* à Saint-Germain en février, pour le *Grand Divertissement*. *Pourceaugnac* est présenté au Palais-Royal en novembre avec un vif succès : il tient jusqu'en janvier sans interruption, occupant l'affiche sans le secours d'aucune autre pièce. En revanche, les *Amants magnifiques* ne seront jamais montés à la Ville; sans doute se refuse-t-on à faire les dépenses que nécessiterait la décoration; le succès que l'on rencontre ailleurs dispense de se hasarder dans une entreprise qui n'est pas d'un produit assuré. Sans atteindre le total de l'année précédente, année de travail harassant, la part dépasse le chiffre très satisfaisant de 4.000 livres.

La saison suivante débuta dans le même climat. Jusqu'au mois d'août, le programme fut exclusivement moliéresque. Cependant il fut plus varié qu'il n'avait été l'année précédente : on mit à l'affiche douze comédies différentes. Le 1ᵉʳ août, on créa une comédie de Subligny : le *Désespoir extravagant*, qui réussit assez bien, avec douze représentations consécutives, soutenu certains soirs par le *Fin lourdaud*. En septembre, on reprit *Sertorius* pour quelques soirées : cette tragédie avait disparu depuis deux ans; aucune tragédie n'avait figuré au programme depuis décembre 1668; aucune n'y figurera plus, sauf *Tite et Bérénice* et *Psyché*, dont on peut estimer que ce ne sont pas de vraies tragédies. En octobre, on présenta à Chambord le *Bourgeois gentilhomme*, donné en public le mois suivant avec plus de vingt représentations avant Pâques. En

novembre, parallèlement au *Bourgeois gentilhomme*, on créa *Tite et Bérénice*, qui concurrençait la *Bérénice* de Racine jouée à l'Hôtel de Bourgogne. Les représentations de la comédie et celles de la tragédie alter-
nèrent quasi régulièrement par séries de trois jusqu'à la fin de mars.
Mais après les grosses recettes du début vinrent pour *Tite et Bérénice*
des chiffres moins avantageux, quand le *Bourgeois* gardait sa vogue.
Enfin *Psyché* fut présentée aux Tuileries devant la Cour en janvier,
mais cette pièce ne devait pas être de sitôt jouée à la Ville. Ainsi on
arriva à un chiffre de dix-huit spectacles différents (en y comprenant
Psyché), dont quatre nouveautés. A Molière se joignirent Corneille pour
Sertorius et *Tite et Bérénice* (et aussi en collaboration pour *Psyché*), et
Subligny pour le *Désespoir extravagant*, sans compter l'anonyme *Fin
lourdaud*. Les résultats financiers, grâce aux reprises aussi bien qu'aux
nouveautés, furent encore en progression et la part arriva à près de
4.700 livres.

La formule de la saison 1671-1672 fut, comme celle de 1669-1670,
exclusivement moliéresque : quinze pièces de Molière furent présentées,
quatorze comédies et la tragédie de *Psyché*. Là-dessus, en dehors de
Psyché, on dénombre trois nouveautés : *Scapin*, *Escarbagnas* et les *Femmes
savantes*. Les *Fourberies de Scapin* montèrent sur la scène du Palais-Royal
le 24 mai : le succès fut mince; néanmoins la pièce tint l'affiche, avec
quelques relais, jusqu'au 19 juillet; Molière ne la reprit jamais. Le
24 juillet, on offrit *Psyché* au public parisien : les résultats furent excellents; trente-huit représentations consécutives n'épuisèrent pas l'enthousiasme; une reprise, de la fin de janvier au début de mars, amena d'aussi
belles recettes. En décembre, dans un *Ballet des ballets* offert à la princesse Palatine pour son entrée dans la famille royale, Molière fut prié
d'insérer une petite comédie : ce fut la *Comtesse d'Escarbagnas*, accompagnée d'une pastorale disparue; on ne jugea pas utile de la présenter
au public au cours de la saison. En revanche, le 11 mars, on lança les
Femmes savantes, qui firent des quatre semaines menant au relâche de
Pâques une fin de saison réjouissante. Le succès triomphal de *Psyché*,
en dépit des frais élevés, et celui des *Femmes savantes*, mais aussi les
résultats plus modestes du répertoire, principalement de *Tartuffe*, du
Bourgeois et de *Pourceaugnac*, firent encore de cette saison une bonne
saison : la part se maintint à plus de 4.200 livres.

La saison 1672-1673, qui devait s'achever sur la mort de Molière,
semblait devoir ressembler à la précédente ou à celle de 1669-1670 :
le théâtre du Palais-Royal restait le théâtre du chef. On y joua jusqu'au
4 novembre seize pièces de sa composition. On variait donc le réper-

toire un peu plus que l'année précédente; mais le principe était le
même. Dans ces seize comédies, il faut mentionner la *Comtesse d'Escarbagnas*, qui fut enfin offerte au public en juillet et réussit convenable-
ment; le *Mariage forcé*, qui, entouré d'un nouvel appareil musical dû
à Charpentier, fut repris pour accompagner *Escarbagnas*; les *Femmes
savantes*, qui prolongèrent leur succès de la saison antérieure; le *Bourgeois gentilhomme*, qui fit encore bonne figure; et même l'*Avare*, qui
connut un regain de faveur. Le 4 novembre, reparut le *Fin lourdaud*,
disparu depuis le 10 mars 1671 : depuis cette date, donc pendant vingt
mois, le nom de Molière seul avait figuré à l'affiche. Le 11 novembre,
on reprit *Psyché*, dont le succès fut confirmé et qui occupa la scène
jusqu'au 24 janvier. A cette date très tardive, on monta la première
nouveauté de la saison et l'affiche porta pour la première fois depuis
près de deux ans un autre nom que celui de Molière (le *Fin lourdaud*
était anonyme) : le Palais-Royal présenta les *Maris infidèles* de Donneau de Visé, entré de nouveau au service de la troupe. Quatre soirées
suffirent pour faire fuir le public. Le 10 février enfin, on jouait pour la
première fois le *Malade imaginaire*, vingtième et dernière pièce de la
saison, deuxième nouveauté. Le succès était certain; à la quatrième
représentation, Molière s'effondra. La saison finit dans le désordre :
on reprit d'abord le *Misanthrope*, avec Baron suppléant le disparu, puis
Escarbagnas et les *Fâcheux* un soir, enfin le *Malade*, La Thorillière
tenant le rôle d'Argan. La part atteignit un chiffre de nouveau considérable : plus de 4.500 livres. Molière partait après avoir gagné la partie.

Mais cette partie avait été difficile à jouer. L'histoire de ces quatorze
ou quinze saisons est dramatique. Encore nous en sommes-nous tenu
à la stricte considération de l'activité du directeur dans la constitution
de son programme, sans rappeler les avatars de la troupe, ni mentionner
les attaques des concurrents et les remous de l'opinion dévote. De ce
point de vue précis, les moments les plus difficiles prennent place en
1659, 1660, 1664, 1666 et 1667 : en 1659, quand il faut s'implanter à
Paris entre le Marais et l'Hôtel de Bourgogne; en 1660, lors de la démolition du Petit-Bourbon; en 1664, quand *Tartuffe* est interdit; en 1666,
quand Molière tombe gravement malade et que les recettes s'établissent
régulièrement à des chiffres insuffisants; en 1667, lors de la nouvelle
condamnation de *Tartuffe* et de la nouvelle baisse des recettes. Par la
suite, la lutte, sans cesser d'être sévère, fut moins pénible. Mais déjà
le chef était usé. Sa santé s'était fortifiée dans la rude existence qu'il avait
menée en province : la fébrilité de l'activité qu'il fallut soutenir à Paris
en vint à bout.

Car c'est lui qui supporta le fardeau de cet incessant souci. C'est à lui qu'incombèrent les décisions majeures. Pour conquérir le public, il diversifia le répertoire; dès qu'il se sentit plus sûr des spectateurs, il en réduisit progressivement l'importance; une bourrasque montait-elle à l'horizon, il puisait de nouveau dans le trésor réservé. Il maintint chaque année à un chiffre raisonnable le total des nouveautés, de façon à satisfaire la curiosité des amateurs sans écraser la troupe sous le faix; il ne relâcha cet effort que dans les quatre dernières saisons, celles qui furent quasi faciles. Il tenta longtemps d'éviter une spécialisation qu'il estimait dangereuse : il monta des tragédies et des tragi-comédies, des pastorales aussi; mais il dut se résoudre très tôt à faire fond sur la comédie à l'exclusion des autres genres et il finit par admettre que sa compagnie était une troupe comique. Il chercha le concours d'auteurs divers, jeunes et vieux, tragiques et comiques; soit par la faute de ses comédiens, soit par celles des poètes, il n'y trouva pas grande satisfaction et il dut augmenter constamment sa part propre dans le répertoire au détriment de celle des autres, jusqu'à fournir dans certaines des dernières saisons la totalité des spectacles. Ainsi la politique qui gouverna les destinées de la compagnie fut sa politique.

Qui contesterait qu'elle fut heureuse? C'est un splendide bilan que celui de ces quinze années : quatre-vingt-quinze pièces différentes, dont cinquante-cinq nouveautés; vingt-cinq auteurs; et la présentation au public parisien de l'œuvre du maître! Se tournera-t-on du côté des comptes? La Grange reçut pour les quatorze saisons pendant lesquelles il apporta son concours à Molière, la somme de 51.000 livres soit de 300 à 400.000 francs de 1914. Beaucoup de comédiens des années 1900 l'eussent envié déjà à ce point de vue.

*

En appendice à ce tableau des saisons, il sied d'abord d'examiner la valeur de deux assertions de Chapuzeau, dans son *Théâtre français*, généralement tenues pour exactes. Elles ont trait au moment de l'année et au jour de la semaine où les directeurs des compagnies parisiennes avaient coutume de lancer leurs pièces nouvelles.

« Toutes les saisons de l'année sont bonnes pour les bonnes comédies, écrit Chapuzeau en 1674; mais les grands auteurs ne veulent guère exposer leurs pièces nouvelles que depuis la Toussaint jusqu'à Pâques, lorsque la Cour est assemblée au Louvre et à Saint-Germain. Aussi l'hiver est destiné pour les pièces héroïques, et les comiques règnent l'été, la gaie saison voulant des divertissements de même nature. »

On a déjà remarqué que, si Molière a suivi en général la ligne de conduite adoptée par les auteurs du temps, il a cependant monté plusieurs grands spectacles en été. Sur cinquante-trois créations de date certaine sur la scène du Petit-Bourbon ou du Palais-Royal, trente se placent entre la Toussaint et Pâques, vingt-trois entre Pâques et la Toussaint. Il n'y a pas lieu de tenir compte des créations devant la Cour, qui obéissaient à des considérations de date particulières. Parmi les grandes pièces créées au printemps ou en été, figurent l'*École des maris*, le *Misanthrope*, le *Tartuffe* de 1667, l'*Avare*, *Psyché*. Cependant il est exact que les plus grandes pièces ont été le plus souvent présentées à Paris au cours de l'automne ou de l'hiver. Le mois de novembre détient le record des créations : douze pièces. En janvier et en février, Molière en lança six; mais mai et juin ne furent pas moins favorisés. En décembre, il en présenta quatre; mais autant en août; deux en mars; mais deux en octobre; deux encore en juillet et en septembre; une seule en avril.

Chapuzeau nous invite lui-même à serrer la question. Il distingue entre pièces héroïques et pièces comiques. Molière a monté quatorze tragédies et tragi-comédies : neuf entre la Toussaint et Pâques, cinq entre Pâques et la Toussaint. Ainsi il n'a point appliqué strictement la règle de Chapuzeau : il a créé en avril le *Favori*; en juin, *Sertorius* et la *Thébaïde*; en juillet, *Psyché*; en août, *Huon de Bordeaux*. D'autre part il a présenté en novembre quatre tragédies ou tragi-comédies, dont *Tite et Bérénice*; en décembre, trois, dont *Alexandre*; en février, une; en mars, une encore, *Attila*.

Quant aux pièces comiques, il en a monté vingt et une de la Toussaint à Pâques et dix-huit de Pâques à la Toussaint : l'équilibre est à peu près parfait entre les deux groupes. On en déduit que Molière ne tenait pas pour sacrée la pratique contemporaine. Toutefois c'est en novembre encore qu'il lança davantage de comédies : les *Précieuses*, les *Fâcheux*, l'*Impromptu*, la *Princesse d'Élide*, *George Dandin*, *Pourceaugnac*, le *Bourgeois gentilhomme*, ajoutons l'*Accouchée*, furent présentées à ce moment de l'année. L'*École des femmes* vint en décembre; *Amphitryon* en janvier, avec cinq comédies moins importantes; *Don Garcie*, le *Mariage forcé*, *Don Juan*, le *Tartuffe* de 1669 et le *Malade imaginaire* en février; les *Femmes savantes* en mars. Si les créations de mai sont nombreuses (six), seuls *Sganarelle* et *Scapin* y prennent de l'importance; en juin par contre apparaissent l'*École des maris*, la *Critique*, le *Misanthrope* et le *Sicilien*; en juillet, *Escarbagnas*; en août, le *Médecin malgré lui*, le *Tartuffe* de 1667 et une comédie de de Visé; en septembre, l'*Amour médecin* et l'*Avare*; en octobre, encore deux pièces gaies.

En conclusion, s'il y a des moments privilégiés dans la saison pour le lancement des nouveautés (novembre surtout, début de la vie mondaine, accessoirement janvier et février, après les fêtes de Noël, et même mai, après le relâche de Pâques), s'il y a par contre des mois creux (mars, avril, juillet, septembre, octobre, et aussi août), on ne voit pas que Molière ait tenu pour une règle stricte la pratique enregistrée par Chapuzeau.

Chapuzeau est encore plus catégorique pour le jour que pour la saison : « La première représentation d'une pièce nouvelle, écrit-il, se donne toujours le vendredi, pour préparer l'assemblée à se rendre plus grande le dimanche suivant par les éloges que lui donnent l'annonce et l'affiche. » L'affirmation doit-elle être prise au pied de la lettre?

Sur les cinquante-trois créations qui ont fait l'objet des statistiques ci-dessus, trente-neuf ont eu lieu un vendredi, quatorze un autre jour. La proportion est notable, mais nous restons loin du « toujours » contenu dans l'assertion de l'historien. Sur les quatorze pièces qui échappent à la règle, huit ont été présentées un dimanche, cinq un mardi, une un jeudi.

Le vendredi était certainement le jour favorable au lancement d'une pièce. C'était le jour choisi même pour des reprises qui ne figurent pas dans nos dénombrements. Quand, en février 1668, Molière reprend le *Mariage forcé* avec un appareil réduit, il le présente un vendredi; de même, quand, en juillet 1672, il l'assortit d'une musique nouvelle. On procédait ce jour-là à ce que nous appelons la répétition générale, c'est-à-dire à une représentation destinée à intéresser l'opinion par la voie de ses représentants les plus influents. Le dimanche, la foule suivait... ou ne suivait pas.

Mais le dimanche n'était pas non plus un mauvais jour pour un lancement. C'était le jour des grandes recettes. Dans certains cas où le succès avait été préparé par les circonstances, on pouvait se passer de *répétition générale* et présenter la pièce directement au grand public. On procéda ainsi pour l'*Impromptu*, qui faisait l'objet de mainte conversation avant sa présentation et s'insérait sans difficulté dans la querelle de l'*École des femmes*. La *Princesse d'Élide* fut aussi lancée un dimanche : la création fut retardée, semble-t-il, par la mort de Du Parc. *Don Juan* et la *Veuve à la mode* parurent également ce jour de la semaine, le premier après un chômage inexpliqué, la seconde après le relâche de Pâques, donc tous deux pour la réouverture du théâtre. En revanche, on ne voit pas pourquoi les premières de l'*Avare*, du *Bourgeois* et de *Scapin* eurent lieu un dimanche, à moins que Molière, plus sûr de son public, ait été alors moins attentif à l'observation de la règle. Aucune raison non plus n'explique la présentation de *Pylade et Oreste* un dimanche de 1659.

Le mardi vit paraître les *Précieuses*, l'*École des femmes*, l'*Amour médecin*, le *Tartuffe* de 1669 et les *Maris infidèles* : nous sommes incapables de rendre compte de ces anomalies. *Huon de Bordeaux* fut joué pour la première fois un jeudi de 1660 : c'était au cours d'une période où les jours de représentation furent très irréguliers; le jeudi remplaçait le vendredi.

Ainsi le vendredi fut bien chez Molière le jour attitré des premières. Exceptionnellement on présenta des nouveautés directement au grand public du dimanche; plus rarement encore, quelques comédies furent montées un autre jour.

*

Une dernière question nous paraît devoir prendre place ici : quelle était la composition du programme d'une soirée chez Molière? Ordinairement on affirme que dans tout le XVIIᵉ siècle les troupes offraient d'abord une pièce sérieuse, et, pour terminer, une petite comédie. Le Registre de La Grange montre que l'affirmation n'est pas exacte pour le Petit-Bourbon et le Palais-Royal.

Le plus souvent, Molière a monté un spectacle qu'on peut appeler *simple* : une tragédie comme *Venceslas* ou une comédie comme le *Misanthrope* (dans l'un comme dans l'autre cas, cinq actes). Mais ce fut non moins souvent une comédie en trois actes, soit avec des intermèdes dansés, comme les *Fâcheux*, *Pourceaugnac*, *George Dandin*, le *Malade imaginaire*, soit avec des machines, comme *Amphitryon*, soit entièrement dialoguée, comme l'*École des maris*.

Il est fréquemment arrivé aussi que le programme ait été *double*. Ce furent parfois une tragédie et une comédie en trois actes (huit actes en tout) à *Venceslas*, on joignit l'*École des maris*; à *Marianne*, les *Fâcheux* (avec les intermèdes); à *Attila*, le *Médecin malgré lui*; à *Cléopâtre*, l'*Amour médecin* (avec le ballet). Non moins souvent, ce furent deux comédies, l'une en cinq actes, l'autre en trois (encore huit actes) : le *Menteur* et l'*École des maris*, le *Misanthrope* et le *Médecin malgré lui*.

A une tragédie, on unit aussi bien une comédie en un acte (en tout six actes) : *Nicomède* fut complété par les *Précieuses*, *Marianne* par *Sganarelle*. Parfois la petite comédie fut remplacée par une farce : *Sertorius* fut suivi de *Gros-René*. Au lieu de la tragédie, on trouve une grande comédie : l'*École des femmes* et la *Critique* ont formé un couple durable. A une grande comédie, on joignait aussi une farce : à la *Folle gageure*, le *Médecin volant*. On arrivait enfin à six actes également avec deux comédies en trois actes juxtaposées : par exemple, *Amphitryon* et le *Médecin malgré lui*.

Les programmes *doubles* se sont parfois réduits à quatre actes, avec une comédie en trois actes et une comédie en un acte ou une farce : l'*École des maris* et *Sganarelle*, le *Sicilien* et le *Médecin malgré lui*, l'*École des maris* et la *Casaque*.

Il n'est pas rare de rencontrer un programme comportant seulement deux petites comédies ou une petite comédie et une farce (deux actes) : le *Sicilien* et *Sganarelle*, *Sganarelle* et la *Veuve à la mode*, *Sganarelle* et le *Fagotier*, *Escarbagnas* et le *Mariage forcé* (avec les intermèdes, il est vrai) ont formé pendant des semaines un spectacle régulier.

On est forcé d'admettre qu'il y avait une très grande disparité dans la longueur des spectacles : certains soirs, la troupe joua huit actes; d'autres soirs, elle n'en donna que deux. Certes il ne faut pas abuser des chiffres. Une comédie en un acte est plus longue qu'un acte d'une comédie en cinq actes et même d'une comédie en trois actes; les intermèdes du *Mariage forcé* donnaient une certaine extension à une pièce qui ne comportait qu'une dizaine de scènes. Cependant la remarque subsiste dans son principe, sinon dans sa lettre : Molière pouvait offrir à son public un programme très léger aussi bien que copieux. Toutes les formules lui étaient bonnes : huit actes, six actes, cinq actes, quatre actes, trois actes, deux actes même. Donc, assurément, la représentation variait du simple au double et même au triple. On en jugera par ce dernier exemple, particulièrement significatif : l'*École des maris*, qui fut l'une des comédies les plus jouées au Palais-Royal, fut offerte tantôt seule, tantôt avec la *Casaque*, tantôt avec *Sganarelle*, tantôt avec *George Dandin*, tantôt avec le *Menteur*, tantôt avec *Venceslas*, donc avec des pièces allant de un à cinq actes. On peut en conclure que la règle généralement admise comme valable pour le théâtre du XVIIe siècle n'a à peu près aucune réalité pour le Petit-Bourbon et le Palais-Royal.

En revanche, il est exact que le spectacle commençait par le grave (quand il en comportait), et finissait par le gai. Quand on jouait deux comédies, on faisait passer d'abord la plus longue. Les farces achevaient la représentation (quand il y en avait); les numéros de danse de même; les comédies les plus comiques passaient en dernier : *Sganarelle* a fourni mainte fin de spectacle. On tenait à ce que le spectateur fût renvoyé chez lui dispos et de bonne humeur.

IV

LE DIRECTEUR ET LE PUBLIC

Le public de Molière. — La harangue. — L'affiche. — Les nouvellistes. — Les lectures. — Les visites. — Le service du Roi. — Les cabales. — Le succès.

« Il y a toujours dans la littérature ceci de *louche*, la considération d'un public... Donc tout produit littéraire est un produit *impur*. Tout critique est un mauvais critique, qui cesse de se rappeler ce précepte, qui est absolu. Il ne faut donc jamais conclure de l'œuvre à un homme — mais de l'œuvre à un masque — et du masque à la machine. » Ce propos de Valéry, recueilli dans *Tel quel*, s'il ne doit jamais être perdu de vue par les historiens des lettres, s'impose bien davantage à ceux du théâtre. Là tout particulièrement, l'auteur n'est pas un homme, mais un masque, une figure offerte aux autres. Dépassant Valéry, on peut même dire que là le public, loin d'être un élément impur s'introduisant par une nécessité fâcheuse dans la création poétique, concourt à cette création. L'œuvre dramatique exige, avec l'auteur et le comédien, le spectateur. Elle est faite pour être jouée et on ne joue pas devant des banquettes : la représentation implique la communion entre ceux qui jouent et ceux qui regardent. Est-il utile d'insister sur un principe à la fois banal et négligé ?

Nous retrouvons ici la troisième fonction de Molière directeur de théâtre : constituer et maintenir une troupe, lui assurer un répertoire, attirer le public. Bidou a insisté à juste titre sur le caractère impérieux des deux derniers soucis : « Faire l'affiche, disait-il, et que le public vienne, voilà la préoccupation de tous les jours. » *Faire l'affiche*, nous venons de montrer que ce fut une lutte incessante, harassante, pour concilier la diversité des spectacles, indispensable au renouvellement des spectateurs, et leur qualité, non moins nécessaire et exposée à se perdre dans la multiplicité des rôles à interpréter chaque semaine. Il nous reste à examiner ce que fit Molière *pour que le public vienne* à son théâtre.

Quel était ce public? On sait (la *Critique* ne nous le laisse pas ignorer) qu'il se partageait, selon la hiérarchie sociale, entre les galeries et le parterre : aux galeries, la Cour, les gentilshommes, leurs commensaux, les dames; au parterre, les bourgeois, les marchands et artisans, des officiers, des pages, des écoliers, des laquais. Chez les premiers, un goût plus raffiné; chez les seconds, surtout du bon sens. Des uns aux autres l'animosité était parfois vive. Les beaux esprits méprisaient la grossièreté des bourgeois; mais les bourgeois avaient pour eux le nombre, et le nombre faisait loi. La Cour pouvait assurer pendant quelques soirées le succès d'une pièce; si elle n'était pas soutenue par le peuple, la pièce tombait rapidement. On le vit bien pour la *Bradamante ridicule*, apportée à Molière par le tout-puissant duc de Saint-Aignan, protecteur des lettres à la Cour, premier gentilhomme de la Chambre (certains veulent qu'il ait lui-même composé cet ouvrage) : la pièce fut présentée devant le Roi le 10 janvier 1664; le lendemain, un vendredi, elle affronta le public et rapporta 1.400 livres; le dimanche, elle fit encore 1.000 livres; le mardi, 560; le vendredi, renfluoée par une comédie nouvelle de Brécourt, elle remonta à 1.200 livres; le dimanche, la recette fut encore de 900 livres; puis en trois représentations, elle tomba de 560 livres à 260. Neuf soirées avaient épuisé le public mondain; les bourgeois, par leur absence, imposaient le retrait d'un spectacle qui n'était pas fait pour eux.

Cependant il ne faut pas accentuer cette opposition des galeries et du parterre. Si les artifices de la galanterie n'avaient guère de soutien dans le peuple, le bon sens n'était pas étranger à la Cour : « Le bon sens, dit Dorante, n'a point de place déterminée à la comédie... Debout et assis, on peut donner un mauvais jugement. » Le gros comique par contre ne plaisait pas au seul parterre : *Pourceaugnac* fit les délices des beaux esprits rassemblés à Chambord. De son côté, la merveille, les prestiges de la machine, les enchantements décoratifs séduisaient l'imagination bourgeoise comme la courtisane : *Psyché* fit une longue et brillante carrière au Palais-Royal, qui ne s'explique que par le goût général du merveilleux.

Molière chercha donc à satisfaire aussi bien et en même temps la Cour et le parterre, les délicats et les raisonnables. La seule partie du public qu'il dédaigna, ce furent les pédants. Car il y avait un troisième centre dans une salle de théâtre en 1660; c'était le banc des auteurs, que rejoignaient souvent les comédiens concurrents. Ce sont là les techniciens du théâtre, ceux qui jugent selon ce qu'ils appellent les règles de l'art. Trop souvent la jalousie les inspire. C'est d'eux que Molière eut le plus à souffrir. On ne saurait s'étonner qu'il se soit moqué de leur esprit de chicane. « Laissons-nous aller de bonne foi aux choses qui nous prennent par les entrailles, et ne cherchons point de raisonnements pour nous empêcher d'avoir du plaisir » : c'est sa loi. La bonne façon de juger d'une pièce de théâtre, dit-il encore, c'est « de se laisser prendre aux choses et de n'avoir ni prévention aveugle, ni complaisance affectée, ni délicatesse ridicule ».

Son public, c'est donc celui qui juge en toute naïveté. Qu'il prenne place aux galeries ou au parterre, il est guidé par le seul amour du théâtre. Il vient à la comédie pour rire ou pour pleurer. Il est plein de vie et de passion. Il est bruyant, difficile à réduire au silence; mais il fait fête à qui l'amuse ou le touche. Il exige beaucoup; il deviendra vite orgueilleux et autoritaire; du moins il maintient en haleine les troupes concurrentes. Molière a passé sa vie à tâcher de le satisfaire. Son métier de comédien et de poète s'accomplissait dans cette œuvre quotidienne : plaire, donner du plaisir.

*

Le poste dans lequel la conquête du public prenait sa figure la plus matérielle était celui de l'*orateur*. Chaque troupe avait un *orateur*. Chapuzeau nous dit que ce comédien était quasi le chef de sa compagnie (ce n'a pas toujours été vrai au Palais-Royal), qu'il avait la charge de la harangue et qu'il composait l'affiche. Laissons ce dernier point pour le moment et prenons seulement la harangue. Chapuzeau en donne une définition : « Le discours, dit-il, que l'orateur vient faire à l'issue de la comédie a pour but de captiver la bienveillance de l'assemblée. Il lui rend grâce de son attention favorable, il lui annonce la pièce qui doit suivre celle qu'on vient de représenter, et l'invite à la venir voir par quelques éloges qu'il lui donne; et ce sont là les trois parties sur lesquelles roule son compliment. » Ce discours est généralement familier, bref et improvisé; « quelquefois aussi, poursuit Chapuzeau, l'orateur l'étudie, quand ou le Roi, ou Monsieur, ou quelque prince du sang se trouve présent ».

La harangue est donc le premier acte publicitaire. Elle vise à attirer du monde le lendemain. Elle a aussi des effets plus lointains : elle peut préparer une création plus ou moins proche, dont l'orateur fait valoir l'intérêt à l'avance. Elle sert à annoncer le programme de la prochaine saison : ceci se fait dans l'adieu au public prononcé le vendredi qui précède le relâche de Pâques et dans le salut de bienvenue adressé aux spectateurs à la réouverture. Enfin elle permet à certains moments de faire valoir le mérite de la troupe.

L'orateur pouvait encore intervenir au début de la représentation pour se concilier le public, lui demander d'être patient et de faire silence, louer le calme des uns, moquer la turbulence des autres. Il y fallait de l'autorité, du tact et de l'esprit.

Les grands orateurs du milieu du siècle ont été Floridor à l'Hôtel de Bourgogne, Laroque au Marais et Molière au Palais-Royal. Molière remplit cette charge déjà lors de la présentation de la troupe au Roi le 24 octobre 1658 : c'est lui qui, après la représentation de *Nicomède*, qui n'avait pas trop bien réussi, vint remercier Sa Majesté en termes très modestes « de la bonté qu'elle avait eue d'excuser ses défauts et ceux de toute sa troupe » et la supplia « d'avoir pour agréable qu'il lui donnât un de ces petits divertissements qui lui avaient acquis quelque réputation et dont il régalait les provinces ». Après quoi, il joua le *Docteur amoureux*. Le compliment parut, nous dit Perrault, spirituel, délicat et bien tourné.

Nous le retrouvons dans la même fonction à Vaux, en 1661, présentant à Fouquet et à la Cour ses *Fâcheux*. Il parut sur la scène en habit de ville et, « s'adressant au Roi avec le visage d'un homme surpris, fit des excuses en désordre sur ce qu'il se trouvait là seul et manquait de temps et d'acteurs pour donner à Sa Majesté le divertissement qu'elle semblait attendre ». Ce n'était que feinte, on le comprend.

Ses ennemis n'ont pas manqué de nous transmettre l'une ou l'autre de ses manies d'*annonceur* : de Visé, dans la *Vengeance des marquis*, le montre tenant gauchement son chapeau. Grimarest note qu'il aimait à parler en public, qu'il n'en perdit jamais l'occasion, « jusque-là que, s'il mourait quelque domestique de son théâtre, ce lui était un sujet de harangue pour le premier jour de comédie ». On peut trouver touchant le souci d'humanité qui lui faisait associer à son activité le moindre serviteur de sa compagnie.

Il ne manquait pas non plus d'entretenir les spectateurs de soucis plus pressants. Avant les représentations des *Femmes savantes*, l'opinion lui reprochait d'avoir fait des personnalités dans cette comédie : il se servit de la harangue, deux jours avant la première, pour se défendre contre ces imputations. On peut se demander si, par ses dénégations, il ne renforça pas le scandale, préparant malignement le succès. Il ne se priva pas d'user de la harangue pour répondre à ses adversaires en mainte circonstance plus grave.

Il continua à prendre la parole pour s'entretenir avec le public jusqu'à la fin de sa vie. Toutefois il abandonna la charge d'orateur dès 1664 : à cette date, il la transmit à La Grange, qui s'en acquitta dignement jusqu'à la dispersion de la troupe.

*

L'orateur, selon Chapuzeau, avait encore dans son office la *composition* de l'affiche. Il faut entendre, non pas qu'il décidait des pièces à jouer, ce qui était dans la compétence de la compagnie tout entière et relevait pratiquement du directeur, mais qu'il rédigeait le texte diffusé par l'affiche. L'affiche suivait l'annonce : elle était apposée en quelques endroits bien choisis pour attirer les spectateurs à la représentation. Elle n'avait pas du tout le caractère sommaire que nous lui connaissons. Elle comportait un discours suivi, analogue, en plus bref, à la harangue. D'après Chapuzeau, elle avisait le lecteur « de la nombreuse assemblée du jour précédent, du mérite de la pièce qui devait suivre, et de la nécessité de pourvoir aux loges de bonne heure, surtout lorsque la pièce était nouvelle et que le grand monde y courait ».

Elle annonçait souvent en plus une pièce de répétition ou même une pièce reçue qu'on se proposait de représenter dans un avenir plus ou moins proche. Nous savons par un contemporain que les *Maux sans remèdes*, montés en 1669, furent annoncés par les affiches pendant dix-huit mois comme un chef-d'œuvre, ce qui ne les empêcha pas de tomber.

Les affiches du Palais-Royal étaient de couleur rouge et noire. On les apposait non seulement à l'entrée du théâtre et dans les lieux d'affluence, mais à la porte d'hôtels aristocratiques dont les occupants accordaient leur faveur à la compagnie. Aucune n'a été retrouvée. On ne peut donc même entrevoir ce que la plume de Molière en a fait dans les années 1658-1664 où il a dû pourvoir à leur rédaction.

*

A cette époque, la harangue et l'affiche faisaient l'essentiel de la publicité. Les gazettes ne jouaient qu'un rôle médiocre. Encore peu nombreuses, elles ne s'intéressaient guère à la vie dramatique. Quand un gazetier mentionnait une représentation, il se faisait l'écho d'une coterie qui lui dictait son opinion. Mélèse note cependant, dans son étude sur le *Théâtre et le public*, que Loret annonça longuement et élogieusement les représentations du *Festin de Pierre* en 1665, et Robinet, en 1670, celles du *Bourgeois gentilhomme* et de *Tite et Bérénice*. Loret rendit compte des

Précieuses, des *Fâcheux* et d'*Alexandre*; Robinet, d'*Alexandre* encore, *du Misanthrope*, d'*Attila*, de *Tartuffe*, de *Délie*, de l'*Avare*, d'*Amphitryon* et de *Psyché*; Subligny fit de même pour le *Misanthrope* et pour *Attila*; le *Mercure* parla des *Femmes savantes*. Mais ce n'était jamais que brefs propos.

Plus importante que cette presse embryonnaire était l'action des nouvellistes. Mais ici nous tombons dans la publicité orale, dont la trace est quasi insaisissable. De Visé, dans ses *Nouvelles nouvelles*, en a noté l'activité. Les nouvellistes se tenaient à l'affût des potins : on conçoit qu'ils n'aient pas négligé la vie dramatique.

Mais Molière s'est-il préoccupé de cette possibilité d'action sur le public? A-t-il courtisé un Loret, un Robinet ou les colporteurs de nouvelles? S'est-il prêté de bonne grâce à leurs questions? Voilà ce qu'il est impossible d'affirmer. Des critiques voient dans le personnage de La Thorillière, dans l'*Impromptu*, un *nouvelliste*. Il nous est présenté seulement comme un fâcheux. Si c'est un nouvelliste, il faut avouer qu'il est mal reçu. Ses protestations de dévouement n'amadouent point le comédien. Les questions qu'il pose restent à peu près sans réponse. Il doit à la fin se rabattre sur les comédiennes, qui ne sont pas beaucoup plus accommodantes, et il se résigne à quitter la partie. La tableau a-t-il une valeur représentative? La situation exige que Molière reçoive mal cet intrus qui trouble une répétition déjà tardive. Pourtant, puisque le poète a eu l'idée de cette scène, on peut admettre qu'il en avait été parfois le témoin ou la victime.

La publicité orale pouvait d'ailleurs emprunter des voies non professionnelles : le public y participait. Les comédiens invités à dîner chez les grands y apportaient des nouvelles dont les assistants se faisaient l'écho. Ces indiscrétions n'étaient pas sans importance pour préparer le succès d'une pièce en répétition.

*

Ces dîners littéraires étaient parfois agrémentés d'une *lecture*. La pratique des lectures devint courante vers 1660 : Quinault l'aurait mise en vogue. Molière en parle déjà dans les *Précieuses*. Les auteurs s'habituèrent vite à faire connaître leurs pièces en les soumettant d'abord au jugement des ruelles. Le branle ainsi donné, ils les portaient aux comédiens. Ils espéraient influencer l'opinion des acteurs en leur faisant savoir que tel connaisseur s'était prononcé en leur faveur. Parfois ces lectures intervenaient quand la pièce était déjà acceptée par la troupe et servaient à orienter les futurs spectateurs.

Elles n'étaient pas sans risques : de Visé, qui décrit la pratique dans ses *Nouvelles nouvelles*, conseillait plutôt de s'en abstenir. Les ruelles ne formaient pas un tribunal de tout repos : l'impartialité n'y régnait pas; les coteries les agitaient; l'ignorance, l'orgueil et le mauvais goût pouvaient vicier leurs sentences. Une pièce décriée par avance avait de la peine à se faire accepter du grand public; mais le jugement favorable des mondains n'entraînait pas celui du parterre. Enfin il n'était pas sans inconvénient de priver une pièce de théâtre du bénéfice de la surprise.

Malgré ces risques, maint auteur eut recours aux lectures. Nous savons que Racine lut une partie de son *Alexandre* à l'Hôtel de Nevers, dix mois avant la représentation; de Visé, qui avait déclaré en 1663 cette coutume inutile et même nuisible, y eut recours en 1672 pour les *Maris infidèles*. Molière, qui avait lui aussi traité les lectures avec ironie dans les *Précieuses*, ne manqua pas d'en user. Il fit connaître ses *Femmes savantes* chez le cardinal de Retz. Il fit probablement de même pour *Don Garcie* chez quelques grands. Il lut *Tartuffe* en maint endroit. On se souvient de la satire de Boileau :

> *Molière avec Tartuffe y doit jouer son rôle.*

Mais il s'agit ici d'une pièce interdite : ces lectures n'avaient pas pour but de préparer la représentation, mais de créer un courant d'opinion favorisant la levée de l'interdiction.

★

Pour *Tartuffe*, les représentations en privé complétèrent les lectures. Le Roi avait défendu à Molière de produire sa comédie en public, non de la présenter chez ceux qui le lui demanderaient. La Grange nous apprend que la troupe joua *Tartuffe* à Villers-Cotterêts, pour Monsieur, en septembre 1664; au Raincy, chez la Palatine, en novembre, et une seconde fois en novembre 1665; à Paris, pour Monsieur le Prince, en mars 1668; à Chantilly, en septembre de la même année.

Ces représentations, malgré leur objet particulier, entrent dans le cadre des *visites*. On appelle ainsi les séjours, de quelques heures, de quelques jours, parfois de quelques semaines, que les troupes de comédiens faisaient chez les grands, à l'occasion d'une réjouissance, pour leur offrir le plaisir d'un spectacle. Dans ces *visites*, on jouait généralement les pièces en vogue. Quand on était l'hôte du Roi, on lui donnait souvent une comédie nouvelle.

Il y avait là non seulement une habitude, mais une obligation pour les compagnies pensionnées. Elles s'y soumettaient facilement, car elles soignaient ainsi leur réputation : les *visites* fournissaient une excellente publicité. D'autre part elles apportaient un complément de ressources appréciable. Si l'on met à part les séjours prolongés à la Cour, elles se plaçaient en effet dans les jours de la semaine où la compagnie ne jouait pas; parfois elles intervenaient à la fin de la soirée, après le spectacle ordinaire (on sait que les représentations publiques avaient lieu entre quatre et six heures). Elles étaient rémunérées assez largement, bien qu'à des tarifs variables. Selon La Grange, la troupe ne toucha jamais moins de 200 livres et parfois elle en reçut 600 : la moyenne semble s'établir à 400 livres, ce qui est le chiffre d'une recette ordinaire au Palais-Royal.

Quand la *visite* avait lieu dans un château royal ou princier et qu'elle comportait un déplacement prolongé, la rémunération prenait d'autres formes. Chapuzeau nous explique que la troupe était transportée, avec domestiques et bagages, dans des carrosses et chariots qu'on lui fournissait. Le logement était assuré par les officiers royaux. Chaque acteur recevait deux écus par jour pour sa dépense et quelque chose en plus pour ses gens, souvent quelques centaines de livres pour ses habits, indépendamment de la gratification globale qui récompensait la compagnie et qui était parfois considérable. Toutefois ces gratifications devinrent moins importantes du jour où la troupe prit rang de troupe royale et reçut une pension : en effet la pension récompensait déjà le service des *visites* au Roi. On a calculé que le total des rémunérations extraordinaires de la compagnie du Palais-Royal dans les quatorze ou quinze années de son existence (gratifications pour *visites* et pensions) dépasse 120.000 livres. Cela fit un complément appréciable aux *feux* des acteurs.

Le Registre de La Grange mentionne près d'une centaine de représentations en visite, en dehors de celles qui eurent lieu chez le Roi. Plus de quarante hauts personnages firent appel aux services de la troupe. On trouve dans cette liste le premier protecteur de Molière, Monsieur, frère du Roi, et aussi Madame. On y rencontre Condé et Monsieur le Duc; des ministres, Mazarin, Fouquet, Le Tellier, d'Andilly, Colbert; les Richelieu, le marquis, l'abbé et le duc; les ducs de Guise, de Beaufort, de Roquelaure, les maréchaux de la Meilleraye, de Grammont, d'Aumont; des dames, Mmes de Rambouillet, de Sully, de Cœuvre, de Brissac, de la Trémouille, de Soissons, etc.

Pour le Roi seul, Molière donna encore plus de représentations que pour l'ensemble des grands. Il se rendit un peu partout où la Cour se tenait : à Vincennes, à Fontainebleau, à Saint-Germain et à Versailles surtout, à Chambord enfin. Il joua au Louvre, aux Tuileries (et au Palais-Royal aussi, en représentation privée).

La liste des *visites* amène à une conclusion qui n'est pas sans intérêt. Elles sont abondantes jusqu'en 1664 et même 1665 : dans la saison 1662-1663 par exemple, la troupe, en dehors de ses séjours à la Cour, se déplace une dizaine de fois et joue dans une dizaine de milieux différents. En 1665-1666, La Grange ne mentionne qu'une *visite* chez la Palatine et une chez Monsieur; en 1666-1667, la troupe n'a quitté le Palais-Royal que pour tenir sa partie dans le *Ballet des Muses* à Saint-Germain. Par la suite, on note un certain nombre de *visites* chez les princes, à Chantilly, au Luxembourg, chez Monsieur, mais plus jamais en dehors de cette très haute aristocratie (sauf peut-être quelques représentations de *Tartuffe* en 1669, après la levée de l'interdiction, dans des hôtels que La Grange ne désigne pas). Toutes les *visites* chez les ministres, chez les ducs et marquis, chez les maréchaux, chez les grandes dames, mentionnées plus haut, datent des années 1660-1665. Ne peut-on pas déduire de ce fait que ces *visites* avaient une fonction publicitaire? Il fallait faire connaître la troupe, flatter les grands, les familiariser avec les comédiennes : les représentations privées s'y prêtaient. A partir du moment où la réputation de la compagnie fut établie, les *visites* furent moins recherchées et peut-être évitées : Molière et ses camarades se consacrèrent au service quasi exclusif du public et du Roi.

Les pièces jouées chez les grands furent celles qui avaient la faveur générale et qui ne demandaient pas une vaste scène pour la plantation du décor ou le déploiement d'un ballet. Dans la période 1660-1665, ce furent surtout les *Précieuses, Sganarelle,* l'*École des maris* et l'*École des femmes,* en second rang l'*Étourdi* et les *Fâcheux,* qui jouirent de ce privilège.

*

La faveur royale ne compta pas moins pour Molière que celle du public. Certains critiques ont été sévères pour Louis XIV : le monarque aurait fatigué le poète de ses caprices; il lui aurait imposé des tâches le détournant de sa vocation; il l'aurait forcé à composer des œuvres insignifiantes et artificielles. Ce point pourra être repris; il faut noter dès maintenant que le secours apporté par le Roi à la troupe lui a permis de franchir les passes difficiles. Louis XIV a aidé Molière opportunément et intelligemment. Après Monsieur et Madame, avec Condé, et plus efficacement qu'eux tous, il a été le protecteur fidèle de celui

qui lui apportait une distraction de choix. Il aimait le théâtre; il aimait
ce théâtre que lui offrait Molière, brillant, fastueux parfois, galant et
surtout gai. La compagnie du Palais-Royal n'a pas eu l'exclusivité du
service de la Cour : l'Hôtel de Bourgogne fut convié souvent à jouer
devant le Roi; les Italiens ne furent pas oubliés, ni le théâtre du Marais.
Mais Molière semble avoir été le préféré, jusqu'en 1670 en tout cas.
La Grange note dans son Registre, dans l'été 1662, que les Grands
Comédiens, jaloux de ceux du Palais-Royal, durent s'adresser à la Reine
Mère pour obtenir l'avantage de servir le monarque : ce trait en dit
long sur la faveur dont jouissait déjà notre poète. En fait, il fut au
service de la Cour de ses débuts à sa mort et c'est la Cour qui lui valut
ses triomphes les plus flatteurs.

Présenté au Roi et à son entourage dans la rèprésentation offerte au
Louvre le 24 octobre 1658, il y gagna par son habile harangue et par
son jeu de farceur de chaudes admirations. Monsieur le prit à son service et lui accorda, comme à ses camarades, une pension qui d'ailleurs
ne fut jamais payée. Quelques mois plus tard, le maréchal de la Meilleraye le fit venir au château de Chilly pour y jouer le *Dépit* devant
Louis XIV. Peu après, il fut convié à plusieurs reprises au Louvre et à
Vincennes. Il y donna des comédies et des farces. Ces représentations
durent asseoir sa réputation. On le vit quand M. de Ratabon fit brutalement démolir le Petit-Bourbon : Molière trouva auprès du souverain
une audience favorable et Monsieur n'eut pas de peine à lui obtenir
des compensations à la perte qu'il faisait. Pendant la période transitoire
qui précéda l'installation dans la nouvelle salle, on le fit jouer souvent
au Louvre et à Vincennes, et toujours des comédies et des farces. La
seule pièce sérieuse qu'il offrit au Roi jusqu'en 1663 fut *Huon de Bordeaux*, en septembre 1660 : ceci montre les préférences du monarque;
Sganarelle et *Gros-René* avaient sa prédilection.

En août 1661, Molière franchit une nouvelle étape : Fouquet s'adressa
à lui pour orner la fête qu'il voulait offrir à son maître en inaugurant
son château. C'est la première commande que reçut le poète. En hâte,
il écrivit et monta les *Fâcheux*. Quelques semaines plus tard, le surintendant fut arrêté. Molière et sa comédie allaient-ils souffrir de la protection que leur accordait le ministre disgracié? Non pas : les *Fâcheux*
furent adoptés par la Cour et le Roi, à tel point que celui-ci daigna
suggérer au poète l'addition d'un caractère à sa galerie comique. Bien
mieux, imprimée en février 1662, la comédie fut dédiée au Roi lui-même.

Ces dédicaces témoignaient non seulement de la révérence de l'écrivain, mais aussi de l'estime des grands qui les acceptaient. Molière,

protégé par Monsieur, dédia à son protecteur la première pièce qu'il fit imprimer de propos délibéré, l'*École des maris*, en août 1661 (on sait qu'il publia les *Précieuses* et *Sganarelle* en 1660 à son corps défendant). La seconde dédicace, six mois plus tard, fut adressée à Louis XIV; l'*École des femmes*, en mars 1663, alla à Madame; la *Critique*, en août, fut agréée par la Reine Mère. A la fin de 1662, l'*Étourdi* avait été dédié à M. de Riants et le *Dépit* à M. Hourlier, deux magistrats parisiens. Ces dédicaces marquent le progrès de Molière dans la faveur des grands. De Monsieur au Roi, la chose est évidente; Madame était l'animatrice de la Jeune Cour; la Reine Mère patronnait la Vieille Cour. Ces quatre gestes étaient d'un excellent politique, habile à ménager tous les puissants.

En mai 1662, la troupe fut conviée pour la première fois à faire un séjour prolongé à la Cour : elle passa une semaine à Saint-Germain et joua huit comédies et farces. On l'y rappela le 24 juin et elle y resta jusqu'au 11 août : elle joua treize fois devant Leurs Majestés. C'est ce séjour qui éveilla la jalousie de l'Hôtel de Bourgogne et motiva la démarche des Grands Comédiens auprès de la Reine Mère. Dès lors, Molière fut considéré comme un collaborateur des divertissements royaux. On l'appelait au Louvre ou à Vincennes; on lui demandait de jouer pour la Cour dans sa salle du Palais-Royal.

A Pâques 1663, le Roi lui accorda au titre de « bel esprit » une pension personnelle de 1.000 livres. Le poète remercia par un poème plein de grâce et d'enjouement. Sa faveur croissait au moment même où les attaques contre lui devenaient virulentes : c'était l'époque de la querelle de l'*École des femmes*. La cabale était ardente. Le Roi soutenait ouvertement son amuseur : Racine, dans une lettre de novembre 1663, nous apprend que Molière était admis au lever du souverain et que celui-ci avait daigné faire son éloge. A en croire Chapuzeau, il reprit vers ce moment-là les fonctions de valet de chambre du Roi, assumées autrefois par son père, et participa, quand son *quartier* l'y obligeait, à la préparation du lit royal.

En octobre 1663, on le fit venir à Versailles, comme on avait fait l'année précédente à Saint-Germain. Il y passa deux semaines et y créa son *Impromptu*, dit pour ce fait *de Versailles*. Après les *Fâcheux*, commandés par Fouquet en 1661, c'était la première comédie créée pour la Cour. Quelques mois plus tard, ce fut le *Mariage forcé*, dans lequel Louis XIV en personne dansa sous le costume d'un Égyptien et qu'il avait commandé expressément pour être joué au Louvre. Nouvelle étape dans l'ascension du poète et de la troupe!

En février 1664, un gage de la faveur du monarque fut donné publiquement à Molière : Louis XIV servit de parrain au premier-né de son poète. Les historiens ont remarqué que ce n'était pas un fait extraordinaire : un farceur italien comme Biancolelli, Lully plus tard, reçurent le même honneur. Molière était valet de chambre du Roi, ce qui, dit-on, l'habilitait plus spécialement à solliciter ce témoignage d'estime. Reste que le Roi ne fut pas le parrain des fils premiers-nés de tous ses valets de chambre, ni de tous les baladins qui l'amusaient : à ce moment-là, où la cabale enflait sa voix, le geste prit une signification évidente.

En mai, la troupe fournit le principal des fêtes de Versailles offertes à la Reine sous le vocable des *Plaisirs de l'Ile enchantée* : elle figura dans les cortèges; elle joua, au centre du divertissement, la *Princesse d'Élide*, commandée pour entrer dans le thème. A cela ne se limita pas son concours : après les trois journées de l'*Ile enchantée*, la fête continua et la troupe joua encore trois comédies, les *Fâcheux*, le premier *Tartuffe* (créé là) et le *Mariage forcé*. Ce fut le triomphe de Molière, mais aussi son premier échec : *Tartuffe* souleva l'ire du parti dévot, dont le poids renforça celui des jaloux déchaînés par le succès de l'*École des femmes*, et le Roi ne put imposer silence à une telle puissance. *Tartuffe* resta confiné dans les lectures et dans quelques visites. Molière était sérieusement touché.

La faveur dont il jouissait à la Cour ne diminua pas pour autant. On retrouve sa troupe à Fontainebleau en juillet-août, à Versailles en octobre; à Versailles encore, en juin 1665; à Saint-Germain, en août. C'est alors qu'elle passa du service de Monsieur au service du Roi et prit le nom de *Troupe du Roi au Palais-Royal* : sa nouvelle dignité lui valut une pension de 6.000 livres, portée à 7.000 en 1671 (celle des Grands Comédiens était de 12.000, pour une troupe un peu plus nombreuse, il est vrai). Et pourtant la cabale des dévots n'avait pas désarmé. Les représentations de *Don Juan* venaient même de renforcer sa hargne. Mais Louis XIV, s'il ne pouvait encore libérer *Tartuffe* de ses chaînes, ne permettait pas qu'on touchât à son poète comique.

En septembre 1665, Molière poursuit sa carrière de principal pourvoyeur des spectacles de comédie à la Cour, avec une nouvelle comédie-ballet, l'*Amour médecin*, créée à Versailles. A la fin de l'année 1666, il prend part au grand divertissement organisé à Saint-Germain sous le titre de *Ballet des Muses*, auquel il donne trois petites pièces : *Mélicerte*, la *Pastorale comique* et le *Sicilien*. Il reste auprès du Roi pendant près de trois mois.

Tartuffe était toujours sous le coup de l'interdiction qui l'avait frappé en 1664. En août, Molière, se fiant à des promesses officieuses, crut pouvoir risquer une représentation publique. Sa hardiesse fut sans succès : Lamoignon, usant des pouvoirs que lui conférait l'absence du Roi, renouvela la sentence. Deux comédiens se rendirent en ambassade au camp des Flandres pour solliciter, avec l'appui de Monsieur, une décision favorable du souverain. De nouvelles assurances furent données; mais elles ne furent pas suivies d'effet : il fallut encore attendre.

Molière s'ingéniait pourtant à flatter son protecteur. En avril 1668, il lui adressa un sonnet louangeur pour la conquête de la Franche-Comté, récité, semble-t-il, à Versailles lors d'une représentation d'*Amphitryon*. En juillet de la même année, la troupe revint à Versailles pour le *Grand Divertissement royal*, dans lequel fut insérée la comédie nouvelle de *George Dandin*. En novembre, elle se rendit à Saint-Germain. Enfin, en février 1669, le Roi autorisa la représentation de *Tartuffe* : Molière lui adressa un remerciement triomphal.

Les années suivantes ne le virent pas se relâcher dans son effort de pourvoyeur comique de la Cour. En 1669-1670, il se rendit cinq fois à Saint-Germain et une fois à Chambord : à Chambord, il créa *Pourceaugnac;* à Saint-Germain, il donna, dans le cadre du *Divertissement royal*, les *Amants magnifiques*, dont le sujet lui avait été fourni par Louis XIV. Cette fois, il portait la responsabilité de l'organisation de la fête, alors que jusque-là il était le collaborateur chargé de la partie comique, un Benserade composant l'ensemble. La saison 1670-1671 le vit encore une fois à Chambord, pour la création du *Bourgeois*, puis à Saint-Germain, enfin aux Tuileries, où il monta *Psyché*. En 1671-1672, on note deux séjours à Saint-Germain; le premier, pour la création d'*Escarbagnas*; en 1672-1673 enfin, deux visites à Versailles. Dans l'automne 1672, Molière préparait encore un nouveau spectacle pour le Roi : la jalousie de Lully, qui avait peut-être déjà éloigné Molière de Louis XIV dans les dernières saisons, ne permit pas que le *Malade imaginaire* fût présenté à la Cour, avec l'appareil qu'avait rêvé le poète.

Si l'on fait le bilan des séjours de la troupe à la Cour, on arrive à peu près à une année entière. Une année au service direct du Roi! L'impression n'est pas moins forte si l'on recense les pièces que le poète a composées pour Louis XIV ou du moins lui a présentées en premier. Elles vont des *Fâcheux* en 1661 à *Escarbagnas* en 1671, en passant par l'*Impromptu*, le *Mariage forcé*, la *Princesse d'Élide*, *Tartuffe*, l'*Amour médecin*, *Mélicerte*, la *Pastorale comique*, le *Sicilien*, *George Dandin*, *Pourceaugnac*, les *Amants magnifiques*, le *Bourgeois gentilhomme* et *Psyché*. Encore faudrait-il y joindre le *Malade imaginaire*, destiné à l'origine au même office. En tout, seize pièces sur trente et une! De l'*Avare*, en septembre 1668, à *Scapin*, en mai 1671, Molière n'a pas créé une seule pièce à la Ville!

Reste à se demander si le goût de Louis XIV l'a égaré, comme certains le prétendent. Ce goût nous a valu, aussi bien que *Mélicerte*, le *Sicilien* et *George Dandin*, le *Bourgeois gentilhomme* et *Psyché*, et même *Tartuffe*. Car il n'est guère douteux que, sans l'appui du Roi, le poète, non seulement n'aurait jamais joué sa comédie, mais n'aurait jamais eu l'audace de l'écrire. Au reste, ceux qui regrettent qu'il ne nous ait pas donné davantage de *Misanthropes*, se méprennent singulièrement sur son génie comique. Mais ceci est un autre propos.

*

Les relations qu'entretint Molière avec le public n'ont pas toujours été amènes. La querelle de l'*École des femmes* est presque aussi célèbre que celle du *Cid*. Les cabales contre lesquelles Racine eut à lutter, à l'occasion d'*Iphigénie* et de *Phèdre* surtout, ont été beaucoup moins ardentes. Th. Corneille, Boyer, ont eu aussi à souffrir de ces hostilités sournoises par lesquelles des coteries de beaux esprits et d'auteurs jaloux essayaient de démolir une réputation encombrante. Aucun homme de théâtre au XVIIᵉ siècle ne rencontra sur son chemin autant d'adversaires que Molière, si obstinés et si peu scrupuleux. Mais il en triompha, si Racine y succomba.

Les premiers et les plus acharnés de ces adversaires furent certainement les comédiens ses concurrents. Quand il arriva à Paris, il est évident qu'il nuisait aux intérêts des compagnies installées dans la place depuis longtemps. Il dut s'imposer et imposer sa troupe.

Le théâtre du Marais ne lui donna pas beaucoup de mal. Il avait pensé s'allier avec lui et, si ce projet n'aboutit pas, ses rivaux ne lui en tinrent pas rigueur. Ils étaient quasi spécialisés dans la farce et les machines. Leur réputation était médiocre. Si de bons comédiens les rejoignaient parfois, beaucoup ne faisaient parmi eux qu'un stage. Molière leur prit plusieurs de ses collaborateurs. Pourtant Corneille leur confia *Sertorius* et *Pulchérie*; Th. Corneille triompha chez eux avec *Timocrate;* Chevalier et Rosimond leur attirèrent du monde avec leurs farces. Ce n'était pas assez pour rivaliser avec le Palais-Royal.

L'attitude de l'Hôtel de Bourgogne fut autre. Ils avaient assisté le 24 octobre 1658 à la présentation au Louvre des comédiens de Monsieur. Molière, dans sa harangue, avait eu des mots courtois sur les

« excellents originaux dont ses camarades et lui n'étaient que de très faibles copies ». Il y avait dans ce propos non seulement un trait de modestie de la part du provincial qui se risquait à Paris, mais un acte de justice à l'égard d'une compagnie qui dominait la scène française.

La troupe de l'Hôtel comprenait plusieurs acteurs de valeur ou réputés. Floridor la dirigeait depuis une dizaine d'années, un gentilhomme authentique que l'amour du théâtre avait séduit et qui jouissait d'une autorité incontestée. Avec Floridor, ses vedettes étaient Montfleury, dont la stature et la voix faisaient une forte impression, Beauchasteau, un acteur à la longue expérience, Villiers; Raymond Poisson venait d'y entrer et se révélait bon comique; un peu plus tard arriva Hauteroche, assez médiocre. Du côté des femmes, on connaissait surtout Mˡˡᵉ Beauchasteau; Mˡˡᵉ Baron mourut en 1662 et fut remplacée par Mˡˡᵉ Des Œillets, qui s'affirma aussitôt comme l'étoile de la troupe; Mˡˡᵉ Villiers prit sa retraite en 1660; à la même date, Mˡˡᵉ Guérin succéda à Mˡˡᵉ Bellerose. L'équipe était imposante : ni le nombre ni la qualité ne faisait défaut. Les auteurs le savaient bien, qui lui donnaient leurs meilleures pièces. De 1659 à 1665, Corneille lui confia trois tragédies : *Œdipe, Sophonisbe, Othon*; seul *Sertorius* alla au Marais. Racine en 1665 n'hésita guère entre le Palais-Royal et l'Hôtel de Bourgogne. Th. Corneille, Quinault, Boyer étaient des écrivains attitrés des Grands Comédiens.

Qui déclencha les hostilités entre l'Hôtel et le Petit-Bourbon? Déjà en 1659, un an après son installation à Paris, Molière raillait ses rivaux en les louant ironiquement : Cathos les félicite de « faire valoir les choses »; et Mascarille, de faire ronfler les vers et de s'arrêter au bel endroit; « les autres sont des ignorants qui récitent comme l'on parle ». On hésite à croire que l'avisé directeur du Petit-Bourbon ait osé parler ainsi de ses puissants rivaux si ceux-ci ne lui avaient déjà fait sentir qu'il devenait gênant. Cependant c'est ce qu'affirme de Visé dans la *Vengeance des marquis* un peu plus tard. En tout cas, l'Hôtel répliqua sans tarder. Car, comme l'a montré Lancaster, c'est l'Hôtel qui a inspiré Somaize dans la composition des *Véritables Précieuses*, premier pamphlet anti-moliéresque. Est-ce l'Hôtel aussi ou l'un de ses amis qui fit arrêter les représentations des *Précieuses* pendant deux semaines au lendemain de la première? Désormais la lutte était engagée. Une troupe de provinciaux affrontait la première compagnie dramatique de Paris. Molière courait un gros risque; mais pouvait-il faire autrement?

L'hostilité entre les deux théâtres prit diverses formes. On ne peut guère penser que M. de Ratabon, quand il entreprit de démolir le Petit-Bourbon, se soit fait l'instrument des Grands Comédiens. Mais, à coup sûr, ceux-ci profitèrent des difficultés de Molière pour tenter de débaucher ses camarades et couper court à sa carrière. De son côté, Molière ne se gênait pas pour parodier ses rivaux dans les réunions mondaines où il était invité : de ces *sketches* burlesques sortiront les belles scènes de l'*Impromptu* :

> *Il a joué cela vingt fois au bout des tables,*
> *Et l'on sait dans Paris, que, faute d'un bon mot,*
> *De cela chez les grands il payait son écho.*

Ainsi parle Alis dans l'*Impromptu de l'Hôtel de Condé*.

Au printemps de 1662, Molière est en faveur auprès du Roi; l'Hôtel doit solliciter l'appui d'Anne d'Autriche pour jouer à la Cour. Raymond Poisson, un comédien de l'Hôtel, publie une comédie satirique, le *Baron de la Crasse*, qui semble bien moquer Molière sous les traits d'un acteur vaniteux, et sa troupe, réduite à jouer un répertoire suranné. A la fin de l'année éclate la querelle de l'*École des femmes*.

Dans son origine, cette querelle n'est nullement un conflit littéraire, ni une rivalité d'auteurs : la cabale a été lancée par des comédiens jaloux. Il est inutile d'en refaire l'histoire. Elle dura près de deux années : elle agita les salons et les cabarets; elle suscita maint pamphlet; elle s'installa sur les scènes du Palais-Royal et de l'Hôtel; une demi-douzaine d'écrivains y prirent part ouvertement.

La position de Molière était forte; il s'appuyait sur son succès : « Je tiens aussi difficile de combattre un ouvrage que le public approuve que d'en défendre un qu'il condamne », écrivait-il dans sa préface des *Fâcheux*. Les rieurs étaient pour lui. Mais la fronde était puissante. Les comédiens en étaient l'âme. Molière, dans la *Critique*, ne dissimule pas leurs attaques. Dans l'*Impromptu*, c'est eux qu'il prend le plus vivement à partie : Montfleury, obèse et démoniaque, Beauchasteau, Hauteroche, Villiers, Mlle Beauchâsteau. Il épargne Floridor, le chef de la troupe : peut-être s'incline-t-il devant un talent respecté.

Avec les comédiens combattent leurs amis et admirateurs, tout un secteur de la société difficile à délimiter. Les dévots entrent-ils déjà en action? C'est douteux : pour le moment, la religion n'est guère mise en cause. En revanche, les auteurs s'émeuvent, complices de leurs interprètes : non point qu'ils voient dans le poète comique un rival dangereux, mais bien parce que le Palais-Royal accrédite le goût de la comédie, qui nuit au succès du grand genre dramatique, celui dont tous ces écrivains sont les sectateurs, la tragédie.

C'est ainsi que Corneille entra en lice. Nous avons esquissé cette histoire : il sied d'y revenir. Les frères Corneille avaient partie liée avec l'Hôtel de Bourgogne : l'*École des femmes* les raillait l'un et l'autre, Pierre, en parodiant un vers de *Sertorius*, Thomas, en ridiculisant ses prétentions nobiliaires. Si l'allusion avait pu passer inaperçue, l'abbé d'Aubignac, qui était en querelle avec Pierre Corneille, ne manqua pas de la souligner dans l'une de ses *Dissertations*. Le même texte éclaire les sentiments de Pierre Corneille à l'égard de Molière : selon l'abbé, l'*École des femmes* a plongé le poète tragique dans le désespoir. Ne serait-ce pas parce que cette comédie concurrençait dangereusement la tragédie de *Sophonisbe*, que montait à ce moment précis l'Hôtel de Bourgogne? D'Aubignac va jusqu'à accuser Corneille de s'être mis au centre de la cabale et d'avoir lui-même « essayé de détruire » l'*École des femmes* dès la première représentation. Dès lors on est en droit de voir des représailles anticornéliennes dans les impertinences que l'auteur de la *Critique* lance à la tragédie et aux poètes tragiques. D'autre part, quand, dans l'*Impromptu*, Molière dénombre ses ennemis « depuis le cèdre jusqu'à l'hysope », il n'est pas interdit de discerner dans *le cèdre* l'auteur qui dominait le théâtre français, celui du *Cid* et de *Nicomède*. En tout cas, les partisans de l'Hôtel, Montfleury par exemple, ne cessaient de vanter Corneille. De Visé, dans sa *Lettre sur les affaires du théâtre*, les opposait l'un à l'autre. Robinet, dans le *Panégyrique de l'École des femmes*, reconnaissait que la comédie moliéresque nuisait gravement à la tragédie cornélienne. Comment douter que Corneille ait apporté aux Grands Comédiens, dans cette querelle qui les opposait au Palais-Royal, le secours de son autorité, menacée par celle de son adversaire?

Mais il ne se commit pas avec les pamphlétaires. Ce fut un Boursault qui se fit l'instrument principal de l'Hôtel de Bourgogne (mais n'était-ce pas un protégé du maître?); ce fut aussi un Montfleury, le fils de l'acteur cruellement ridiculisé dans l'*Impromptu*, le gendre de Floridor, doublement lié aux Grands Comédiens; de Visé s'immisça aussi dans la querelle, mais pour son compte, pourrait-on dire.

Les attaques contre Molière étaient diverses. On visait en lui le poète, cela va sans dire : on dénonçait les prétendues imperfections de sa comédie et des précédentes. On n'oubliait pas l'acteur et ses ridicules, ni le harangueur. Tout cela était de bonne guerre : Molière aurait eu mauvaise grâce à s'en fâcher. Libre à lui de répondre sur le même ton! En revanche, il était plus sensible quand on touchait à sa vie privée.

Car les pamphlétaires furent féroces. Molière s'était marié au début de 1662 avec Armande Béjart, une camarade de vingt ans plus jeune que lui. L'imputation de cocuage dans ces circonstances, dans ce milieu et à cette époque, était inévitable : le peintre des jaloux devait être jaloux lui-même. Les pamphlets ne manquèrent pas de se servir de cette arme. Les pamphlétaires étaient-ils sérieux? On peut en douter. De Visé reconnaît que Molière « ne témoigne pas sa jalousie hors du théâtre; il a trop de prudence ». Comment alors le critique peut-il savoir que le mari d'Armande se plaint de sa femme? Quelques années plus tard, l'un des ennemis les plus violents de Molière, Le Boulanger de Chalussay, précisera que si Élomire n'est pas cocu *in actu*, il l'est *en puissance* : l'imputation perd sa force.

Ce n'est pas cela sans doute qui émouvait le comédien. Il faut beaucoup d'imagination pour déceler dans son œuvre l'obsession de l'infidélité conjugale. Sa femme était enceinte. Quelle raison aurait-il eue de douter d'elle? Mais Montfleury venait, à la fin de 1663, de lui porter un coup beaucoup plus grave : dans un placet au Roi, profitant de l'incertitude où l'on était sur la naissance d'Armande (était-elle la sœur ou la fille de Madeleine?), il accusait le directeur du Palais-Royal d'avoir été l'amant de celle dont il venait d'épouser la fille. Une lettre de Racine atteste l'existence de cette dénonciation. S'il ne s'agissait pas d'un inceste au sens strict, du moins la dénonciation y faisait penser. Cela, Molière ne pouvait le supporter; on comprend qu'il ait pris un ton grave dans l'*Impromptu* pour interdire à ses adversaires de telles insinuations. Elles traîneront longtemps dans l'opinion. Chalussay les reprendra plus tard et la mort de Molière ne fera que les renforcer. Pourtant le Roi montra ce qu'il fallait en penser en acceptant le parrainage du petit Louis, premier enfant de Molière et d'Armande. Si l'honneur n'était pas exceptionnel, il prenait un sens particulier au lendemain du placet de Montfleury.

Les dévots, avons-nous dit, ne renforcèrent guère la cabale en 1663. Certains entendirent pourtant avec inquiétude les stances sur le mariage et le sermon d'Arnolphe. Mais la Reine Mère accepta la dédicace de la *Critique*. La dispute restait l'affaire des comédiens et des gens de lettres.

Dès 1664, il en fut autrement. Car la querelle de l'*École des femmes* s'achève à peine (l'*Impromptu de l'Hôtel de Condé* est de décembre 1663; la requête de Montfleury de même; la *Guerre comique*, dernier pamphlet connu, paraît en mars 1664) que la représentation de *Tartuffe* (en mai 1664) rallume les hostilités. Cette fois, les dévots, relevant les comédiens, prennent la tête des assaillants. Les curés s'agitent : Molière est dénoncé comme un démon, voué au feu de l'enfer. Le patronage du Roi, l'approbation du légat du Pape, celle de maint grand personnage, tout cela est insuffisant pour détourner l'orage. Non seulement *Tartuffe* est interdit, mais le poète est menacé. La représentation de *Don Juan* aggrave sa cause. Pendant des années, il doit lutter pour se maintenir. Il a désormais contre lui des haines tenaces. Sa carrière, peu dangereuse dans ses débuts, devient un perpétuel combat. Les dévots le surveilleront jusqu'à sa mort; ils refuseront même un lambeau de terre chrétienne à son cadavre. Et les comédiens ne relâcheront pas leurs efforts pour l'étouffer.

A ceux-ci du moins il pourra répondre. La rivalité de l'Hôtel de Bourgogne et du Palais-Royal sera une lutte plus égale que celle de l'auteur de *Tartuffe* et du parti dévot. Mais elle aussi sera longue et tenace. L'Hôtel marquera un point en enlevant au Palais-Royal le bon comédien Brécourt; le Palais-Royal répondra en ralliant avec de Visé le seul pamphlétaire de talent qui l'ait attaqué en 1663 : la *Mère coquette* de de Visé rivalisera avec celle de Quinault. Peu après, l'Hôtel portera un coup terrible à Molière en lui enlevant Racine et *Alexandre*. Un an plus tard, la Du Parc suivra Racine. En retour, Molière fera la paix avec Corneille et montera *Attila*. En 1668, il opposera à *Andromaque* la *Folle querelle*; en 1670, ce sera la compétition des deux *Bérénices*. Ainsi ni l'un ni l'autre des adversaires ne désarmèrent. L'histoire de la troupe de Molière se profile sur une constante et féroce rivalité comique.

*

Molière n'a pas écrasé ses adversaires, mais il leur a résisté, et sa résistance fut une victoire. Combien cruelle! Il lui a fallu cinq ans pour obtenir l'autorisation de jouer *Tartuffe*. De saison en saison, jusqu'en 1669, il a peiné pour amener le public au Palais-Royal. A la fin de sa carrière, Lully menaça encore son établissement.

Toutefois son succès s'inscrit dans la vie aisée qu'il mena : s'il y eut des années difficiles, il y en eut de bonnes et même d'excellentes. Non seulement le chef de troupe, avec l'appoint de sa pension particulière, de ses parts d'auteur et des revenus tirés des éditeurs, mais ses camarades, qui n'avaient pour vivre que leur part d'acteur et les accessoires de la profession, menèrent une existence facile. Le public leur sut gré de l'amuser comme il voulait être amusé.

Ce succès apparaît aussi bien dans les témoignages des contemporains. Il est attesté même par les adversaires de Molière, par les plus méchants d'entre eux. Chalussay, en 1670, s'il souligne les difficiles débuts d'Élomire, ne cache pas que depuis l'*Étourdi* le public ne lui ménage pas sa faveur : Élomire est glorieux de son talent; il a trouvé l'art de plaire, dit-il,

> *De sorte qu'à présent, si je n'en suis l'auteur,*
> *Quelque pièce qu'on joue, on en a mal au cœur,*
> *Et, fût-elle jouée à l'Hôtel de Bourgogne,*
> *L'auteur n'en est qu'un fat et l'acteur qu'un ivrogne.*
> *Que d'honneurs, compagnons, après tant de mépris!*

De Visé n'est pas moins affirmatif : l'*Étourdi*, le *Dépit*, *Sganarelle*, enfin les *Écoles*, autant d'étapes vers le triomphe. Les grimaces d'Arnolphe, la naïveté d'Alain, le jeu du Notaire ont achevé la réputation des acteurs du Palais-Royal. Ph. de la Croix a remarqué, dès 1663, qu'on les imitait jusqu'en province. Car c'est l'acteur aussi bien que le poète qu'on fête en Molière. Montfleury après de Visé, Rochemont après Montfleury, personne n'osa dissimuler que la foule se pressait aux portes du Palais-Royal.

Cependant il est un domaine où l'on ne peut parler de succès : le théâtre sérieux. Nous l'avons vu, Molière a voulu imposer sa troupe pour la tragédie aussi bien que pour la comédie et il a échoué. Dès 1659, Th. Corneille tenait le Petit-Bourbon pour incapable de sortir du comique. Somaize n'était pas d'un autre avis. Quelques témoignages en sens contraire peuvent pourtant être relevés : celui du gazetier Loret en 1661, celui de Subligny en 1667, à propos de l'interprétation d'*Attila*, celui enfin de Robinet en 1670, à propos de *Tite et Bérénice*. Mais même ces témoignages ne dissimulent pas le préjugé qui sur ce point régnait contre la troupe de Molière. Subligny écrit par exemple que le Palais-Royal joue

> *Avec toute la force et l'art*
> *Dont on crut jusqu'ici capable*
> *Le seul Hôtel inimitable.*
> *On a tort de dire en tous lieux*
> *Que ce n'est point leur fait que le jeu sérieux.*

L'importance du répertoire sérieux au Petit-Bourbon et au Palais-Royal n'a cessé de diminuer. La chute est profonde de 1659 à 1665; le déclin se précipite après 1669. Molière a compris peu à peu qu'il devait restreindre son activité à la forme dramatique pour laquelle le public proclamait que sa compagnie était faite. S'il ne renonça jamais tout à fait au sérieux, bien vite ce ne fut pour lui que l'accessoire d'un répertoire essentiellement gai.

Ainsi limité, son succès fut tel qu'il entraîna même un changement du goût. L'Hôtel de Bourgogne, asile traditionnel de la tragédie, sentit son destin menacé. A travers lui, le théâtre noble perdit une partie de son prestige. Les témoignages en ce sens abondent dès 1663. Montfleury et Robinet constatent chacun de son côté que le goût des pièces sérieuses et des beaux sentiments se détériore. « Le sérieux plaît encore, dit un personnage de la *Guerre comique,* quand il est bien manié; mais, ma foi! le comique accommode mieux les gens. » Chalussay, en 1670, ne parle pas autrement. Guéret, dans la *Promenade de Saint-Cloud,* affirme que l'Hôtel de Bourgogne a dû, pour ne pas périr, céder à l'engouement pour la comédie et même pour la farce.

Voilà le triomphe de Molière! Non seulement il a imposé le jeu de ses acteurs et maintenu l'activité de son théâtre en face de concurrents installés et réputés, mais il a fait son public. C'est à lui qu'est dû en grande partie le goût du temps, ce goût du brillant et du gai qui inaugure l'ère de la comédie (et celle de l'opéra) et met fin à celle de la tragédie (en dépit de l'exception que constitue Racine). La lutte a été sévère; un tempérament s'y est usé; mais le succès n'a pas manqué. La bouffonnerie sanglante du 17 février 1673 prend une couleur symbolique : Molière meurt; mais Argan s'assied sur un trône burlesque dans un consentement de rires épanouis.

V

L'ACTEUR

Sa réputation. — Naturel? — Son métier. — Ses maîtres. — Ses succès. — Ses rôles. — Ses costumes. — Improvisation, chant et danse.
— Le tragédien. — Conclusion.

Molière monta sur les planches avant de diriger un théâtre. Il convenait néanmoins de présenter le directeur avant l'acteur; car, dans la
période parisienne de sa carrière, même au début, il n'y a pas de doute
que l'activité de celui-là l'a emporté sur celle de celui-ci. Recruter et
diriger la troupe, la faire travailler, nourrir le répertoire, monter les
nouveautés, organiser la publicité, surveiller les recettes, c'était le travail
de chaque jour. Quelque lourd qu'il fût, le métier d'acteur était allégé
pour Molière (du moins il le fut vite) par le fait qu'il joua surtout ses
propres pièces. Cela ne diminue en rien l'intérêt d'une étude portant
sur sa façon de jouer. Même après l'ouvrage de Lacour, il n'est pas
inutile de reprendre la question. Sans recourir à de nouveaux documents, nous serons parfois amené à des interprétations originales.

On ne doute plus aujourd'hui que Molière ait été un grand acteur
comique. Parlant de sa vocation, nous avons montré que ce fut d'abord
une vocation d'acteur. Il se dévoua à cet art aussi douloureux qu'exal-
tant. Il l'étudia avec passion et application. Il mit sa première ambition
à y triompher. Il devint en quelques années la cheville ouvrière de sa
troupe.

Dès 1658, sa réputation se répandait à Paris. Tallemant des Réaux
en parlait à propos de Madeleine Béjart : « Ce n'est pas un merveilleux acteur, écrivait-il, si ce n'est pour le ridicule. » Ce premier témoignage est à souligner : il distingue entre le talent du farceur, déjà reconnu,
et celui du tragédien, contesté. Deux ans plus tard, Somaize confirme
Tallemant. Au cours de la querelle de l'*École des femmes*, de Visé insiste

sur les ambitions de Molière acteur : « Il se croit le plus grand comédien du monde. » Sans doute est-ce dit méchamment : on peut y voir aussi bien qu'un trait de prétention le caractère d'un homme qui à juste titre vise à l'amélioration constante de son jeu. Par la suite, amis et ennemis conviennent de la valeur du comédien. Il n'y a guère que le gazetier Robinet, en 1665, pour le ravaler encore au rang d'écolier et l'écraser dans une comparaison avec Beauchasteau, ce Beauchasteau que ridiculisait l'*Impromptu*. Rochemont, dans ses hargneuses *Observations sur le Festin de Pierre*, s'il en veut au poète, ne peut celer tout à fait la faveur dont jouit le farceur : « Il faut tomber d'accord, écrit-il, que, s'il réussit mal à la comédie, il a quelque talent pour la farce; et, quoiqu'il n'ait ni les rencontres de Gaultier-Garguille, ni les impromptus de Turlupin, ni la bravoure du Capitan, ni la naïveté de Jodelet, ni la panse de Gros-Guillaume, ni la science du Docteur, il ne laisse pas de plaire quelquefois et de divertir en son genre. »

Quand la mort aura fait son œuvre, les réserves disparaîtront, ou tout au moins s'atténueront. Chapuzeau, en 1674, tient Molière pour « à la fois bon poète, bon comédien et bon orateur, le vrai Trismégiste du théâtre ». La Grange, en 1682, affirme qu'il a excellé en tout, « non seulement comme acteur, par des talents extraordinaires... » Ch. Perrault, en 1697, est moins généralement élogieux : « Il a été si excellent acteur pour le comique, quoique très médiocre pour le sérieux, qu'il n'a pu être imité que très imparfaitement par ceux qui ont joué son rôle après sa mort. » Ainsi même Baron n'avait pu faire oublier Molière. Les ambitions de 1660 n'étaient pas démesurées.

*

Une question se pose au seuil de cette étude : quelle impression fit sur les contemporains le jeu de Molière? D'emblée, ses admirateurs louèrent en lui le naturel. On connaît l'enthousiasme de La Fontaine, sortant de la représentation des *Fâcheux* à Vaux et vantant à Maucroix le style épuré du nouveau comique :

> *Nous avons changé de méthode,*
> *Jodelet n'est plus à la mode,*
> *Et maintenant il ne faut pas*
> *Quitter la nature d'un pas.*

La comparaison avec Jodelet ne laisse pas de doute : c'est au comédien et non au poète que va cet éloge. De Visé, aussi bien que La Grange, reprend l'antienne : « Jamais homme, dira l'un, n'a su si naturellement décrire ni représenter les actions humaines »; « jamais homme, dira l'autre, n'a si bien entré que Molière dans ce qui fait le jeu naïf du théâtre ». L'auteur de l'*Impromptu* lui-même reproche aux Grands Comédiens de ne pas jouer *humainement, naturellement*.

Mais ceux-ci lui renvoient le reproche. Qu'on se reporte à l'*Impromptu de l'Hôtel de Condé* : Montfleury ne manque pas de relever ce qu'il y a d'*inhumain* et *artificiel* dans le jeu de Molière. Rochemont généralise, se faisant l'écho des « critiques qui trouvent à redire à la voix et aux gestes de Molière et qui disent qu'il n'y a rien de naturel en lui, que ses postures sont contraintes et qu'à force d'étudier ses grimaces, il fait toujours la même chose ».

Qui a tort? Molière jouait-il naturellement? Mais n'est-il pas absurde de prétendre retrouver les gestes de la vie quotidienne dans le jeu d'un Sganarelle ou d'un Arnolphe? Nous avons déjà montré combien est dangereuse à manier cette notion de *naturel*. Si Montfleury choque ou ennuie, si Molière amuse, ce n'est point parce que celui-ci est plus naturel que celui-là. L'artifice est le même; mais l'un est efficace et l'autre ne l'est pas. Il reste à savoir de quoi était faite l'efficacité comique de Molière et ce qui lui donnait son autorité.

★

Il semble bien que la nature ne l'avait pas particulièrement disposé pour la carrière d'acteur. Ses aptitudes étaient médiocres, au goût du temps du moins. Mlle Poisson, qui, toute petite, avec son père et sa mère, les Du Croisy, joua au Palais-Royal, le dit sans ménagement : « La nature, qui lui avait été si favorable du côté des talents de l'esprit, lui avait refusé ces dons extérieurs si nécessaires au théâtre, surtout pour les rôles tragiques. Une voix sourde, des inflexions dures, une volubilité de langue qui précipitait trop sa déclamation, le rendaient, de ce côté, fort inférieur aux acteurs de l'Hôtel de Bourgogne. »

« Il eut bien des difficultés à surmonter, ajoute-t-elle, et ne se corrigea de cette volubilité, si contraire à la belle articulation, que par des efforts continuels, qui lui causèrent un hoquet qu'il a conservé jusqu'à la mort et dont il savait tirer parti en certaines occasions. » Ce hoquet est attesté dès 1663. De Visé, dans la *Vengeance des marquis*, traçant une caricature de Molière, le fait hoqueter à la fin de chaque vers pour le grand plaisir des moqueurs. Grimarest, comme Mlle Poisson, donne comme origine à ce tic de gorge désagréable la retenue que l'acteur débutant dut imposer à sa déclamation naturellement précipitée.

Mlle Poisson nous apprend aussi qu'il jouait des sourcils, qu'il avait noirs et forts, en leur donnant des mouvements qui rendaient comique sa physionomie. De Visé et Montfleury le montrent dans des contorsions de tout le corps, s'agitant comme par ressorts; pour imiter son obèse rival de l'Hôtel de Bourgogne, il faisait enfler toute sa personne, rendait son visage bouffi, soufflait et écumait. Sa virtuosité était reconnue : « Il était tout comédien depuis les pieds jusqu'à la tête, écrit de Visé; il semblait qu'il eût plusieurs voix; tout parlait en lui, et d'un pas, d'un sourire, d'un clin d'œil et d'un remuement de tête, il faisait plus concevoir de choses que le plus grand parleur n'aurait pu dire en une heure. »

Ainsi chez lui le geste n'avait pas moins d'importance que la diction. Il exprimait autant par l'attitude que par le mot. C'est en jouant de son corps qu'il rendait intelligibles les sentiments, qu'il soulignait les expressions verbales, qu'il faisait entrer le spectateur dans la délicatesse d'un caractère. Au reste, il ne négligeait pas la diction. Grimarest rappelle qu'il ne déclamait point au hasard. Il soignait les accents des phrases, réglait son débit, variait les intonations.

A la fin de sa vie, l'affection pulmonaire dont il souffrait rendit plus difficile son jeu en lui infligeant le supplice d'un toux incoercible. Chalussay insiste sur cette infirmité dans *Élomire hypocondre* :

> *C'est une grosse toux, avec mille tintouins*
> *Dont l'oreille me corne.*

C'est en ces termes qu'Élomire se plaint. Pour se venger des brocards qu'il leur a jetés, ses victimes s'amusent à tousser devant lui tour à tour et sur tous les tons, pour le faire tousser lui-même « de tous ses poumons ». Molière joua de sa toux comme il avait joué de son hoquet : il l'incorpora à son personnage, identifiant en lui l'acteur et l'homme, et en fit une source nouvelle de comique.

Nous voudrions le voir jouer. Nous maudissons l'insuffisance du langage dont se sert l'auteur de la *Vengeance des marquis*, quand il fait la caricature de celui qu'il appelle le Peintre : « Ariste sort du théâtre et rentre en marchant comme le Peintre et dit : Voyez-vous cette démarche? Examinez bien s'il ne fait pas de même. Voici comme il récite de profil... Examinez bien cette hanche, c'est quelque chose de beau à voir. Il récite encore quelquefois ainsi en se croisant les bras et en faisant un hoquet à la fin de chaque vers. » Cette démarche, cette récitation faite de profil, la pose de cette hanche, ces bras croisés, ce hoquet terminal, il faut laisser l'imagination courir sur cette esquisse.

*

Qui lui apprit le métier dans lequel il devint si habile et qu'à coup sûr il ignorait au temps de l'Illustre-Théâtre? Personne parmi les contemporains n'en a douté : Molière fut l'élève des farceurs. Somaize, en 1660, le présente comme « le premier farceur de France » : c'est un éloge, et de taille. Il est inutile de supposer, comme on l'a fait depuis, qu'il avait admiré enfant les prouesses de Tabarin sur le Pont-Neuf ou celles des Turlupin, Gros-Guillaume et Gaultier-Garguille à l'Hôtel de Bourgogne : ce n'est pas à cet âge tendre qu'il s'est formé. Sans doute a-t-il profité des conseils de ses camarades de l'Illustre-Théâtre et de la troupe Dufresne. Assurément il a observé avec intérêt le jeu des concurrents rencontrés dans les pérégrinations provinciales. Mais nous devons croire avec Somaize, de Visé et Montfleury, avec tous ceux qui ont été les témoins de ses débuts à Paris, qu'il s'est mis à l'école des farceurs italiens.

Les Italiens étaient déjà établis à Paris au temps de l'Illustre-Théâtre : la troupe de Tiberio Fiorilli, autrement dit Scaramouche, avec Dominique Locatelli, dit Trivelin, et Brigida Bianchi, dite Aurélia, comme étoiles, y séjourna de 1645 à 1647. Molière put déjà s'inspirer de leurs leçons. Ils revinrent en France après la Fronde. On les retrouve dans la capitale de 1653 à 1659. Absents pendant trois ans, ils y reparaissent en 1662 et, cette fois, pour un établissement définitif. A côté de Scaramouche, Trivelin et Aurélia, brillent au moins trois bons acteurs : Pantalon, le Docteur et Arlequin. Dix comédiens en tout forment la compagnie. C'est une troupe de *commedia dell'arte*, donc d'improvisation. Pas de texte appris par cœur. Un canevas soutient l'action, dans lequel s'intercalent de petites scènes comiques, au déroulement prévu. Les *lazzi* agrémentent le jeu. La troupe joue en italien, jusqu'en 1668 en tout cas. Pour se faire comprendre d'un public qui ne connaît guère cette langue, aussi bien que par une disposition naturelle, elle pratique un jeu très extérieur. « Les Italiens, dit Chapuzeau, qui prétendent marcher les premiers dans tout le comique, le font particulièrement consister dans les gestes et la souplesse du corps. »

Voilà les maîtres de Molière. Quand il arrive à Paris, il s'établit sur la même scène qu'eux. Jouant aux jours extraordinaires quand ils jouent aux ordinaires, il est libre d'assister à leurs représentations. Il les voit répéter; il les suit dans leurs exercices; il entretient avec eux d'excellents rapports, jusqu'à achever en leur compagnie les journées de travail par de gais soupers. En mai 1659, les deux troupes s'unissent (du moins Jodelet et Du Parc pour celle de Molière) pour donner à Mazarin, à Vincennes, un divertissement burlesque sur un sujet concerté.

Ce commerce a duré moins d'un an. Quand il a repris en 1662, dans des conditions semblables, le talent de Molière devait être formé. Peut-être pourtant se perfectionna-t-il encore au contact de ses voisins. L'expérience de Scaramouche était inépuisable; celle d'Arlequin grandissait. En tout cas, on ne peut douter que l'une et l'autre aient été profitables à l'acteur novice. Ses adversaires crurent l'accabler en le traitant de plagiaire et de contrefacteur. Il imite Trivelin et Scaramouche, crièrent-ils : pouvait-il mieux faire que de s'inspirer de tels modèles?

> *De Scaramouche il a la survivance,*

disait Montfleury. Et Chalussay :

> *Élomire*
> *Veut se rendre parfait dans l'art de faire rire :*
> *Que fait-il, le matois, dans ce hardi dessein?*
> *Chez le grand Scaramouche il va soir et matin.*
> *Là, le miroir en main et ce grand homme en face,*
> *Il n'est contorsion, posture ni grimace*
> *Que ce grand écolier du plus grand des bouffons*
> *Ne fasse et ne refasse en cent et cent façons.*

Le frontispice du pamphlet de Chalussay représente justement ces leçons comiques : la ressemblance est indéniable; l'écolier y est dessiné à l'image du maître; même posture, mêmes traits, même moustache. D'autres portraits confirment celui-ci jusqu'à orner le menton de Molière de la barbiche impertinente dont usait Fiorilli.

A l'aide des précisions récemment apportées par G. Attinger, nous nous faisons une idée assez nette du jeu de Scaramouche et des emprunts de son élève. Avec ce grand farceur, la comédie improvisée s'enrichit d'une technique étudiée. Jouant sous le masque, il développa la mimique. Il triomphait dans les scènes muettes grâce à l'expressivité de ses attitudes et de ses gestes. Il garda jusqu'à la fin de sa vie une souplesse étonnante des membres. C'était un virtuose du mime.

Son originalité apparaît mieux si on le compare à son camarade et successeur Dominique Biancolelli, qui jouait sous le masque d'Arlequin. Scaramouche usait d'un jeu plus calculé, plus savant et plus sobre; Arlequin se fiait davantage à l'instinct et multipliait les effets. Le premier avait assez de confiance en lui pour se figer sur la scène dans le silence et l'immobilité; le second entraînait le public par une action frénétique. Celui-là comptait sur le geste et dédaignait la parole; celui-ci se lançait dans des discours aussi torrentueux que ses mouvements et ne méprisait pas le comique verbal.

A Scaramouche, Molière prit assurément son goût de l'étude, son souci de la préparation; il lui dut aussi sa confiance dans la valeur expressive du geste. Jouait-il aussi sobrement que l'Italien? On peut déceler dans le jeu burlesque de Pourceaugnac, de Jourdain et d'Argan aussi bien que du Mascarille des *Précieuses*, une abondance d'effets qui s'apparenterait plutôt à la technique d'Arlequin. Mais ces distinctions sont peut-être téméraires. En tout cas, il faut spécifier que, comédie écrite et non improvisée, la comédie moliéresque use du mot non moins que du geste et se sépare sur ce point de la *commedia dell'arte* et tout particulièrement du genre de Scaramouche.

Reste que, comme disait Somaize, Molière est un farceur. Son art d'acteur s'inscrit dans la lignée des artisans du rire dont un tableau peint en 1670 et conservé au Théâtre-Français rappelle le brillant souvenir. On y trouve les Italiens évidemment : Scaramouche, Trivelin, Briguelle, Pantalon, Polichinelle, le Docteur Balourd, Arlequin. Auprès d'eux, les Français de la première moitié du siècle : Turlupin, Matamore, Gaultier-Garguille, Guillot-Gorju, Gros-Guillaume. Jodelet y tient son rang. Et aussi les deux farceurs français encore vivants en 1670 : Poisson, de l'Hôtel de Bourgogne, et Molière... Molière-Mascarille, Molière-Sganarelle, Molière-Scapin. Dans cette perspective, on avouera qu'il est difficile de maintenir la fiction d'un jeu attentif au *naturel*. Non point suivre la nature, mais trouver le meilleur moyen de faire rire, telle était l'ambition de Scaramouche, et non moins de Molière.

*

A l'école de Scaramouche, Molière se fit donc bouffon. L'un de ceux qui le virent jouer en 1660, Neufvillenaine, dans un argument de la *Comédie Sganarelle*, note que son jeu consiste presque toujours dans l'action; c'est le corps qui joue chez lui; son art est un art de comédien et non de poète. Un peu plus tard, de Visé analyse ses moyens comiques : grimaces, turlupinades, grandes perruques et grands canons en font l'essentiel. Il extériorise la vie d'un personnage; il traduit en images le sens d'une situation. L'ouïe s'ajoute souvent à la vue : la pitrerie prend alors la forme du cri ou du chuchotement, du délire verbal, du charabia dialectal; le bégaiement et le hoquet y interviennent. Il utilise toute la gaieté cocasse accumulée par la tradition des farceurs.

Neufvillenaine nous a laissé dans ses arguments ses impressions toutes fraîches de spectateur. Tantôt il s'exclame sur les postures jalouses du héros derrière sa femme; tantôt il voudrait avoir le pinceau de Poussin, de Le Brun ou de Mignard pour peindre un geste ou une attitude; il s'étonne du visage niais que peut prendre Molière; davantage encore de la souplesse avec laquelle les expressions se succèdent l'une à l'autre sur les traits de l'acteur. « Jamais personne ne sut si bien démonter son visage, s'écrie-t-il, et l'on peut dire que dans cette pièce il en change plus de vingt fois. » Plus loin : « Jamais il ne se vit rien de mieux joué. » Il constate que les trucs les plus usés paraissent nouveaux quand Molière les reprend. Il ne sait ce qu'il doit admirer le plus, ou l'auteur, pour avoir fait cette pièce, ou le comédien, pour la si bien représenter.

Arnolphe ne fit pas moins rire que Sganarelle. La scène de l'acte V surtout, dans laquelle il peine pour faire sentir son amour à la naïve Agnès, laissa un souvenir durable. La *Critique* fait mention de ses roulements d'yeux extravagants, de ses soupirs ridicules et de ses larmes niaises. Le *ouf!* terminal, un simple mot pourtant, parut un chef-d'œuvre : Arnolphe, exhalant ainsi la douleur qui l'étouffe, y mettait tant d'art qu'on ne savait si l'on devait rire ou pleurer. Si cette ambiguïté déplut à quelques tenants superstitieux de l'unité de ton, elle donna la mesure d'une virtuosité sans égale.

Orgon ne manqua pas non plus d'exciter la gaieté : du premier acte au dernier, il multiplie les jeux de scène. Il n'est pas jusqu'à Alceste dont les outrances de voix et de gestes n'aient déchaîné des tempêtes de rire. Brossette en est témoin, qui vit un jour le vieux Boileau imiter à Auteuil le comédien défunt dans la scène terminale de l'acte II du *Misanthrope* : « Molière, en récitant cela, écrit-il, l'accompagnait d'un ris amer si piquant que M. Despréaux, en le faisant de même, nous a réjouis. »

Les jeux de scène du *Médecin malgré lui* et tout particulièrement celui de la bouteille; l'entrée de Don Pèdre, dans le *Sicilien*, en bonnet de nuit et robe de chambre, une épée sous le bras; les grimaces désespérées de Dandin; la figure hagarde de Pourceaugnac et la façon grotesque dont il se sert de son chapeau pour se garantir des seringues; les ébats de Jourdain sous le costume de *mamamouchi*; la nervosité d'Harpagon courant dans son jardin pour retrouver sa cassette, et son égarement quand il cherche le voleur par-dessus la rampe jusque dans la salle, au milieu des spectateurs; Argan se précipitant sur sa chaise percée, autant

d'étapes du génie de Molière, de son génie de farceur, autant de grands
succès de rire.

Des *Précieuses* au *Malade imaginaire*, de Mascarille à Argan, le comédien n'a pas changé. Il ne s'est pas séparé de ses maîtres italiens. Il a
appris d'eux et il n'a jamais oublié la vertu du geste. Il sait que le théâtre,
tout théâtre, est spectacle d'abord. Le spectateur participe au jeu par ses
yeux et par ses oreilles : l'esprit ne fait que suivre. Jouer, c'est remuer
un corps, c'est mouvoir un visage, c'est faire entendre des sons, dans un
espace limité par des toiles peintes. Le comédien est matière et c'est de la
matière que se dégage l'esprit.

★

La liste des rôles de Molière reste en partie hypothétique. Toutefois
la probabilité à laquelle les documents permettent d'arriver est assez
grande pour que l'établissement de cette liste soit tenté. Elle est fondée
essentiellement sur des témoignages immédiats et sur l'inventaire des
costumes du comédien dressé à sa mort en 1673. Le témoignage de
Mlle Poisson, plus tardif, confirme les documents, sauf sur un point, où
il est manifestement erroné.

Nous pouvons affirmer avec La Grange que le 24 octobre 1658,
Molière tenait le rôle du Docteur dans la farce du *Docteur amoureux*.
Il fut le Mascarille de l'*Étourdi* : *Élomire hypocondre* l'atteste. La question
du *Dépit amoureux* est délicate. On pourrait penser que le rôle de Mascarille, une fois créé par Molière à sa mesure, fut tenu par lui constamment, donc aussi bien dans le *Dépit* et dans les *Précieuses* que dans
l'*Étourdi*. C'est exact pour les *Précieuses*; Chalussay nous enseigne qu'il
n'en est rien pour le *Dépit*. Selon son pamphlet, tenu généralement pour
exact, Molière remporta un franc succès dans cette dernière comédie en
« sonnant ses grelots de mulet » : il jouait donc le rôle d'Albert, père de
Lucile, qui met en fuite le pédant Métaphraste en lui faisant résonner
une cloche aux oreilles. De fait, si le Mascarille de l'*Étourdi* est un valet
brillant, et de même celui des *Précieuses*, celui du *Dépit* est un gaffeur
et un pleutre : sous la continuité du nom, il y a discontinuité du type.
D'autre part, s'il tient une grande place dans les actes III et V, il ne
figure ni dans le IIe ni dans le IVe; et dans le Ier, il n'a qu'une scène. En
revanche, le rôle d'Albert offre au moins trois belles scènes : une dans
l'acte II, deux dans l'acte III (et même trois). On conçoit qu'il ait attiré
son créateur.

Après les Mascarilles, les Sganarelles : là, Molière fut fidèle à sa création. Il fut le Sganarelle du *Cocu imaginaire*, celui de l'*École des maris*, celui du *Mariage forcé*, celui de *Don Juan*, celui de l'*Amour médecin* et celui du *Médecin malgré lui*. Toutefois, pour le valet de Don Juan, la certitude est moindre. En effet, le seul document sur la question réside dans l'inventaire de 1673. Il y est stipulé que la garde-robe de Molière contenait à sa mort : « Un jupon de satin aurore, une camisole de toile à parements d'or, un pourpoint de satin à fleurs du *Festin de Pierre*. Deux panetières, une fine, l'autre fausse, une écharpe de taffetas; une petite chemisette à manches de taffetas couleur de rose et argent fin. Deux manches de taffetas couleur de feu et moire verte, garnies de dentelles d'argent; une chemisette de taffetas rouge, deux cuissards de moire d'argent vert. » Ce costume peut-il être celui d'un valet? On le trouve trop riche pour cet emploi. Pourquoi les deux chemisettes? Sganarelle en change-t-il au cours de la pièce? Un accessoire indique pourtant le valet avec netteté : les deux panetières. D'ailleurs, ce terme de valet n'est-il pas équivoque? Don Juan est un grand seigneur; Sganarelle le sert en qualité d'intendant ou de majordome plutôt que comme un valet proprement dit. Dès lors ne peut-on penser qu'il portait un costume digne de sa condition relevée, quoique subalterne? Ne sait-on pas au reste que le XVIIᵉ siècle ne se souciait guère d'accorder parfaitement le costume du personnage à sa condition? Dernier argument : si Molière ne jouait pas Sganarelle, il jouait Don Juan; et alors les panetières sont absurdes. Nous avons d'ailleurs quelques raisons de penser que ce rôle était tenu par La Grange. Admettons donc que ce quatrième Sganarelle comme les autres fut incarné par Molière lui-même.

Molière tint aussi le rôle de Don Garcie : de Visé ne nous laisse pas de doute sur ce point. Dans les *Fâcheux*, il a tenu plusieurs emplois à la fois : celui de Lysandre le mélomane au premier acte, semble-t-il; en tout cas, celui de Dorante le chasseur au deuxième et celui de Caritidès le philologue au troisième. Selon Robinet, il aurait même fait cinq personnages différents. Il faudrait alors lui donner en plus les rôles d'Alcandre le duelliste à la fin de l'acte Iᵉʳ et d'Alcipe le joueur de piquet au début de l'acte II. Ce sont là des apparitions très courtes pour la plupart qu'avec un peu de virtuosité dans le changement de costume le même acteur pouvait assurer successivement.

Dans l'*École des femmes*, nul n'ignore que Molière joua le rôle d'Arnolphe. Dans la *Critique*, tint-il celui du Marquis? Peut-être resta-t-il hors de la distribution. Dans l'*Impromptu*, on le retrouve sous son propre nom.

Dans la *Princesse d'Élide*, il fit Lyciscas dans le prologue et Moron dans la comédie. Nous ne connaissons pas la distribution du *Tartuffe* original; mais, puisque Molière fut à coup sûr l'Orgon de 1669, il est non moins certain qu'il tint le rôle à Versailles en 1664. Il fut Alceste dans le *Misanthrope*. Pour *Mélicerte*, nous n'avons qu'une probabilité : il aurait tenu le rôle de Lycarsis, le père du jeune amoureux, celui qui récite le couplet à la louange du monarque. Dans la *Pastorale comique* en revanche, il est assuré qu'il joua le personnage de Lycas, très semblable au reste à celui de Lycarsis par la situation comme par le nom (ce qui confirme l'hypothèse précédente).

La suite n'offre aucune incertitude sérieuse : il faut admettre qu'il fut tour à tour Don Pèdre dans le *Sicilien* (Mˡˡᵉ Poisson lui attribue le rôle d'Hali, ce qui est contredit par la Gazette de Robinet), Sosie, Dandin, Harpagon, Pourceaugnac, Clitidas, Jourdain, Zéphyre, Scapin, Chrysale et Argan. Il ne figura pas dans la distribution d'*Escarbagnas;* mais fit un Pâtre et un Turc dans la *Pastorale* disparue qui accompagna la comédie dans les représentations de Saint-Germain.

Joua-t-il dans des pièces qu'il n'avait pas composées? A coup sûr. Sans quoi, qu'aurait-il fait dans la troupe jusque vers 1664? Mais nous ne sommes pas renseignés sur ce point. Mignard l'a peint dans le costume de Jules César : il tint donc ce rôle dans la *Mort de Pompée* de Corneille. Il incarna Persée dans *Andromède* à Lyon en 1652 ou 1653. A Versailles, dans les *Plaisirs de l'Ile enchantée*, il figura Pan. Selon Lancaster, il aurait tenu le rôle du Marquis vaniteux dans la *Mère coquette* de Donneau de Visé. Ce sont de maigres indications qui ne satisfont guère notre curiosité.

Nous en savons assez pourtant pour mesurer l'activité de Molière acteur. Non seulement il ne s'excusa pas sur ses autres fonctions pour se dispenser de jouer, et aussi bien à la fin de sa carrière qu'à son commencement; mais il choisit toujours les rôles les plus en vue, les plus longs et les plus difficiles. Grimarest l'avait remarqué. Et Chalussay, du vivant même de Molière; Élomire s'en glorifie :

> *Je fais le premier rôle et le fais d'importance,*
> *Quelque sujet qu'il traite...*

Le personnage de Mascarille dans l'*Étourdi* est presque toujours en scène : il est là tout au long du premier acte; au second, il s'absente pendant deux scènes sur onze; au troisième, il en est à peu près de même; au quatrième, il disparaît pour une scène; au cinquième, on relève quatre courtes disparitions. Ce rôle est l'un des plus longs que l'on connaisse au théâtre, Arnolphe est sur les planches d'un bout à l'autre de l'*École des femmes*. sauf pour le court entretien d'Alain et de Georgette à l'acte II. Dans

Don Juan, Sganarelle est dans une situation analogue. Dans le *Malade imaginaire,* Argan s'absente seulement deux fois au premier acte, une au second et une au troisième, chaque fois pour une scène seulement.

Dans une même soirée, Molière assurait le personnage d'Alceste et celui du Sganarelle du *Médecin malgré lui* : dans la première pièce, il était présent dans dix-sept scènes sur vingt-deux; dans la seconde, dans dix-sept sur vingt et une. Il jouait le *Cocu* après l'*Étourdi,* Sganarelle après Mascarille : cela faisait encore davantage, quarante-neuf scènes sur soixante et onze. Il lui fallait une assurance extraordinaire pour tenir aussi longtemps les planches. On peut bien dire qu'il portait sur ses épaules l'entière responsabilité de l'interprétation de ses pièces.

Les rôles qu'il tenait, nous l'avons dit, c'étaient les grands rôles comiques, ceux qui déclenchent le succès de rire. Il est inutile de reprendre la liste. Mais c'étaient aussi les rôles dynamiques, ceux dont le titulaire bouge sans arrêt, ceux des meneurs de jeu, des Mascarilles et des Scapins. Enfin c'étaient aussi, assez souvent, les rôles éloquents, ceux des tirades : à cet égard, le Mascarille de l'*Étourdi* mérite l'attention. C'est un grand orateur : il sait faire un récit aussi bien qu'imaginer une intrigue. A l'acte IV, il débite quelque quatre-vingts vers, à peine coupés de deux brèves remarques de son maître Lélie. A l'acte V encore, quatre-vingts vers de suite constituent le récit dénouant l'action.

L'emploi de Molière dans sa troupe était donc un emploi de premier comique. C'était la grande vedette de la compagnie. Son talent majeur résidait dans sa drôlerie; son agilité corporelle et sa virtuosité oratoire complétaient son sens du burlesque.

*

Est-ce pousser trop loin le souci du détail que de soulever ici une question qui regarde encore l'acteur, puisqu'elle concerne ses costumes? On a remarqué depuis longtemps que Molière avait une couleur préférée : le vert (accessoirement le jaune); que les personnages grotesques de son théâtre portaient généralement du vert; que cette couleur se retrouvait dans la décoration de son appartement, du moins du dernier, de celui dont un inventaire nous fait la description. Est-ce exact? Quelle conclusion peut-on en tirer?

L'étude n'a pas encore été menée systématiquement. Elle doit reposer sur l'inventaire de 1673. Il faut remarquer d'abord qu'à cette date Molière n'avait pas conservé tous les costumes de théâtre dont il s'était servi.

Il n'avait gardé que ceux dont il usait encore ou dont il avait usé récemment.

Les deux plus récents manquent : celui d'Argan et celui de Zéphyre. La raison en est évidente : ils sont restés dans la loge du Palais-Royal où Molière les endossait dans les semaines précédant sa mort. Il est vrai que le 3 et le 5 février, la troupe joua aussi les *Femmes savantes* et que néanmoins, lors de l'inventaire, le vêtement de Chrysale était rangé dans une manne, rue de Richelieu : ces deux représentations ayant été épisodiques, le comédien a pu rapporter son costume chez lui plutôt que de le laisser dans sa loge. Il se peut aussi que le camarade qui a repris le rôle d'Argan à la disparition du maître ait emprunté le costume du personnage qu'il eut subitement à incarner.

Si le costume d'Albert dans le *Dépit* manque à l'inventaire, on supposera donc que, la pièce n'ayant pas été reprise depuis 1667, ce vêtement avait été donné, vendu ou transformé. Même remarque pour celui de Mascarille dans les *Précieuses*, qui ne figurent plus au répertoire après 1666; pour celui d'Arnolphe, l'*École des femmes* disparaissant en 1668; pour celui du Marquis de la *Critique* (si tant est que Molière joua dans cette pièce), disparue depuis 1665; pour ceux de Lycarsis, dans *Mélicerte*, et de Lycas, dans la *Pastorale comique*, qui n'ont jamais été représentées au Palais-Royal.

Les *Fourberies* avaient été jouées au printemps 1671 : comment se fait-il qu'on ne trouve pas dans l'inventaire le costume de Scapin, c'està-dire d'un rôle tenu trop récemment pour que le comédien ait déjà résolu de ne plus le reprendre? Mais l'inventaire mentionne un habit d'Espagnol, sobrement décrit, avec chausses, manteau *de drap* et pourpoint de satin, garni de broderies de soie, où l'on voit d'habitude le costume de Don Garcie. Est-il possible que Molière ait gardé le vêtement qu'il portait dans un rôle abandonné, et définitivement, dès 1664? Un manteau de drap convient-il à un Don Garcie? Ne serait-ce pas plutôt le costume de Scapin? Naples était espagnole; le manteau de drap sied à un valet.

La *Princesse d'Élide* a été jouée encore en 1669 à la Cour : Molière y tenait les rôles de Lyciscas et de Moron. Le premier est un valet de chiens, dont le costume pouvait à la rigueur, pour une représentation exceptionnelle, se confondre en partie avec celui du chasseur Dorante dans les *Fâcheux*. Le second est un bouffon de cour : on peut trouver les éléments de son habit dans un article de l'inventaire qui décrit, sans les attribuer à un rôle déterminé, certaines pièces de vêtement : jupon, bonnet, manchon, cuissards, etc.

Enfin un article du même inventaire mentionne une chemisette et un haut-de-chausses à la turque, où l'on reconnaît l'habit du Turc de la *Pastorale* accompagnant *Escarbagnas*. Et le suivant et dernier article énumère mainte pièce de vêtement dont Molière pouvait se servir pour se costumer en Pâtre dans la même *Pastorale*.

Si l'on accepte ces identifications, on constate que l'inventaire nous renseigne sur les costumes portés par le comédien dans toutes les pièces jouées au cours des quatre saisons allant de 1669 à 1673, sauf, pour les raisons proposées, sur ceux du *Malade* et de *Psyché*. Pour les quatre saisons 1665-1669, manquent les costumes de l'*École des femmes*, des *Précieuses* et du *Dépit*, trois comédies qui ont alors disparu du répertoire.

Nous connaissons donc de façon sûre les costumes de vingt rôles de Molière et, sans grand risque d'erreur, encore ceux de cinq rôles. Sur ces vingt-cinq costumes, dix comportent expressément du vert : ce sont ceux des Sganarelles du *Mariage forcé*, de *Don Juan*, et du *Médecin malgré lui*, ceux d'Alceste, de Don Pèdre, de Sosie, de Pourceaugnac, de Clitidas et de Jourdain; et aussi celui que nous avons attribué à Moron. Huit sont décrits sans indication de vert : le Sganarelle du *Cocu* est en satin cramoisi; celui de l'*École des maris* porte un vêtement couleur de musc; celui de l'*Amour médecin* se pare d'or; l'habit du mélomane Lysandre est bleu, aurore et jaune; celui d'Orgon, noir; de Dandin, couleur de musc et rouge; celui d'Harpagon est analogue à celui d'Orgon; celui de Chrysale agrémente le noir de violet et d'or. Rien ne nous assure au reste que ces huit costumes ne comprenaient pas quelque pièce verte qui a échappé à la description notariée. Sept habits sont mentionnés sans indication de couleur : celui du Mascarille de l'*Étourdi*; celui du chasseur Dorante (qui serait aussi, selon notre hypothèse, celui de Lyciscas) et celui de Caritidès dans les *Fâcheux*; et ceux que nous avons attribués à Scapin, et au Pâtre et au Turc de la *Pastorale*.

Il n'y a aucun doute que le vert tient une place considérable dans les vêtements portés au théâtre par Molière. Le jaune est assez fréquent; les autres couleurs interviennent sans constance; le noir est réservé aux bourgeois : Orgon, Harpagon, Chrysale. Le vert aurait-il une vertu comique? On a découvert un poème de 1605, l'*Archisot*, qui en fait la couleur des bouffons et des fous; Ch. Sorel, dans le *Berger extravagant*, en dénonce les maléfices. Mais on n'expliquera pas ainsi la présence du vert dans les tentures d'ameublement ornant l'appartement de Molière : lits, fauteuils, devants de cheminée, portes et fenêtres y sont en effet souvent recouverts ou garnis d'étoffes ou de tapisseries vertes. Le vert est fréquent aussi dans les robes de théâtre d'Armande, qui n'ont pas échappé à l'inventaire de 1673 : Armande ne jouait point des rôles comiques. Ne faut-il pas croire tout simplement que le vert était une couleur à la mode? Reste que Molière a aimé cette couleur d'un amour particulièrement vif. Certains y verront une superstition. Le vert protégeait-il l'acteur? Alceste, aussi bien que Jourdain, agrémente son habit de rubans verts; Pourceaugnac porte des jarretelles vertes, une plume verte, une écharpe verte. On peut rêver sur cette prédilection.

*

Nous n'avons vu jusqu'à présent que les activités majeures de Molière acteur. Ses talents allaient plus loin qu'on ne dit en général et il ne fit pas faute de s'en servir à l'occasion.

Il était excellent improvisateur, à la manière de ses maîtres italiens. Le 12 juin 1665, à Versailles, il improvisa un prologue à la comédie du *Favori*, de Mlle Desjardins, sur un théâtre de verdure : il y représenta un marquis ridicule qui voulait s'établir sur la scène malgré les gardes et y liait conversation avec une marquise non moins ridicule, placée parmi les spectateurs. C'étaient les miettes de son génie bouffon.

Il chantait. Mascarille, dans les *Précieuses*, fait entendre une voix qui manque de délicatesse. Lysandre, dans les *Fâcheux*, chante sa courante. Moron, le valet de la Princesse d'Élide, demande au Satyre une leçon de chant. Sganarelle, avant de se voir transformer par force en médecin, se plaît à chanter sa bouteille. Dans la *Pastorale comique*, Molière, dans le personnage de Lycas, devait dans plusieurs scènes chanter en dialogue avec le chanteur professionnel d'Estival, qui tenait le rôle de Filène, rival de Lycas. Dans le *Sicilien*, après Hali, Don Pèdre reprend un refrain burlesque. Sosie chante pour se rassurer quand il aperçoit Mercure gardant la maison d'Amphitryon. Le plaisant Clitidas, dans les *Amants magnifiques*, fait au moins semblant de chanter pour faciliter son entretien avec sa maîtresse. Jourdain enfin, non seulement fait entendre la chanson de Jeanneton, qu'il oppose à celle, trop lugubre, de son Maître de musique; mais, promu *mamamouchi*, il chante en pseudo-turc. Cela fait neuf rôles dans lesquels Molière ne craignit pas de se produire comme chanteur.

Peut-on deviner ce qu'était sa voix? La copie du *Bourgeois* conservée dans les manuscrits du musicien Philidor note que Jourdain chantait *Jeanneton* en fausset, pour rendre la chanson plus niaise. Mascarille s'excuse de ses insuffisances sur les intempéries. Moron est si maladroit qu'il rend furieux le Satyre. Assurément Molière chantait mal; mais il

6

tirait parti de cette imperfection comme des autres pour obtenir un effet grotesque.

Il ne devait pas danser mieux, et pourtant il dansait. Il avait dansé en province : il a tenu son rôle dans une entrée du *Ballet des Incompatibles*. A Vaux, il a dansé la courante des *Fâcheux*. A Chambord, il a dansé la danse de Jourdain en *mamamouchi*. Il y a plus : la leçon de chant que reçoit Moron se termine par une entrée de ballet en forme plaisante que Molière dansait avec le danseur et chanteur professionnel d'Estival.

Danseur, chanteur, improvisateur, le comédien tenait des farceurs dont il avait suivi les leçons, non seulement leur agilité de corps et leur vertu comique, mais leur variété d'aptitudes et leur fécondité d'invention. Car tous ces talents concouraient au même but : plaire, plaire en faisant rire.

*

Il est pourtant un talent dont Molière semble bien n'avoir pas été pourvu : celui du tragédien. Mais justement les Italiens n'avaient pu le lui enseigner, puisqu'ils en étaient eux-mêmes tout à fait privés.

Le jeune Poquelin a débuté probablement comme tragédien. Le contrat d'association de l'Illustre-Théâtre lui donne le droit, ainsi qu'à deux de ses camarades, de choisir son rôle : qu'aurait-il choisi sinon un emploi de jeune premier, convenant à son âge et à son désir de gloire? La tragédie seule l'intéressait, comme elle intéressait Madeleine Béjart, et pour longtemps.

Il joua la tragédie tout au long de ses pérégrinations provinciales et il la joua mal, si l'on en croit Tallemant et de Visé. Il la joua lors de son établissement à Paris et il ne s'améliora guère. « Il fut trouvé incapable de jouer aucune pièce sérieuse », écrit de Visé en 1663. Ses adversaires de la cabale le trouvaient si méchant acteur tragique qu'il en devenait comique :

> *Mais au Palais-Royal, quand Molière est des deux,*
> *On rit dans le comique et dans le sérieux,*

lit-on dans l'*Impromptu de l'Hôtel de Condé*. Même ses partisans, un Ph. de la Croix, dans la *Guerre comique*, étaient embarrassés pour le défendre sur ce chef d'accusation. Chalussay l'affirmera encore en 1670 : même dans les pièces de Corneille, il se faisait siffler. Aucun doute ne subsiste là-dessus : excellent farceur, mais exécrable tragédien, au goût du temps du moins, tel était Molière.

Dans la *Vengeance des marquis*, de Visé, nous l'avons relevé, en fait une caricature dans le rôle de César à l'acte III de la *Mort de Pompée* : sa démarche, son port de hanche, ses bras croisés, tout paraît ridicule. Ce rôle, qu'il a dû tenir rarement (on ne note que trois représentations de *Pompée* en 1659 et la pièce disparaît alors du répertoire), fixa sans doute l'attention des contemporains. C'est en César encore que Montfleury représente Molière dans l'*Impromptu de l'Hôtel de Condé* :

> *Il vient, le nez au vent,*
> *Les pieds en parenthèse et l'épaule en avant,*
> *Sa perruque, qui suit le côté qu'il avance* [1]*,*
> *Plus pleine de laurier qu'un jambon de Mayence,*
> *Ses mains sur les côtés d'un air peu négligé,*
> *Sa tête sur le dos comme un mulet chargé,*
> *Ses yeux fort égarés; puis, débitant ses rôles,*
> *D'un hoquet éternel sépare ses paroles...*

Chalussay le montre dans un rôle un peu différent, celui d'un amoureux soufflant et soupirant :

> *Mais si tu te voyais, quand tu veux contrefaire*
> *Un amant dédaigné qui s'efforce de plaire;*
> *Si tu voyais tes yeux hagards et de travers,*
> *Ta bouche grande ouverte en prononçant un vers,*
> *Et ton col renversé sur tes larges épaules,*
> *Qui pourraient à bon droit être l'appui de gaules;*
> *Si, dis-je...*

Les trois portraits se rejoignent, celui de Donneau de Visé, celui de Montfleury et celui de Chalussay : la démarche oblique, l'attitude théâtrale, la tête dressée sur la carrure des épaules, les yeux ardents, la bouche large, la diction brusquée par le hoquet... Nous nous plaignions plus haut d'en être réduit à imaginer le jeu comique de Molière : son jeu tragique nous est plus accessible.

Jusqu'à quand s'obstina-t-il à jouer la tragédie? Chalussay, en 1670, le présente comme un acteur convaincu de son talent de tragédien. Certains prétendent qu'il tint un rôle dans *Sertorius* jusqu'en 1671 : sur quel témoignage fondent-ils cette affirmation? En tout cas, il ne joua ni dans *Alexandre* en 1665, ni dans *Attila* en 1667, ni dans *Tite et Bérénice* en 1670. Dans *Psyché*, il tint le rôle de Zéphyre, qui n'a rien de tragique.

---

1. De Visé disait qu'il récitait « de profil ».

Il faudrait remonter à la saison 1668-1669 pour trouver au répertoire (en dehors de *Sertorius*) des tragédies où il aurait pu figurer : *Venceslas*, *Rodogune*, ou la tragi-comédie de *Cléopâtre*. Nous ne pouvons nous prononcer sur ce point. Ce qu'on peut dire, c'est qu'en 1665 encore, dans la polémique sur le *Festin de Pierre*, on parle de son jeu de tragédien. Mais dès la fin de l'année, il s'exclut de la distribution d'*Alexandre* : n'est-ce pas le signe d'un renoncement au tragique ? Put-il résister plus longtemps à la sentence publique ? Il s'était obstiné vingt ans et plus dans son ambition : arrivait-il enfin à l'exacte connaissance de soi-même ?

Un document mérite d'être discuté, qui apporte quelque lumière sur le problème. De Visé, dans la *Vengeance des marquis*, en 1664, écrit ironiquement : « Il est si grand comédien qu'il a été contraint de donner le rôle du Prince jaloux à un autre, parce qu'on ne le pouvait souffrir dans cette comédie, qu'il devait mieux jouer que toutes les autres, à cause qu'il en est auteur. » Il s'agit évidemment de *Don Garcie*, qui eut sept représentations au début de 1661, puis fut repris une fois pour le Roi en 1662, et encore cinq fois à l'automne de 1663 : une à Chantilly, deux à Versailles, et deux au Palais-Royal pour la Ville. Du texte même que nous rapportons, il ressort qu'à l'origine le rôle du Prince jaloux fut tenu par Molière : cette attribution n'est pas douteuse; de Visé la confirme dans ses *Nouvelles nouvelles*. A la reprise de 1662, il semble que la distribution ne fut pas modifiée, puisque les *Nouvelles nouvelles*, publiées au début de 1663, parlent encore de Molière comme y tenant le premier rôle. En revanche, pour les cinq représentations de l'automne de 1663, Molière dut se résigner à passer la main à un camarade (à Brécourt sans doute, le meilleur tragédien de la troupe), puisque la *Vengeance des marquis*, quelques mois plus tard, fait état de ce changement. Ainsi, dès la fin de 1663, l'esprit de résignation commença à entrer dans l'âme du comédien. Il n'y a donc pas lieu, vraisemblablement, de supposer de très longs débats. Molière dut renoncer à la carrière de tragédien par un retranchement progressif, de la fin de 1663 à la fin de 1665, de la reprise de *Don Garcie* à la création d'*Alexandre*.

Grimarest simplifie cette évolution : « Il est vrai, dit-il, que Molière n'était bon que pour représenter le comique; il ne pouvait entrer dans le sérieux et plusieurs personnes assurent qu'ayant voulu le tenter, il réussit si mal la première fois qu'il parut sur le théâtre qu'on ne le laissa pas achever. Depuis ce temps-là, dit-on, il ne s'attacha qu'au comique, où il avait toujours du succès. » Le tragédien s'obstina vingt ans en dépit de son échec; il lui fallut plusieurs années pour renoncer définitivement à jouer les César; mais sa résolution fut ferme.

De cette insuffisance, les contemporains tirèrent une conséquence ventureuse. De Visé ne reconnaît de talent à Molière que « lorsqu'il joue ses pièces ». Chalussay est plus injurieux :

> Car aux pièces d'autrui, je suis son serviteur;
> De sa vie, il n'entra dans le sens d'aucun autre.

Ainsi il n'aurait bien joué que ce qu'il avait écrit : c'est lui dénier le talent de l'acteur. Est-il possible de séparer ainsi l'intelligence de son texte et celle du texte d'autrui? Est-il possible d'être le comédien que l'on applaudissait dans Arnolphe et dans Jourdain et de ne rien faire de bon dans une comédie de Donneau de Visé? Mais ne serait-ce pas que les comédies de ce débutant n'étaient guère aptes à faire briller un talent comique? ou que du moins le succès qu'elles auraient pu remporter fut offusqué par celui que remportaient les *Fâcheux* et l'*École des maris*?

★

Molière fut un excellent acteur aussi bien qu'un éminent directeur de théâtre. Sa vocation ne l'avait pas trompé. Dans son travail de chef de troupe, dans ses relations avec les auteurs, devant le public de la Ville et celui de la Cour, sur la scène enfin, il se révéla doué des qualités majeures dont sa profession lui imposait l'usage. Son tempérament, son énergie, son intelligence, sa souplesse de caractère, son habileté manœuvrière, son génie comique, tout, jusqu'à ses défauts, mués en qualités, tout contribua à faire de ce fils de bourgeois un grand comédien.

Troisième partie

LE POÈTE

I

AU SERVICE DU PUBLIC

La production de Molière et son objet. — Les commandes et leur urgence.
— L'utilisation de l'acquis. — La collaboration du public et celle du
Roi. — Collaborateurs littéraires. — Le tribut du milieu. — Les per-
sonnalités. — Du particulier au général.

Quand il s'engage dans la troupe formée par les Béjart sous le nom
d'Illustre-Théâtre, Jean-Baptiste Poquelin est attiré par la seule carrière
d'acteur. Longtemps encore, son ambition se satisfait dans l'interprétation : il y met « l'extrême application » qui émerveille La Grange à Paris
et il se passionne dans la poursuite d'une perfection à laquelle il veut
parvenir. Il subit le vrai prestige du théâtre : incarner des êtres fictifs
auxquels il donne vie; les imposer à un public; triompher de l'inattention, de la préoccupation, du bruit, de la moquerie, de l'hostilité; faire
communier idéalement la salle et la scène, jusqu'à la fin de sa vie, ce sera
l'impérieuse vocation de ce comédien.

Mais les circonstances menèrent Molière à l'élargissement de son dessein. Les conditions de l'exercice de sa profession ont fait de lui progressivement un écrivain et lui ont révélé sa nature de poète. Il s'est mis à
écrire pour pouvoir continuer à jouer.

Qu'on imagine sa situation, non pas à l'Illustre-Théâtre, où il n'était
qu'un débutant, mais dans la troupe qu'il dirigeait à Lyon ou dans le
Midi vers 1650. Auprès de Joseph Béjart, dont l'intérêt se portait vers
le blason, auprès de Louis Béjart, du gros René Berthelot, du brutal
Villequin, le fils du tapissier du Roi, l'élève des Jésuites du collège de
Clermont, l'avocat d'un jour faisait figure d'intellectuel. La culture que
lui avait assurée son éducation le destinait à ces besognes que l'on
confiait souvent à un écrivain à la solde de la troupe ou attiré temporairement dans son sillage par les charmes d'une étoile : accommoder un
texte aux possibilités de comédiens ambulants, renouveler par quelque

invention un spectacle banal, brocher un ouvrage de circonstance, etc.
C'est assurément par ce travail sans éclat que Molière débuta dans la
carrière littéraire.

Il n'en est rien resté. Le *Ballet des Incompatibles*, dansé à Montpellier,
est-il l'œuvre de Molière? Rien ne permet de l'affirmer; il n'est même
pas assuré que les vers débités par le comédien dans ce spectacle fussent
de lui.

Il a certainement agencé pour le besoin de sa compagnie des farces.
Nous savons par La Grange que lorsqu'il a présenté ses camarades au
Roi en 1658, il leur a fait jouer l'un des divertissements « qui lui avaient
acquis quelque réputation et dont il régalait les provïnces » : c'était le
Docteur amoureux. On peut joindre quelques titres à celui-là : le Registre
de La Grange mentionne en effet des farces anonymes dont il n'est pas
interdit de penser qu'elles constituent ces « divertissements » dont le
public de province était friand et que Molière et ses camarades offraient
alors au public parisien. Ce sont *Gros-René écolier*, le *Médecin volant*, le
Docteur pédant, la *Jalousie de Gros-René*, *Gorgibus dans le sac*, les *Trois
docteurs*, le *Fagotier*. Peut-être faut-il mentionner encore *Planplan*, les
Indes, la *Pallas*, la *Casaque*, le *Fin lourdaud*; mais il n'est pas certain que
tous ces scénarios proviennent de Molière, ni qu'ils aient tous été agencés
avant l'arrivée dans la capitale. Peu importe d'ailleurs, puisqu'il n'en
reste que des titres. Le texte de la *Jalousie du Barbouillé* et celui du *Médecin volant* qui ont été retrouvés au XIXᵉ siècle dans un manuscrit de la
Bibliothèque Mazarine et que certains éditeurs impriment comme étant
de Molière, semblent être au contraire de méchants rapetassages opérés
par quelque comédien ambulant sur les comédies que le poète avait
tirées de ses premières farces. Ces canevas utilisés en province et repris
à Paris, Molière les a détruits : il est vain d'espérer les retrouver un jour.

Du moins il est constant que c'est par là qu'il a débuté, sans doute
vers 1650. La deuxième étape tarda peu. Ses séjours à Lyon le mirent
en contact avec des milieux plus littéraires que ceux qu'il avait fréquentés
jusque-là : l'Italie était proche. Le ravaudeur de farces vit luire un avenir
d'écrivain : de ces nouvelles pensées sortirent l'*Étourdi* et le *Dépit*
Molière avait passé trente ans.

Sans doute, à ce moment-là, a-t-il eu en tête plutôt son intérêt que
celui de sa troupe (si tant est qu'ils puissent se dissocier) et a-t-il cherché
la gloire du poète plutôt que celle du comédien : dès son arrivée à Paris
(troisième étape), des considérations tout autres commandent sa production. Il écrit les *Précieuses* au terme d'une saison fiévreuse où il a multiplié
les reprises sans retenir le public. *Sganarelle* remplit le même rôle :

dans l'un comme dans l'autre cas, l'auteur vient au secours du directeur aux abois.

Il en fut longtemps ainsi : nombre de comédies furent écrites par Molière non par un propos délibéré d'écrivain voulant réaliser une œuvre dont il portait en lui les destinées ou qui paraissait devoir lui gagner une gloire désirée, mais sous l'empire de nécessités tenant au service de la troupe ou à celui du public. Encore faut-il observer que le service de la troupe se ramène à celui du public : la satisfaction cherchée par les camarades de Molière, c'est l'affluence des spectateurs. La production du poète fut donc orientée par ce besoin primordial : plaire aux spectateurs, chercher l'applaudissement.

Dira-t-on qu'il en est ainsi de tout auteur dramatique? Non certes : il est des poètes dédaigneux du succès; il en est qui prétendent s'imposer au public; la plupart composent entre la nécessité d'être joué et le besoin de s'exprimer. Parce qu'il était d'abord un comédien, parce qu'il portait la responsabilité du destin de sa compagnie, d'un destin précaire presque jusqu'au bout, Molière devait tout ou presque tout soumettre au verdict de la salle. Si c'est par une détermination personnelle qu'il a tenté l'expérience de *Don Garcie*, il ne s'y est pas très longtemps obstiné. S'il faut reconnaître que le *Misanthrope* répond plus à un besoin de sa nature poétique qu'à l'attente des spectateurs, on ajoutera qu'il n'a pas écrit beaucoup de pièces aussi sévères. D'ailleurs son génie coïncidait avec le goût du temps. Il a donné ce qu'on attendait de lui. Il a trouvé la liberté dans l'obéissance. C'est ce qui a fait non seulement son succès, mais sa grandeur.

Jusqu'en 1663, sa production n'est pas intense : un acte en 1659, un en 1660; à la fin de la saison, les cinq actes de *Don Garcie*, écrits en marge de l'activité du comédien dans les années précédentes; en 1661, à part *Don Garcie*, deux comédies en trois actes; en 1662, une en cinq actes; en 1663, deux actes. Jusque-là il a fourni au répertoire un modeste appoint. Or cet appoint s'est révélé particulièrement productif : le succès lui impose donc de nouveaux efforts. Dès lors chaque saison verra paraître sous son nom plusieurs pièces : cinq en 1666-1667, généralement deux, parfois trois. Deux fois seulement il ne donnera qu'un spectacle : en 1665-1666, l'*Amour médecin*; en 1667-1668, *Amphitryon*. Dans les deux cas, cette moindre activité s'explique principalement par les espoirs mis en la résurrection de *Tartuffe*. Dans les quatorze ou quinze saisons de sa carrière parisienne, il composa vingt-neuf comédies, une centaine d'actes. Ce remarquable bilan, c'est le bilan d'une production à laquelle la vie d'une troupe a imposé son rythme; c'est le bilan d'un poète qui

n'a nullement cherché à construire une œuvre, mais qui s'est voué au
service du public. Jean-Baptiste Poquelin, quand il montait sur les
planches en 1643, entreprenait de divertir ou d'émouvoir ses contemporains; Molière, quand il écrivait des pièces pour sa compagnie, n'avait pas
d'autre objet : l'auteur, comme l'acteur, obéissait aux exigences de la
profession choisie.

*

La subordination de ses propres aspirations, s'il en avait, aux besoins
de la troupe, donc aux vœux du public, dépassait même de beaucoup ce
que nous venons de dire. Il ne s'agissait pas seulement de renouveler
rapidement un répertoire qui s'usait, ni de produire sur la scène les
ridicules que le spectateur attendait, ni de satisfaire le goût régnant :
Molière se vit imposer de plus rudes contraintes, dans lesquelles cependant sa liberté ne fut pas étouffée. « Il était obligé, écrit La Grange,
d'assujettir son génie à des sujets qu'on lui prescrivait et de travailler
avec une très grande précipitation, soit par les ordres du Roi, soit par la
nécessité des affaires de la troupe, sans que son travail le détournât de
l'extrême application et des études particulières qu'il faisait sur tous les
grands rôles qu'il se donnait dans ses pièces. »

Il dut souvent travailler vite. Il put rarement préparer à son gré une
œuvre menée jusqu'à ce point de perfection qui satisfait le créateur. Il
fallait être prêt à date fixe, sans avoir pu commencer la composition en
un temps suffisamment lointain. Une fête royale subitement imposait
son exigence : il n'était pas question de se dérober à l'invitation, encore
moins d'en retarder l'échéance, pas davantage de s'abstraire du travail
quotidien pour se donner le loisir de la création. C'est ainsi qu'en août
1661, la comédie des *Fâcheux*, sur l'ordre du surintendant Fouquet, qui
voulait donner de l'éclat à la réception du jeune Roi dans son nouveau
château, fut « conçue, faite, apprise et représentée en quinze jours ».
Molière avait raison de le dire dans son avertissement : « Jamais entreprise au théâtre ne fut si précipitée que celle-ci. »

Il n'eût pu le dire quelques années plus tard. Car il dut travailler encore
plus vite. L'*Impromptu* ne prit pas plus de huit jours : il est vrai que ce
n'était qu'un acte. La *Princesse d'Élide*, commencée en vers, dut être
achevée en prose et certaines scènes ne furent qu'esquissées, tant le
poète fut pressé d'obéir au commandement du monarque. L'*Amour*
médecin battit les records : « Ce n'est ici qu'un simple crayon, écrit
Molière, un petit impromptu, dont le Roi a voulu se faire un divertisse-

ment. Il est le plus précipité de tous ceux que Sa Majesté m'ait command-
dés. Et lorsque je dirai qu'il a été proposé, fait, appris et représenté en
cinq jours, je ne dirai que ce qui est vrai. » *Mélicerte* devait comporter
trois ou cinq actes : elle en resta à deux, faute de temps pour l'achever
au moment voulu. *Pourceaugnac* fut composé à Chambord même, à la
veille de la représentation, au milieu des occupations que commandait
au poète sa présence auprès du monarque, en quinze jours à peine. Pour
le *Bourgeois gentilhomme*, ce furent au moins les répétitions qui souf-
frirent de la presse habituelle : la pièce, à Chambord encore, dut être
montée en une dizaine de jours. *Psyché* faillit avoir le sort de la *Princesse
d'Élide* : la plume de Corneille acheva le travail que Molière n'eut pas
le temps de mener à terme. La *Comtesse d'Escarbagnas* fut encore écrite
en hâte. Ainsi une dizaine de pièces au moins, sur trente et une, subirent
la contrainte d'une échéance trop proche imposée par la vie de la Cour.

Il faut y joindre *Don Juan*, qui fut quasi improvisé dans l'hiver de
1664 pour remédier à la détresse de la troupe, désemparée par l'interdiction de *Tartuffe*. Pour la première fois, Molière se permit d'utiliser
la prose au lieu du vers dans une comédie en cinq actes. Il ne l'avait fait
que partiellement dans la *Princesse d'Élide*. Les mêmes raisons qui l'y
avaient contraint au printemps se firent encore plus impérieuses l'hiver
suivant.

La liberté créatrice de Molière fut-elle gravement gênée par cette
précipitation ? Nulle part il ne s'en exprime avec amertume, ni même ne
s'en plaint. C'est une situation qu'il constate et à laquelle il s'accommode,
comme à bien d'autres servitudes de son métier. Dans l'*Impromptu*,
Mlle Béjart lui rappelle qu'il a sa réputation à ménager et qu'il la commet
dans des entreprises hâtives; Mlle de Brie lui conseille de demander
un délai. Voici sa réponse, combien sereine! « Mon Dieu, Mademoiselle,
les Rois n'aiment rien tant qu'une prompte obéissance et ne se plaisent
point du tout à trouver des obstacles. Les choses ne sont bonnes que dans
le temps qu'ils les souhaitent, et leur en vouloir reculer le divertissement
est en ôter pour eux toute la grâce. Ils veulent des plaisirs qui ne se
fassent point attendre et les moins préparés leur sont toujours les plus
agréables. Nous ne devons jamais nous regarder dans ce qu'ils désirent de
nous, nous ne sommes que pour leur plaire; et lorsqu'ils nous ordonnent
quelque chose, c'est à nous à profiter vite de l'envie où ils sont. Il vaut
mieux s'acquitter mal de ce qu'ils nous demandent que de ne s'en acquitter pas assez tôt; et si l'on a la honte de n'avoir pas bien réussi, on a
toujours la gloire d'avoir obéi vite à leurs commandements. »

Il ne crut même pas indigne de son génie de travailler sur des sujets imposés. La Grange ne le cache pas et Molière s'en vante. Sur la quinzaine de pièces qu'il écrivit en réponse à une sollicitation princière, deux au moins comportaient au départ une prescription de ce genre : les *Amants magnifiques* et *Psyché*, peut-être aussi le *Bourgeois gentilhomme*. C'est Louis XIV lui-même, nous dit le poète, qui choisit pour sujet du divertissement qu'il voulait donner à la Cour en 1670 « deux princes rivaux qui, dans le champêtre séjour de la vallée de Tempé, où l'on doit célébrer la fête des Jeux Pythiens, régalent à l'envi une jeune princesse et sa mère de toutes les galanteries dont ils se peuvent aviser ». A vrai dire, l'invention est médiocre : elle combine, autour d'une banale rivalité, l'évocation des jeux qui sont le prétexte de la *Princesse d'Élide* et celle de la vallée de Tempé qui se trouve dans *Mélicerte*. Pour *Psyché*, l'astreinte fut d'un ordre différent : la commande en aurait été faite pour utiliser un matériel décoratif qui avait servi en 1662 pour l'enfer d'un *Hercule amoureux* et dont on avait gardé un souvenir enthousiaste; c'était donner à l'auteur son décor terminal, qui conditionnait en grande partie l'action. Enfin, pour *Jourdain*, Molière aurait reçu de Colbert l'ordre de rabaisser l'orgueil d'un ambassadeur de la Sublime Porte en montant une « turquerie » dérisoire. Mais cette dernière anecdote est peu sûre.

Les grandes comédies de Molière en revanche ont été conçues en toute liberté, préparées longuement et livrées au public quand elles ont été jugées prêtes. C'est le cas du *Misanthrope*, avons-nous dit, la plus travaillée de toutes. A en croire Brossette, un acte en fut lu devant Boileau deux ans avant la représentation. Dans l'hiver de 1664, Molière préféra crayonner hâtivement *Don Juan* plutôt que de presser le destin de son *Atrabilaire amoureux*. L'*Avare* de même reçut des soins prolongés : il semble que cette comédie fut mise en chantier à la fin de 1667, peu après *Amphitryon* (elle s'inspire elle aussi de Plaute); elle ne fut présentée au public qu'en septembre 1668, au bout d'un an de travail. Si l'on suit de Visé, assurément bien informé, les *Femmes savantes* seraient de toutes les pièces du poète la plus lentement méditée : dans le *Mercure galant* du 12 mars 1672, le chroniqueur affirme qu'il y a « tantôt quatre ans » que cette comédie a pris naissance. La conception en remonterait donc à 1668, immédiatement après l'achèvement de l'*Avare* : six ouvrages de moindre dignité, de *Pourceaugnac* à *Scapin*, furent produits dans l'intervalle. En 1670, Molière prit un privilège pour l'impression; en mars 1672, vint enfin la création.

Mais que sont ces quelques pièces à côté des autres? Même en leur ajoutant *Tartuffe*, qui connut maint avatar, *Don Garcie*, qui fut aussi soigneusement préparé, et enfin l'*Étourdi* et le *Dépit*, dont il n'y a pas lieu de penser qu'ils subirent de contrainte temporelle, il reste plus de vingt pièces qui furent composées à Paris par un comédien surmené, obligé de compter avec les mois, les semaines et même les jours, assujetti à vingt besognes, tiraillé par cent soucis, ne disposant jamais du moindre loisir, travaillant toujours plus ou moins dans l'improvisation que commandait sa condition.

★

Cependant il serait imprudent de croire que lorsque Molière entreprenait de composer une pièce, il se mettait à un travail totalement nouveau. Le cas typique est celui de son *Impromptu*. A bien parler, un impromptu est un ouvrage fait sur l'heure : Mascarille révèle son insuffisance quand il est obligé de remettre la composition du sien et promet de le faire « à loisir ». Or les ennemis de Molière ne manquèrent pas de lui reprocher d'avoir lui aussi donné au Roi, à Versailles, un « impromptu fait à loisir ». Le poète n'avait pas caché que des parties de sa comédie remontaient assez loin. Il le dit à plusieurs reprises dans la première scène, soit par la bouche de Mlle Béjart, soit par la sienne : il pensait depuis un certain temps à cette Comédie des comédiens dont il donne des bribes, mais il n'avait pas cru devoir en pousser l'exécution; il s'en sert maintenant comme d'un morceau de choix pour étoffer son *Impromptu*. L'auteur de la *Vengeance des marquis* précise que ces caricatures de comédiens ont déjà été produites en public : Molière, depuis deux ans, en a « payé son écot » chez les gens de qualité qui lui font l'honneur de le recevoir. Montfleury, dans l'*Impromptu de l'Hôtel de Condé*, fait même remonter à trois années le début de ces productions satiriques.

Ce qu'il faut retenir, c'est le procédé de Molière : il compose des pièces nouvelles en utilisant un acquis dont une grande part remonte aux loisirs dont il jouissait à la fin de son séjour en province. L'*Impromptu de Versailles* recueille les débris d'une *Comédie des comédiens* qui n'a pas vu le jour; le *Médecin malgré lui* reprend la farce du *Fagotier*; *George Dandin* est une amplification de la *Jalousie du Barbouillé*. Dans le dernier cas, l'auteur se contente de faire jouer trois fois le mécanisme qui dans la pièce primitive ne jouait qu'une fois : c'est ainsi qu'il transforme une farce en un acte en comédie en trois actes. Dans le cas précédent, il use non de la répétition, mais de la contamination : le *Médecin malgré lui* reçoit à peu près un acte du *Fagotier* et en prend deux à deux autres farces. Le *Bourgeois* doit avoir été broché de la même façon : c'est un ouvrage fait de *sketches* mal cousus l'un à l'autre; l'intrigue ne se dessine qu'au troisième acte; plusieurs scènes grotesques furent probablement écrites bien avant d'être nouées dans la comédie jouée à Chambord.

Molière use aussi, pour faciliter sa tâche, d'un procédé qu'on pourrait nommer la *variation*. Ce sont bien des variations qu'il joue sur le thème du dépit amoureux. Il emprunte ce thème à une ode d'Horace, dont il fait une adaptation au troisième intermède des *Amants magnifiques*, organisée sur trois moments : l'évocation de l'accord qui naguère unissait les amants, la querelle des infidèles, les délices de la réconciliation.

Le thème est largement développé dans le *Dépit amoureux* : deux amants sont séparés par une intrigue dont ils ne portent pas la responsabilité; chacun décide de quitter l'autre; mais leurs résolutions sont fragiles. Leurs serviteurs, dont le couple double celui des maîtres, passent par les mêmes sentiments. Ainsi s'engage la scène du dépit. Elle commence comme une querelle; les amants se rendent mutuellement les cadeaux qu'ils se sont faits; appuyés par leurs serviteurs, ils se disent adieu, non sans indécision; ils ne sont pas sans regrets; ils en viennent aux reproches; subitement vient la réconciliation. Les serviteurs sont furieux de ce retournement; plus fermes, ils rompent à leur tour; mais le ridicule de leur démarche amène une détente; leur réconciliation renouvelle celle des maîtres.

Le thème revient dans *Tartuffe*, concentré sur une scène et débarrassé de la doublure comique. Les moments sont les mêmes : de la disposition psychologique des amants naît le malentendu; la querelle s'ensuit; les reproches se croisent; les résolutions se forment; l'hésitation survient; la servante s'en sert pour faire surgir l'explication; d'où elle tire la réconciliation. Le revirement ici est plus naturel, puisqu'il provient d'un agent extérieur et non d'un mouvement psychologique quasi gratuit.

Le *Bourgeois gentilhomme* donne une dernière épreuve de la scène. Les faits y tiennent plus de place que les sentiments. Comme dans le *Dépit*, le mouvement est stylisé : on aboutit presque à des évolutions de ballet. Comme dans le *Dépit* encore, le comique est assuré par la présence d'un couple de valets doublant celui des maîtres; cependant le mélange des deux intérêts est mieux assuré et le ton moins contrasté.

Une dernière épreuve? Voire. N'est-ce pas encore une scène de dépit que jouent Alcmène et Jupiter à l'acte II d'*Amphitryon*? Plus libre, il est vrai, dans son déroulement, moins conventionnelle, elle ne nous offre que quelques moments du thème. Jupiter n'est point fâché : aucun dépit en lui. Le dépit n'est que chez Alcmène. Il plaide sa cause, elle résiste, elle querelle, il se fait plus subtil, il est prêt à mourir, elle s'attendrit, la faiblesse la mène au pardon. Et le thème apparaît encore, amorcé tout au moins, dans les *Fâcheux*. On n'en finirait pas d'en dénombrer les reprises.

Peut-on parler de *variation* pour les *Femmes savantes* reprenant le thème des *Précieuses*? Ce serait plutôt une *amplification*. Le sujet est le même, mais le tableau est autre. Autour de Chrysale, on trouve toute une famille, à peine esquissée chez Gorgibus. De Gorgibus à Chrysale, de Marotte à Martine, de Magdelon à Armande, de Mascarille à Trissotin, de Jodelet à Vadius, de La Grange à Clitandre, la différence éclate. Philaminte n'a pas de répondant dans les *Précieuses*, ni Bélise, ni Henriette. L'observation s'élargit, la comédie de mœurs s'épanouit sur la farce, l'architecture devient complexe.

Molière, dans la composition de ses œuvres, use parfois de procédés plus élémentaires : il n'hésite pas à se répéter purement et simplement. Dans les *Fourberies*, à l'acte Ier, scène IV, il a joué le jeu du père qui prétend déshériter son fils si ce fils résiste à ses volontés, et du valet qui soutient au père qu'il n'aura pas le courage de commettre cette mauvaise action. Dans le *Malade imaginaire*, à l'acte Ier, scène V, le même jeu est repris, avec à peu près le même texte : les paroles d'Argante deviennent celles d'Argan; celles de Scapin passent dans la bouche de Toinette. La seule différence, c'est qu'Argante menaçait son fils Octave de le déshériter, quand Argan menace sa fille Angélique de la mettre au couvent. C'est un procédé hérité de la *commedia dell'arte*, sur lequel Scaramouche et ses camarades fondaient une part de leur improvisation.

Quand *Don Garcie* quitta définitivement le répertoire, son auteur n'hésita pas à en extraire des passages pour les insérer dans de nouvelles comédies, dans le *Misanthrope* surtout, mais aussi dans *Tartuffe*, *Amphitryon*, les *Femmes savantes*. Il est évident d'autre part que maint trait du caractère et de la situation d'Alceste sont préparés par des traits correspondants du personnage de Don Garcie. Huit vers de *Psyché* sont repris à peu près textuellement du sonnet adressé à La Mothe Le Vayer pour la mort de son fils.

Molière ne limitait pas ses pillages à ses propres ouvrages : « Je prends mon bien où je le trouve », aurait-il dit. Il a pris à Cyrano la scène de la galère; il a fait des emprunts à Rotrou; il a cueilli chez Corneille des vers tragiques dont il a fait un usage comique. Les *sourciers* n'ont pas manqué de déceler de multiples origines aux intrigues et aux personnages qu'il a agencés. Si l'on met à part ses deux premières comédies, l'*Étourdi* et le *Dépit*, œuvres de débutant, et *Don Juan*, qui répondit à une nécessité particulière, on doit reconnaître que les sources dénombrées sont aussi peu importantes qu'elles sont fréquentes. Molière improvise et, dans l'improvisation, se sert de tout ce que lui fournit son expérience d'écrivain, donc ses propres œuvres, et aussi bien de tout ce que lui fournit son expérience d'acteur, donc les nombreuses pièces qu'il a jouées; ce bagage est grossi par ce que lui apporte son ample culture. Mais il n'est pas homme à chercher longtemps des matériaux dans un livre : le loisir lui manque pour des enquêtes naturelles à un Corneille, à un Racine ou à un Musset. Sa mémoire, une mémoire d'acteur, voilà ce qui lui permet de composer assez vite pour satisfaire les exigences du Roi ou du public. Il prend son bien partout : de tout il fait *son bien*.

★

Non seulement il le prend, mais on le lui apporte. Toute œuvre comique naît dans la collaboration du public et du poète. Elle suppose au moins une complicité que ne demandent ni le drame ni la tragédie. Cela s'applique plus particulièrement à Molière qu'à tout autre. On le sait par la *Critique*. Molière, dans sa préface à l'*École des femmes*, explique comment il a composé la petite comédie : « L'idée de ce dialogue, dit-il, me vint après les deux ou trois premières représentations de ma pièce [l'*École*]. Je la dis, cette idée, dans une maison où je me trouvai un soir et d'abord une personne de qualité dont l'esprit est assez connu dans le monde et qui me fait l'honneur de m'aimer, trouva le projet assez à son gré, non seulement pour me solliciter d'y mettre la main, mais encore pour l'y mettre lui-même, et je fus étonné que deux jours après, il me montra toute l'affaire exécutée, d'une manière, à la vérité, beaucoup plus galante et spirituelle que je ne puis faire, mais où je trouvai des choses trop avantageuses pour moi, et j'eus peur que si je produisais cet ouvrage sur notre théâtre, on ne m'accusât d'abord d'avoir mendié les louanges qu'on m'y donnait. » Ainsi ce projet de collaboration échoua. Peut-être le poète était-il d'ailleurs moins satisfait qu'il ne l'avance de ce qui lui avait été proposé et fut-il gêné pour le remanier à sa guise. Bientôt il reprit l'affaire à son début, sans tenir compte de ce qu'avait écrit son collaborateur bénévole (l'abbé Du Buisson, d'après de Visé), et il composa la *Critique*.

Si donc il ne fut jamais gratifié de scènes prêtes à entrer dans ses comédies, du moins on lui apporta en abondance des matériaux à mettre en œuvre. Cela commença au lendemain des *Précieuses*, dès le début de sa carrière parisienne, dès que le succès se dessina. Ceux qu'il avait raillés se plurent à donner eux-mêmes à leur railleur « des mémoires de tout ce qui se passait dans le monde et des portraits de leurs propres défauts et de ceux de leurs meilleurs amis, croyant qu'il y avait de la gloire pour eux que l'on reconnût leurs impertinences dans ses ouvrages et que l'on dît même qu'il avait voulu parler d'eux ». C'est de Visé qui nous renseigne ainsi, dans ses *Nouvelles nouvelles*, sur ces curieuses conséquences de la vanité mondaine. Bientôt le mouvement s'amplifia. Après *Sganarelle*, les mémoires parvinrent plus abondants que jamais entre les mains de Molière. « Je le vis bien embarrassé un soir après la comédie, dit encore de Visé, qui cherchait partout des tablettes pour écrire ce que lui disaient plusieurs personnes de condition dont il était environné... Ces Messieurs lui donnent souvent à dîner, pour avoir le temps de l'instruire en dînant de tout ce qu'ils veulent lui faire mettre dans ses pièces. » On lui apportait quelquefois un simple vers, un demi-vers, un mot, une poésie et on ne manquait pas de se rendre au théâtre pour voir l'usage qu'il avait fait de ce concours, quelque minime qu'il fût. Après l'*École des maris*, ce fut, dit de Visé, une telle profusion de mémoires « que, de ceux qui lui restaient et de ceux qu'il recevait tous les jours, il en aurait eu de quoi travailler toute sa vie, s'il ne se fût avisé, pour satisfaire les gens de qualité et pour les railler autant qu'ils le souhaitaient, de faire une pièce où il put mettre quantité de leurs portraits ». C'est ce qui nous valut les *Fâcheux*.

Sans doute ne faut-il pas prendre au pied de la lettre le récit de Donneau de Visé. Le nouvelliste reconnaît d'ailleurs à Molière le mérite d'avoir choisi dans ce fatras, d'en avoir tiré ce qui convenait à son dessein, de s'en être servi à propos, de l'avoir mis en forme, et le mérite n'est pas mince. Du moins il est incontestable que la collaboration du public, ainsi nourrie par une émulation de vanité dans les années 1660-1662, permit à Molière de remplir à la hâte et sans peine de copieux dossiers dont il se servit par la suite pour répondre aux exigences de créations précipitées.

A côté de ces collaborateurs anonymes, il en est un que son rang n'a pas laissé inconnu : c'est le Roi. Non seulement il fournit à Molière le sujet des *Amants magnifiques*, mais il lui donna l'idée d'une scène des *Fâcheux* : le poète le proclame avec fierté dans sa dédicace. Le *Menagiana* précise que ce Fâcheux surnuméraire, qui prit place dans la galerie après la première représentation, était le Chasseur et que le modèle désigné par le monarque était un gentilhomme qui devint plus tard le Grand Veneur, M. de Soyecourt. Grimarest va jusqu'à prétendre que Molière, n'entendant rien à l'art cynégétique, s'est fait dicter la scène par un expert.

*

Molière a-t-il été aidé plus directement? Corneille acheva *Psyché* et Quinault fut chargé de la composition des paroles chantées, Lully intervenant en quatrième comme auteur de la plainte en italien au premier intermède. Ce dernier prêta sans doute sa plume à son ami à d'autres reprises, dans les mêmes circonstances : ce ne fut jamais que pour des brouilles. Le chevalier d'Arvieux aida Molière dans la mise sur pied de la cérémonie turque du *Bourgeois* : on peut supposer que dans des cas semblables d'autres compétences furent appelées à concourir aux entreprises du poète. Tout cela n'a pas grande importance, ni ne présente de rareté.

Guéret, dans la *Promenade de Saint-Cloud*, en 1669, affirme que « Chapelle est fort utile à Molière et travaille à toutes ses pièces ». Chapelle était un vieil ami du comédien. Leurs relations remontaient aux années 1640. Nous en avons gardé peu de traces, assez cependant pour savoir qu'elles ne furent jamais interrompues. D'autre part, Chapelle était un écrivain de talent, en vers comme en prose, aussi bien qu'un homme d'esprit; la relation de son voyage en Languedoc, fait en commun avec Bachaumont, est célèbre. Il pouvait être de bon conseil dans la composition d'une comédie.

Aucun document ne vient pourtant appuyer l'assertion de Guéret. Le *Bolaeana* rapporte que lorsqu'il eut à écrire les *Fâcheux*, Molière, pressé par le temps, demanda secours à son ami. Le chroniqueur ajoute que pas un mot de la scène apportée par Chapelle (c'était celle du pédant Caritidès) ne passa dans la comédie. D'autre part il oppose un démenti formel à l'affirmation de Guéret. On ne peut que laisser la question en suspens, en retenant que Guéret n'est pas un témoin malveillant, mais qu'il a pu recueillir un bruit mal fondé.

On fait état aussi des relations de Boileau et de Molière pour imputer au satirique la paternité de traits utilisés par le comique. Si l'on s'en tient à cette formule générale, on tombe dans le genre de collaboration très vraisemblable que nous avons relaté plus haut, inspirée cependant par un autre motif, l'amitié et non la vanité. Les deux écrivains se sont connus vers 1662, au temps de l'*École des femmes*. Boileau, dans ses *Stances*, prit rang parmi les défenseurs du comique. Il intervint encore plusieurs fois en faveur de son confrère, reprochant aux bigots dans le *Discours au Roi* leurs attaques contre *Tartuffe*, revenant à cette pièce litigieuse dans la *Satire III*, dédiant enfin sa *Satire II* à son ami. Mais quel fut le degré d'intimité de cette amitié? Les thuriféraires de Boileau lui ont attribué tardivement l'inspiration de plusieurs scènes, entre autres une du *Médecin malgré lui*, la dispute de Trissotin et Vadius, le latin macaronique du *Malade imaginaire* et le dessein du *Misanthrope*. C'est lui aussi qui aurait apporté à Molière le sonnet et le madrigal de Cotin, dont est parée la gloire de Trissotin. Il aurait détourné son ami de la farce (ce que contredit l'étude objective d'une œuvre aboutissant au *Malade imaginaire*). Il aurait même corrigé le style cursif du comédien : Brossette avoue pourtant naïvement, se faisant l'écho de Boileau, que « Molière ne pouvait jamais se résoudre à changer ce qu'il avait fait ». Il paraît donc nécessaire de réduire les prétentions d'apologistes intéressés. Molière était trop ancien dans son métier quand il rencontra Boileau, pour recourir aux corrections d'un jeune confrère; même plus tard, il ne dut guère être sensible aux pressions d'un goût dont l'*Art poétique* atteste qu'il répondait imparfaitement au sien; il n'eut pas besoin de l'humeur chagrine de Despréaux pour concevoir son *Misanthrope*, ou, s'il pensa à lui, ce fut pour le traiter comme il traitait marquis et précieuses, en ridicule. Tout au plus admettra-t-on comme possible qu'il n'ait pas négligé telle idée comique, tel trait de caractère, tel propos ridicule que lui fournit au coin d'une table de cabaret son ami Nicolas : il en fit *son bien* comme de tout ce qui était utile à son dessein.

★

La rapidité d'écriture de Molière ne tient pas seulement aux concours divers dont il profite, ou du moins il est d'autres concours que ceux dont il vient d'être parlé : le poète vit dans l'actualité et son œuvre bénéficie de tout un apport de faits, de sentiments et d'idées qui sont le tribut du milieu. C'est un trésor ouvert à toute heure à son observation et dont sa comédie s'enrichit sans effort.

C'est ainsi qu'entrent dans les *Fâcheux* des allusions à des personnalités connues des contemporains, ou du moins du public auquel la pièce était destinée, et qui pour nous sont lettre morte : un marchand de chevaux du nom de Gaveau et son garçon Petit-Jean, un piqueur nommé Drécart. Dès que la comédie sortit du cercle étroit des gentilshommes, ces allusions durent être éclairées par des notes : l'auteur lui-même en sentit la nécessité. C'est le défaut inhérent à tout usage trop précis de l'actualité.

Le poète ne voulut pourtant pas se priver de cette facilité et de cet assaisonnement : les *Précieuses* font de la réclame pour le mercier Perdrigeon; *Pourceaugnac* contient une allusion à un traiteur de Limoges; *Escarbagnas* mentionne le gantier Martial. Naturellement (le cercle s'élargit), les *Femmes savantes* font état de la librairie Barbin : c'est là que le duel de Trissotin et Vadius trouvera sa décision.

L'actualité politique, plus ou moins récente, n'est pas négligée. Dans les *Précieuses*, il est question des campagnes de l'Artois et des Flandres; dans l'*École des maris*, de la naissance du Dauphin et du récent édit sur le luxe des habits et des équipages; dans *George Dandin*, de la levée de l'arrière-ban de Nancy en 1635 et du siège de Montauban en 1621; dans *Tartuffe*, des troubles de la Fronde; dans *Escarbagnas*, de la *Gazette d'Amsterdam* et de ses campagnes antifrançaises. Et nous ne mentionnons que les allusions explicites insérées dans les comédies, sans recourir à celles, plus banales, que contiennent les prologues, dédicaces et éloges divers du monarque et des grands.

L'actualité littéraire ou artistique fournit son contingent. Lully est nommé dans les *Fâcheux*; Lysandre le musicien se targue de son amitié :

> *Baptiste le très-cher*
> *N'a point vu ma courante et je le vais chercher.*
> *Nous avons pour les airs de grandes sympathies*
> *Et je veux le prier d'y faire des parties.*

Corneille est introduit dans la scène 1; un marquis se croit grand expert en lettres :

> *Je sais par quelles lois un ouvrage est parfait,*
> *Et Corneille me vient lire tout ce qu'il fait.*

Les *Femmes savantes* n'oublient pas la référence à Vaugelas. Molière fait un grand honneur à Boileau en plaçant dans ses traits satiriques le critère de l'importance poétique : si Vadius est fier d'être à peu près épargné, Trissotin se glorifie d'être attaqué à coups redoublés. La petite Louison, dans le *Malade imaginaire*, propose à son papa de lui réciter la fable du *Corbeau et du Renard*, qu'on vient de lui apprendre. Faut-il mentionner encore des ouvrages plus anciens, dont le souvenir restait vivant, comme les *Quatrains* de Pibrac et les *Tablettes* du conseiller Mathieu, allégués par Sganarelle; ou le *Cuisinier français* de La Varenne, dont Dorante, dans la *Critique*, attesta la valeur... théorique?

N'oublions pas enfin l'actualité médicale : *Don Juan* fait état des discussions sur le vin émétique; l'*Amour médecin* chante le triomphe de l'orviétan; le *Malade imaginaire* multiplie les allusions aux débats en cours dans les milieux scientifiques.

Et souvent ces références à la vie du temps s'inscrivent dans un contexte qui les localise. La particularité du lieu ajoute sa précision à celle du personnage ou du moment. Ici, c'est le Paris crotté de 1660 qui revit; là, ses monuments; ailleurs, ses hôtels ou auberges; ailleurs, la foire Saint-Laurent, le Louvre, les Tuileries, le Luxembourg, les boutiques du Palais, la promenade au Mail, les occupations mondaines, etc. L'observation du poète, si elle affectionne la réalité morale, ne dédaigne point le concret.

Dira-t-on que les grandes comédies de Molière n'ont pas été saupoudrées de cet assaisonnement? Ce ne serait exact que du *Misanthrope* et de l'*Avare* : *Tartuffe*, les *Femmes savantes*, *Don Juan* n'y échappent pas plus que les *Fâcheux*, *Dandin* et *Escarbagnas*. Molière n'est pas un poète de cabinet : il se situe dans le siècle. Son activité de comédien, quelque astreignante qu'elle soit, ne l'abstrait pas de la vie commune : au contraire, il lui faut, pour garder l'oreille du public, vivre avec lui et un peu comme lui, épouser jusqu'à un certain point ses idées, ses manies même et ses préoccupations. Il ne dédaigne pas de composer un couplet de chanson pour la duchesse de Savoie. Il participe à la querelle des peintres, qui oppose Mignard et Le Brun, avec un poème sur la *Gloire du Val-de-Grâce*. Il écrit deux quatrains au bas d'une estampe de François Chauveau pour la confrérie de l'Esclavage de Notre-Dame de la Charité. Il célèbre par un sonnet la conquête de la Franche-Comté. Il aligne des bouts-rimés sur le bel air; il s'amuse à un air de ballet. Ce sont des babioles à côté de la masse de ses comédies; mais elles attestent les relations qu'il entretint avec des milieux divers, utiles à la fortune de son théâtre et nourrissant ce sens de l'actuel d'où il tire en partie sa facilité de composition.

D'ailleurs ses comédies elles-mêmes ne se laissent pas facilement détacher de l'actualité. Les *Précieuses* et les *Femmes savantes*, *Tartuffe*, le *Bourgeois*, *Dandin*, *Don Juan*, autant de pièces qui reposent sur la conscience publique plus que sur la pensée individuelle du poète. Croira-t-on que c'est par conviction que Molière, débutant au Petit-Bourbon, raille le mouvement précieux? Le prendrait-on pour un Don Quichotte? Il profite d'une conjoncture où il trouve l'intérêt de sa compagnie. S'il reprend ce sujet treize ans plus tard, c'est que le public prend encore ou de nouveau un vif intérêt au débat sur la préciosité. S'il se lance avec courage dans l'entreprise de *Tartuffe*, ce n'est pas davantage pour satisfaire un secret dessein d'irréligion ou de libertinage. Est-ce le Roi qui lui laisse entendre qu'un poète comique peut sur ce point servir sa politique, gênée par l'action indiscrète des confréries? Le comprend-il de lui-même? En tout cas, il ne se hasarderait pas s'il n'avait senti dans une partie de l'opinion un sentiment qui l'autorise à faire rire de l'entêtement imbécile d'un Orgon. Jourdain monte sur la scène quand se répand l'ambition nobiliaire de la bourgeoisie; Dandin, quand les alliances des parvenus et des filles nobles sont ressenties comme absurdes; Don Juan, lorsque l'impiété gagne chez les grands. Si la plus grande partie des pièces de Molière échappent à cette localisation temporelle, il n'en est guère qui, par une scène ou un trait, ne se situent dans un moment précis de l'évolution des mœurs et des idées, donc ne participent au devenir de la conscience collective.

*

Aux documents que des collaborateurs bénévoles lui apportèrent en masse dès que les *Précieuses* l'eurent mis en vedette, Molière ajouta tous ceux que lui fournit son talent d'observateur. On sait l'attitude que lui prête de Visé dans *Zélinde* : il se tient silencieux dans la boutique d'un marchand de frivolités; il a l'air de rêver; mais il a les yeux « collés sur trois ou quatre personnes de qualité qui marchandent des dentelles »; il écoute leurs propos; il regarde « jusqu'au fond des âmes pour y voir ce qu'elles ne disent pas »; il note sur ses tablettes leurs paroles les plus remarquables. « C'est un dangereux personnage, ajoute Argimont : il y en a qui ne vont point sans leurs mains; mais l'on peut dire qu'il ne va point sans ses yeux ni sans ses oreilles. »

La Grange, sans figure, confirme de Visé : « Molière observait les manières et les mœurs de tout le monde, écrit-il; il trouvait moyen ensuite d'en faire des applications admirables dans ses comédies, où l'on peut dire qu'il a joué tout le monde... » Ainsi, soit parce qu'il était nourri par l'observation quotidienne, soit parce qu'il profitait d'une information bénévole, le théâtre de Molière s'appuyait sur la contribution constante du public. Le public s'offrait au poète pour que celui-ci lui rendît sa réalité morale et sociale transposée dans le registre comique.

Cette transposition était parfois simplifiée : l'élaboration à laquelle procédait le poète pouvait être assez élémentaire pour que la réalité sur laquelle elle agissait se retrouvât sans ambiguïté sur la scène. Les contemporains l'ont remarqué, tantôt pour faire reproche à Molière de son indiscrétion, tantôt pour admirer la perfection de son imitation.

La critique a longuement discuté cette question. On a remarqué que les *personnalités* sont rares dans le théâtre de Molière, et, pour la plupart, tardives. On met en avant les Précieuses de 1659, le Chasseur des

Fâcheux, les Médecins de l'*Amour médecin*, Trissotin et Vadius en 1672 surtout. On peut joindre à cette liste deux ou trois noms, non sans réserves : le Maître de philosophie dans le *Bourgeois*, Mademoiselle et la duchesse de Nemours pour les *Femmes savantes*. Il est exact que ces *personnalités* deviennent un peu plus nombreuses en 1670-1672 : en déduira-t-on qu'à cette date l'esprit du poète tourne à la satire? Ce serait oublier la farce des *Précieuses* en 1659. En tout cas, la liste est courte : aucun document n'a permis de l'allonger. Et pourtant l'auteur de la *Guerre comique*, en 1664, reconnaît déjà dans l'œuvre de Molière « vingt personnes si bien tirées que leurs portraits *lui* ont paru inimitables ». Exagère-t-il? Ou bien n'est-il resté aucune trace des *clefs* dont s'égayait la commune curiosité? On serait tenté de penser qu'en effet le caractère anecdotique de la comédie moliéresque a frappé les contemporains, apportant à l'auteur le renfort d'un relent de scandale, et que ce relent a rapidement disparu et est totalement évaporé aujourd'hui. Nous allons nous en rendre compte en examinant de plus près ces *personnalités*.

Il paraît indéniable que Mlle de Scudéry est visée par les *Précieuses* : c'est le catéchisme tiré du *Grand Cyrus* et de *Clélie* que récite Magdelon; c'est à la carte de Tendre que Cathos renvoie son oncle; et Marotte souligne les lectures favorites de ses maîtresses. Si les autres allusions sont plus vagues, celles-là ne sont pas équivoques.

Du Chasseur des *Fâcheux* en revanche, nous ne savons que ce que nous donne le texte. Nous passons ici de la chronique des lettres à celle du monde et la première affectionne par nature la forme écrite, quand la seconde use surtout de la conversation. Mais on ne peut douter que M. de Soyecourt n'ait été reconnu sous le personnage de Dorante. A quels traits? Nous ne saurions le dire. Peut-être en est-il de même de maint Fâcheux. Ainsi s'expliquerait le propos de Ph. de la Croix dans la *Guerre comique*.

La chronique de la vie médicale a été moins discrète que celle de la vie mondaine. Guy Patin (un médecin), Gabriel Guéret, puis les premiers commentateurs de Molière, Boileau déjà par la bouche de Brossette, nous ont répété que le public n'a pas hésité à reconnaître sous l'habit des docteurs appelés au secours de la fille de Sganarelle dans l'*Amour médecin*, des médecins en place en 1665 et même les cinq « premiers médecins » du temps. Ils s'appelaient Des Fougerais, Esprit, Guénaut, d'Aquin et peut-être Yvelin. Le premier était le grand consultant d'alors; le deuxième, le médecin de Monsieur; le troisième, celui de la Reine; le quatrième, un médecin du Roi; le dernier, celui de Madame. Pour qu'on ne s'y trompât pas, Molière aurait fait jouer les rôles de deux ou trois d'entre eux sous des masques confectionnés à dessein, donc ressemblants. Des Fougerais boitait : l'acteur à qui fut confié le rôle fut le boiteux Béjart. Les noms attribués aux médecins dans la comédie auraient été autant d'indications peu équivoques : Des Fougerais reçut le nom de Des Fonandrès, le tueur d'hommes; Esprit fut baptisé Bahis, l'aboyeur, parce qu'il était affligé d'une élocution irrégulière; Guénaut, qui parlait lentement, s'appela Macroton; d'Aquin répondit au nom de Tomès, le saigneur.

Ces identifications ne remontent pas toutes à 1665 : certaines sont trop tardives pour ne pas laisser quelque doute. On peut contester aussi la valeur des étymologies. On a même voulu rejeter le témoignage de Guy Patin au sujet des masques, comme trop invraisemblable (au gré d'une critique qui ne peut se défaire du préjugé de la vraisemblance au théâtre) : à tort, un document récemment mis au jour par A. Adam confirme le fait. Il appuie aussi l'identification de Des Fougerais, d'Esprit et de Guénaut, tout en laissant dans l'obscurité, comme Guy Patin, l'identité de Tomès (Molière aurait-il voulu épargner le médecin du Roi?). Peu nous importe : ce qui compte aujourd'hui, c'est que le poète a proposé à la malignité de ses contemporains quatre ou cinq portraits pour la plupart transparents et cruels.

Le Maître de philosophie de Jourdain entre-t-il dans le même cadre? Selon Grimarest, Molière aurait désiré se procurer un vieux chapeau de son ami Rohault, un physicien-philosophe, pour en coiffer ce personnage. Est-ce à dire que l'on vit Rohault dans le colérique lecteur de Sénèque? Le poète y mit probablement moins de malice.

En revanche, il assouvit de singulières rancunes, et qui restent mal expliquées, quand il crayonna les portraits de Trissotin et de Vadius. Deux jours avant la première, il prit la précaution de désavouer, dans une harangue faite sur le théâtre, toute identification. C'était plutôt provoquer le scandale que l'arrêter. Trissotin, qui s'est peut-être appelé d'abord Tricotin, Trissotin le triple sot, représente sans nul doute Cotin. Il produit devant Philaminte un sonnet et un madrigal qui, sauf deux légères erreurs de transcription, sont textuellement extraits des *Œuvres galantes* de l'abbé. La chronique prétent que l'acteur chargé du rôle parut vêtu d'un habit ayant appartenu à la victime, que l'on s'était procuré par subterfuge. Le savant académicien, le prédicateur en renom se vit ainsi affreusement caricaturé. Sans doute portait-il la peine des démêlés littéraires qui l'avaient opposé à Boileau et, incidemment, à Molière. Le traitement dont il souffrit était pourtant immérité. Il confine à la diffamation. Mais quel poète comique se laisse arrêter par de telles considérations? Cotin n'eut pas la force de protester. Dix ans plus tard, il mourut dans l'obscurité.

De son côté, l'érudit et le précieux Ménage se vit travesti en Vadius. La dispute qui, dans la pièce, met aux prises les deux beaux esprits aurait eu pour modèle une querelle qui aurait réellement opposé Cotin et Ménage chez Mademoiselle, à moins que ce ne fût Gilles Boileau et Cotin chez Gilles Boileau. Ménage, moins maltraité que son confrère, s'appuya sur le désaveu de Molière pour faire semblant de ne pas se reconnaître. C'était habile, mais personne n'y fut trompé et la postérité, malgré les réparations venues des érudits, voit encore Ménage sous les traits de Vadius et Cotin sous ceux de Trissotin.

On veut aussi reconnaître Mademoiselle dans la princesse qui, à l'acte III des *Femmes savantes*, est présentée comme ayant estimé le sonnet ridicule de Trissotin. Quant à la princesse Uranie, que le même poète invite à noyer sa fièvre, on savait dans le monde que c'était la duchesse de Nemours : l'identification cette fois n'était pas imputable à Molière, mais il lui redonnait vie.

Le poète n'hésitait donc pas à s'en prendre aux autres, à les produire tout vivants sur la scène comique. Comment s'en serait-il fait scrupule? Il ne s'épargna pas plus qu'autrui. Reprenons le texte de La Grange que nous citions plus haut : « ...on peut dire qu'il a joué tout le monde, puisqu'il s'est joué le premier en plusieurs endroits sur des affaires de sa famille et qui regardaient ce qui se passait dans son domestique. C'est ce que ses plus particuliers amis ont remarqué bien des fois. » Chalussay parle un peu différemment : Molière aurait annoncé depuis longtemps, en particulier et en public, « qu'il s'allait jouer lui-même »; mais il aurait renoncé à ce dessein et effacé le tableau préparé; c'est pour cette raison que Chalussay produit sa satire.

Qu'a voulu dire La Grange? Que le poète a fait entrer sa toux dans le rôle d'Harpagon au point d'en faire un motif de la scène v de l'acte II? Le propos semble bien suggérer autre chose que ce détail connu de tous et non réservé à l'observation des seuls amis intimes de Molière. On ne retiendra pas non plus l'apparition du comédien sous son propre nom dans la petite scène d'excuses par laquelle il préluda à la représentation des *Fâcheux* à Vaux, ni celle qui occupe tout l'*Impromptu* : sans doute c'est « se jouer soi-même », mais dans ses occupations professionnelles et non « sur des affaires de sa famille »; le dessein d'ailleurs n'en était pas original. Molière se mentionne lui-même, par l'intermédiaire d'un personnage, à plusieurs reprises; il le fait dans le *Misanthrope*, où Philinte,

devant l'humeur chagrine d'Alceste, rappelle les natures contraires de
Sganarelle et d'Ariste :

> *Et crois voir en nous deux, sous mêmes soins nourris,*
> *Ces deux frères que peint l'École des maris...*

Il le fait dans *Escarbagnas*, où la Comtesse mentionne le ballet de *Psyché*
parmi les distractions dont elle a joui à Paris. Il le fait enfin dans le
Malade imaginaire, où Béralde et Argan discutent longuement de ses
attaques contre la médecine et les médecins et où celui-ci vitupère son
impiété médicale. Cette conjonction de l'homme et de l'acteur n'est pas
sans importance. Moore appelle cela le procédé de l'*antimasque* : c'est
un jeu qui mêle intimement la nature et l'artifice, la réalité et l'illusion
et renforce le prestige dramatique. Mais, encore une fois, La Grange a
certainement entendu quelque chose de plus secret dans le texte ci-dessus
rapporté.

Molière s'est joué sur des affaires de sa famille? On n'a pas manqué de
s'appuyer sur cette énigmatique assertion pour donner consistance aux
ragots répandus par le pamphlet de la *Fameuse comédienne* sur ses
malheurs conjugaux : ce sont les futures infidélités d'Armande qui
seraient évoquées dans l'*École des femmes*; Armande serait visée dans une
demi-douzaine de comédies; il n'est pas un mari trompé dans le théâtre
de Molière qui ne traduise l'angoisse du poète malheureux. Nous avons
dit pourquoi nous ne pouvons suivre la critique dans cette interprétation
subjectiviste. La Grange d'ailleurs semble bien l'écarter en même temps
qu'il l'accrédite : s'il affirme que Molière a introduit sa vie domestique
dans ses tableaux de mœurs, il précise qu'il fallait être de ses intimes
pour s'en apercevoir. C'est désavouer d'un mot les bruits publics sur le
désaccord de Jean-Baptiste et de sa femme.

Pourtant nous ne pouvons repousser la déclaration d'un témoin proche
et bienveillant. Il faut penser sans doute à des scènes comme celle du
Bourgeois gentilhomme où Cléonte et Covielle, dans un duo contradictoire, font le portrait de Lucile : ce serait celui d'Armande. On peut
admettre qu'en d'autres endroits le poète a utilisé les observations qu'il
faisait sur lui-même et les siens au même titre et de la même façon qu'il
usait de celles qu'il faisait sur autrui. Mais il a si subtilement agencé ces
personnalités qu'elles ont échappé à ceux qui n'étaient pas de ses intimes.
Et ceux-ci se sont tus.

*

Le procédé de composition du poète comique rend d'ailleurs difficile la recherche des modèles réels dont il s'est servi pour créer ses personnages. Il faut ici rappeler un texte capital de l'*Impromptu* dont on ne se débarrasse pas en soulignant que c'est la protestation d'un homme épouvanté par les inimitiés que vont lui attirer ses peintures transparentes.

Brécourt rapporte un propos du poète : « Il disait que rien ne lui donnait du déplaisir comme d'être accusé de regarder quelqu'un dans les portraits qu'il fait; que son dessein est de peindre les mœurs sans vouloir toucher aux personnes; et que tous les personnages qu'il représente sont des personnages en l'air et des fantômes proprement qu'il habille à sa fantaisie pour réjouir les spectateurs; qu'il serait bien fâché d'y avoir marqué qui que ce soit; et que si quelque chose était capable de le dégoûter de faire des comédies, c'était les ressemblances qu'on y voulait toujours trouver et dont ses ennemis tâchaient malicieusement d'appuyer la pensée pour lui rendre de mauvais offices auprès de certaines personnes à qui il n'a jamais pensé. Et en effet je trouve qu'il a raison; car pourquoi vouloir, je vous prie, appliquer tous ses gestes et toutes ses paroles et chercher à lui faire des affaires, en disant hautement : Il joue un tel, lorsque ce sont des choses qui peuvent convenir à cent personnes? Comme l'affaire de la comédie est de représenter en général tous les défauts des hommes, et principalement des hommes de notre siècle, il est impossible à Molière de faire aucun caractère qui ne rencontre quelqu'un dans le monde; et s'il faut qu'on l'accuse d'avoir songé toutes les personnes où l'on peut trouver les défauts qu'il peint, il faut sans doute qu'il ne fasse plus de comédies. »

La protestation est assurément intéressée et on voit bien l'usage que le comédien et ses amis vont en faire. Cela n'empêche pas qu'elle ne soit sincère, ni qu'elle ne repose sur une théorie de la composition comique. Sans doute cette théorie n'est pas d'une application constante : il arrive à Molière de *jouer* quelqu'un en particulier. Dans l'*Impromptu* même, il ne cache pas le nom des comédiens dont il fait ses victimes; dans les *Femmes savantes*, le vocable de Trissotin et le recours aux *Œuvres galantes* de l'abbé sont d'une parfaite précision. Mais ce n'est pas ainsi qu'il procède le plus souvent : ordinairement, il use de la réalité morale qu'on lui apporte ou dont il se saisit, avec une liberté telle qu'il s'évade du caractère particulier et rend impossible l'identification du personnage.

Pour y arriver, il emploie les deux procédés classiques de la contamination et de la déformation. L'auteur de la *Guerre comique* remarquait déjà (Molière le laisse entendre dans le texte allégué ci-dessus) que le poète part de plusieurs originaux pour construire un personnage. La chose est trop évidente pour qu'il y ait lieu d'insister. Aucun ridicule ne peut monter sur le théâtre dans sa réalité toute crue. Pour obtenir l'intensité nécessaire au comique, il convient de renforcer la réalité de l'un par celle qu'on emprunte à un autre, à plusieurs autres. De cette *contamination* sort la généralité du caractère.

Le procédé de la *déformation* est plus fondamental. Le cas de Trissotin sur ce point est typique. Il n'y a pas de doute, Molière a voulu que le spectateur pensât à Cotin en particulier, à un être déterminé et à ce seul être. Et pourtant Trissotin n'est pas Cotin : les différences sont nombreuses de l'un à l'autre et leur importance n'est pas mince. Trissotin est jeune, c'est un coureur de dots, il n'a d'autre occupation que la vie mondaine et la poésie : l'abbé Cotin avait alors près de soixante-dix ans; il était de l'Académie; théologien et orateur sacré, il avait acquis une réputation étendue. Molière a isolé dans le personnage historique quelques traits sur lesquels il a construit le personnage comique. Ces traits sont choisis de telle façon que la correspondance est visible de l'un à l'autre. Néanmoins ils sont fort menus dans l'ensemble qui constitue la réalité vivante. Cotin est un être de chair qui s'inscrit lourdement dans l'histoire; Trissotin est un fantôme léger qui habite notre imagination. Cela ne veut pas dire qu'en définitive cette légèreté ne pèse pas plus que cette masse.

Ainsi Molière a usé des *personnalités* pour assaisonner sa peinture et lui donner plus d'attrait. D'autre part, poète comique, il a mêlé inextricablement l'observation des autres (et celle qu'il faisait de lui-même) au produit de son imagination. Il a joué constamment du particulier et du général. La généralité naît de la particularité. Tantôt le poète reste très près de celle-ci, tantôt il s'en éloigne jusqu'à la rendre méconnaissable. Son propos est toujours le même : il est au service du public. Le public lui apporte des sujets, des scènes, des mœurs, des caractères, des ridicules, des traits, et le poète rend au public ce qu'il en reçoit, mais après une nécessaire élaboration, qui est l'élaboration propre au théâtre. Il reçoit du réel et il rend du comique. On ne lui apporte d'ailleurs cette réalité que pour qu'il en fasse l'usage auquel le destine son génie, pour qu'il bâtisse ce monde qui le hante et dont la durée est plus assurée que celle des pauvres hommes qui en ont été le prétexte.

II

AUTEUR ACTEUR

Les règles. — Pièces d'acteur. — La multiplication des personnages. — Les groupes. — Les *sketches*. — La symétrie. — Les *lazzi*. — Le jeu du masque. — Les tableaux. — L'exposition. — Les dénouements. — Le style.

La dépendance dans laquelle se situe le poète à l'égard de son métier ne se marque pas seulement dans l'échange que nous venons de décrire et qui institue un constant va-et-vient entre le public et son amuseur : Molière, quand il aménage une comédie, le fait en comédien, c'est-à-dire en homme ayant l'expérience de la scène, en connaissant les ressources et n'en ignorant pas les contraintes. Nous avons dit la situation toute nouvelle qui lui est ainsi faite, exceptionnelle dans l'histoire du théâtre; nous allons en scruter les conséquences, inscrites dans les caractères dominants de sa technique.

On peut déjà noter qu'il se sépare de ses confrères, les poètes qui ne sont pas des comédiens, dans le domaine de la théorie. Si les idées qu'il exprime, dans la *Critique* surtout, au sujet de la question des règles, ces règles dont les pédants tentent de l'assommer comme ils avaient voulu assommer, vingt-cinq ans plus tôt, le jeune Corneille, si ces idées ne sont pas fondamentalement différentes de celles qu'expose le même Corneille dans ses *Discours*, *Examens* et préfaces, ou Racine, du moins des nuances rappellent que c'est un praticien de la scène qui parle.

C'était un comédien, fier de son art, dédaigneux des explications que l'on prétendait en donner, qui, dans la préface des *Précieuses*, parlait ironiquement de l'étymologie, de l'origine et de la définition de la comédie. En 1662 encore, publiant les *Fâcheux*, il ne se départait guère de ce ton pour écarter l'idée d'examiner s'il avait diverti son public « selon les règles » : « Le temps viendra, ajoutait-il, de faire imprimer mes remarques sur les pièces que j'aurai faites [comme Corneille deux ans auparavant] et je ne désespère pas de faire voir un jour, en grand auteur, que je puis citer Aristote et Horace. En attendant cet examen, qui peut-être ne viendra point, je m'en remets assez aux décisions de la multitude, et je tiens aussi difficile de combattre un ouvrage que le public approuve que d'en défendre un qu'il condamne. » Il prend ses distances; on ne l'entraînera pas facilement sur un terrain qui n'est pas le sien : sa référence est celle de l'acteur et non de l'écrivain, l'applaudissement général et non l'approbation des doctes, le chiffre de la recette et non la conformité à la poétique aristotélicienne.

La bagarre de l'*École des femmes* est pourtant trop sérieuse pour qu'il reste sur cette position facile. Le public, son juge, risque, du moins certains de ses éléments, de laisser corrompre son goût instinctif par les raisonnements des pédants. Molière est ainsi entraîné dans les discussions d'idées par le même souci pratique qui précédemment l'en écartait. Mais il ne va pas se renier : s'il s'est fait auteur, il ne laisse pas oublier qu'il est acteur.

Il reprend l'antienne : le but est de plaire et le succès est la mesure de la valeur. Il le dit et le redit dans la *Critique* et l'*Impromptu*. Sa cause, c'est celle des spectateurs qu'il fait rire. C'est à eux que s'en prennent en réalité les critiques qui lui reprochent des infractions aux règles. En effet, que sont les lois dont des pédants à l'esprit débile évoquent le spectre terrifiant? « Il semble, dit Dorante, que ces règles de l'art soient les plus grands mystères du monde, et cependant ce ne sont que quelques observations aisées que le bon sens a faites sur ce qui peut ôter le plaisir que l'on prend à ces sortes de poèmes; et le même bon sens qui a fait autrefois ces observations, les fait aisément tous les jours, sans le secours d'Horace et d'Aristote. » Voilà la position du comédien : la théorie ne précède pas la pratique; la pratique vient d'abord. Une pièce est jouée et applaudie; une autre échoue : le bon sens aperçoit la différence, ce qui est dans l'une et manque à l'autre; de l'observation naît la règle. La règle ne s'impose pas à l'artiste comme un absolu préalable à la création : elle est la mise en forme du goût régnant. Elle ne peut pas donner tort au public : « Car enfin, si les pièces qui sont selon les règles ne plaisent pas et que celles qui plaisent ne soient pas selon les règles, il faudrait de nécessité que les règles eussent été mal faites. » La conclusion, c'est qu'il faut se laisser « aller de bonne foi aux choses qui nous prennent par les entrailles ». Aucun raisonnement ne détruira notre plaisir.

Les historiens ont beau jeu à opposer à Molière les erreurs du jugement populaire. Peut-être le poète lui-même aurait-il fait des réserves quelques années plus tard devant l'accueil fait au *Misanthrope* par exemple. Nous savons pourtant qu'il s'est toujours incliné devant ces verdicts. Il n'a pas protesté dans une préface contre ce qu'un écrivain purement écrivain eût appelé injustice. Il n'a pas publié *Don Garcie*, pour chercher dans l'imprimé une revanche de l'échec subi et confirmé sur la scène. En lui, jamais le poète n'a pris le pas sur le comédien.

Les règles sont donc l'affaire du critique et non du poète. C'est ici que Molière se sépare de Corneille et de Racine. Tous trois tiennent que le but est de plaire. Mais Corneille se penche avec complaisance sur les moyens de plaire; il étudie Aristote, se débat avec la *Poétique*, la modernise : nul doute qu'il ne croie à la vertu des règles, qu'il n'essaie d'appliquer ces recommandations nées de la réflexion et de l'observation. Racine ne choisit pas une autre position : il conseille à son public de ne pas s'embarrasser des règles; le profane a autre chose à faire; mais le poète doit prendre sur lui « la fatigue d'éclaircir les difficultés de la *Poétique* d'Aristote ». Molière n'a jamais laissé entendre qu'il s'était préoccupé d'appliquer les règles. Sans doute Dorante soutient contre Lysidas que l'*École des femmes* « ne pèche contre aucune des règles »; le poète les a lues et il en parle avec compétence. Mais elles ne sont que les moyens de vérifier le verdict du public, et la vérification est au moins superflue, puisqu'elle ne peut être que positive, s'agissant d'une pièce qui a réussi.

La comédie moliéresque n'est pas une comédie *régulière* : c'est une comédie *disciplinée*. L'astreinte à laquelle elle se soumet n'est pas moins précise; elle ne jouit pas de plus de liberté; mais la discipline qui lui donne sa forme naît sur la scène; ce n'est pas une loi préalable à la composition; ce n'est point une abstraction; elle vise à lier des comédiens dans un espace déterminé, entre des toiles peintes, sous des lumières médiocres, devant un public agité. Elle est tout le contraire d'une *harmonie préétablie* : le jeu l'impose. C'était le cas de la *commedia dell'arte* : c'est celui du théâtre de Molière.

*

Tout critique sait reconnaître une comédie d'acteur. C'est une comédie dominée par le souci de servir l'interprète. L'auteur-acteur se prépare ainsi un double triomphe : il sera applaudi comme écrivain et comme comédien. Les moyens dont il se sert pour obtenir ce résultat sont variés. Il serait oiseux de les énumérer. Il n'est pas inutile en revanche de remarquer que la première comédie de Molière est une comédie d'acteur. Car cette entrée dans la carrière commande à certains égards la production ultérieure du poète.

P. Brisson l'a montré dans une chronique d'il y a vingt ans. Il évoquait Molière « se mettant à sa table pour écrire les premiers vers de l'*Étourdi* ». Que pouvait penser ce comédien qui avait passé la trentaine et venait, à Lyon, dans un milieu italianisant, d'être piqué de l'ambition de fournir lui-même un important spectacle à sa troupe? Il ne savait point ce qui l'attendait : il ne projetait point de parcourir le long chemin qui le mena à la grande comédie. Il ne prétendait point apporter une contribution à la comédie de mœurs ni de caractère. C'était un acteur qui, en acteur, avait envie de « retaper » la pièce d'un autre acteur. L'*Étourdi* est une adaptation de l'*Innavvertito* de Nicolo Barbieri, qui jouait dans la troupe des Gelosi sous le nom de Beltrame; elle est bâtie pour tailler un succès à son principal interprète.

Cet interprète, c'était Molière dans le rôle de Mascarille. « Mascarille mène le jeu, dit Brisson, il n'y a que lui qui compte, il n'y a que lui en scène, et l'intérêt des péripéties se mesure à l'éclat de sa verve. » Les autres personnages manquent de consistance : seul celui-ci a pris forme. Jamais cette suprématie de la vedette ne s'affirmera par la suite à ce point. Ni les vieillards, ni les amoureux, ni l'autre valet ne retiennent l'attention. Le valet de Lélie offusque tout ce qui l'entoure.

La comédie italienne n'a pas cette allure simplifiée : Scapin, Pantalon et Mezzetin y tiennent chacun leur place; Spacca joue un rôle dont Ergaste est privé; Lavinia, dont Molière fait Hippolyte, est mêlée étroitement à l'intrigue; un Capitan occupe la scène à plusieurs reprises (Molière le remplace par le fugace Andrès), etc. Molière a taillé dans une bouffonnerie touffue. On dit que c'est le génie français, le génie classique, qui lui soufflait ces suppressions, cette concentration, ce resserrement. Voire! ne serait-ce pas plus simplement la volonté de se donner un beau rôle? Car c'est un rôle magnifique que celui de Mascarille. L'intrigue est incohérente; l'étourdi qu'annonce le titre n'est pas même un véritable étourdi; son personnage est sans unité; les autres sont des fantoches; aucun souci des mœurs; partout la convention fait concurrence au romanesque; le dénouement est abracadabrant. Mais Mascarille anime tout de sa verve intempérante.

C'est un masque, sorti d'un passé qui remonte à Plaute. Il porte le poids de mainte convention, lui aussi. Mais il ne nous laisse pas respirer. Multipliant ses inventions, les prodiguant jusqu'à les perdre en chemin, exécutant ses tours avec prestesse, étourdissant ses interlocuteurs de son bagout, il avance, de pirouette en pirouette, de tirade en tirade, jamais à court d'idées, jamais avare de bons mots, et il nous entraîne jusqu'au dernier vers, qu'il fait sonner comme un **éclat de fanfare** :

> *... Allons donc; et que les Cieux prospères*
> *Nous donnent des enfants dont nous soyons les pères!*

Sa vivacité, son allégresse enchantaient Victor Hugo, qui y reconnaissait une abondance proche de la sienne. Tous les tons s'y mêlent et tous les vocabulaires : tantôt c'est un précieux qui s'exprime avec distinction, tantôt un bourgeois au verbe sentencieux, tantôt un fils du peuple au parler familier; l'archaïsme, le latinisme, le néologisme, le terme de métier émaillent tour à tour le discours de Mascarille; il va jusqu'à parodier un Suisse et son jargon embarrassé. Il fabrique des métaphores à chaque vers, allie les expressions les plus inattendues... et tout cela est divertissant à l'extrême.

Il prend la parole à tout instant... et il la garde. Il interrompt son maître aussi bien que tout interlocuteur. Il ne peut supporter de ne pas dire son mot quand un autre parle. Et tout à coup il se lance : la tirade commence. Il n'y a rien à faire pour l'arrêter. On ne saurait se faire entendre quand il débite son discours. La phrase s'enchaîne à la phrase, le vers au vers. Vingt, cinquante, cent vers parfois, se succèdent ainsi pressés jusqu'à la conclusion triomphante.

Le voici dans une grande colère, fâché de la stupidité d'un maître qui vient encore de faire échouer ses stratagèmes; il part doucement, il se contient, vite il s'anime, le mouvement s'accélère, il bouillonne, et subitement l'éclat s'éteint dans un vers feutré qui achève la colère dans l'ironie :

> *A vous pouvoir louer selon votre mérite,*
> *Je manque d'éloquence et ma force est petite;*
> *Oui, pour bien étaler cet effort relevé,*
> *Ce bel exploit de guerre à nos yeux achevé,*
> *Ce grand et rare effet d'une imaginative*
> *Qui ne cède en vigueur à personne qui vive,*
> *Ma langue est impuissante, et je voudrais avoir*
> *Celles de tous les gens du plus exquis savoir,*
> *Pour vous dire en beaux vers ou bien en docte prose*
> *Que vous serez toujours, quoi que l'on se propose,*
> *Tout ce que vous avez été durant vos jours,*
> *C'est-à-dire un esprit chaussé tout à rebours,*
> *Une raison malade et toujours en débauche,*
> *Un envers du bon sens, un jugement à gauche,*
> *Un brouillon, une bête, un brusque, un étourdi,*

> *Que sais-je ? un cent fois plus encor que je ne dis;*
> *C'est faire en abrégé votre panégyrique.*

Tel est le premier exploit du poète. Il s'amuse de tout cœur à se faire un rôle à la mesure d'un talent d'acteur exubérant. Par la suite, il n'osera plus affronter une telle prouesse : le premier Mascarille est une figure unique dans son théâtre.

Pourtant, si Molière n'écrit plus de pièce d'acteur, du moins il se sert abondamment du couplet d'acteur. Le procédé est identique, appliqué à une scène. Rappelons à titre d'exemple le brillant monologue de Sosie, répétant le discours qu'il va faire à Alcmène et narrant une bataille à laquelle il n'a pas assisté. Attinger parle à juste titre des « tirades actives » de Molière : ce sont des *tirades d'acteur*, celle de Scapin sur les procès, celle de Sganarelle moraliste devant son maître Don Juan qu'il veut sauver du châtiment, etc. Mais n'est-ce pas encore un comédien, désireux de mettre une camarade en bonne posture pour déclencher le brouhaha, qui a conçu la fameuse scène des portraits dans le *Misanthrope*? On en a fait parfois un exercice de récitation, glacé par l'application : c'est une merveille de naturel et de vie. Célimène (le rôle était écrit pour Armande) y passe avec souplesse de couplet en couplet, nuançant son débit, lente, puis rapide, insinuante, désinvolte, brusque, caressante, méprisante, ironique, jamais à court de traits, elle non plus. Ce n'est pas Mascarille et sa verve tumultueuse, hétéroclite, surabondante : c'est une femme du monde, formée au commerce des salons, qui use du beau langage, mais en connaît toutes les ressources, soumise aux bienséances, mais y abritant son esprit médisant. Le morceau est écrit pour la faire briller. Seul un technicien de la scène, qui sait comment on se tient sur les planches, comment on attaque un couplet, comment on le soutient, qui n'ignore aucune des manières de le conclure, qui a l'expérience de la rampe à franchir, du public à atteindre, du sourire à faire naître, du rire qui ne doit intervenir qu'autant qu'il ne gêne pas l'intelligence d'un mot essentiel, seul un comédien a pu composer ce chef-d'œuvre comique.

Si l'*Étourdi* est la seule vraie pièce d'acteur qu'ait laissée Molière, du moins il a montré une constante affection pour la pièce à vedette. La pièce à vedette est celle où un personnage tient presque constamment la scène, dominant la distribution, portant le poids du succès à emporter. La pièce d'acteur est écrite pour faire briller le comédien : elle cherche l'éclat, elle aguiche le spectateur, elle sollicite l'applaudissement. Elle peut par suite manquer son but pour y avoir trop obstinément visé. La sollicitation continuelle à laquelle elle se livre peut paraître monotone.

La pièce à vedette est plus variée dans ses procédés, parce qu'elle est plus riche d'intentions. Elle peut avoir toutes les prétentions : se vouer à la peinture d'un caractère ou de mœurs, s'amuser aux détours d'une intrigue, chercher le trait comique, sacrifier à la bouffonnerie. Rien ne la limite. Mais elle fait reposer l'accomplissement de son dessein sur un seul rôle. Ce rôle n'est pas forcément brillant; ce sont peut-être les autres qui récolteront l'applaudissement. Du moins l'acteur qui le tient occupera la scène quasi constamment et il sera évident que la comédie n'existe que par lui.

Molière a beaucoup pratiqué la pièce à vedette, et cela, parce qu'il était la vedette. Non point par égoïsme : au contraire, on peut supposer qu'il agissait par dévouement. A l'époque où la comédie féminine n'était pas née (Marivaux accomplira le transfert), où l'homme ne concevait pas que la première place pût lui échapper ou qu'il pût la partager avec la femme, Molière devait se charger lui-même du principal fardeau dans l'interprétation. Aucun de ses camarades masculins n'avait la taille nécessaire pour le suppléer. Quel que fût leur talent, Louis Béjart ni De Brie, La Grange ni Du Croisy, La Thorillière ni Hubert, ne pouvaient assumer cette responsabilité. Baron vint trop tard, Brécourt s'en alla trop vite. Seul Du Parc, dans son emploi de Gros-René, avait assez bien gagné la faveur du public pour qu'on lui fît confiance. Il tenait une place importante dans le *Dépit*, à peu près équivalente à celle de Molière, qui jouait le rôle d'Albert. Après son retour dans la troupe, le chef l'agrégea à la distribution de *Sganarelle*. Mais bientôt la mort emporta ce vieux camarade et Molière resta seul.

Scherer, dans sa *Dramaturgie classique*, a noté le caractère exceptionnel qui marque à cet égard la comédie moliéresque. Aucun poète comique du XVIIe siècle n'a composé de pièces où la vedette s'affirme si nettement; rien de semblable non plus chez les tragiques. On ne peut douter que cela tienne à la profession de l'auteur et à sa situation dans sa troupe.

La statistique parle d'elle-même. Dans l'*Étourdi*, Mascarille occupe 35 scènes sur 47; dans l'*École des maris*, Sganarelle est présent dans 20 scènes sur 23; dans l'*École des femmes*, Arnolphe a 31 scènes sur 32; dans *Don Juan*, Sganarelle : 26 sur 27; dans le *Misanthrope*, Alceste : 17 sur 22; dans le *Médecin malgré lui*, Sganarelle : 17 sur 21; dans *Amphitryon*, Sosie : 16 sur 21; Dandin en détient 18 sur 23; Harpagon, 23 sur 32; Jourdain, 23 sur 34; Argan, 27 sur 31. Dans l'*Impromptu*, Molière est en scène d'un bout à l'autre; de même le Sganarelle du *Mariage forcé*.

Il n'y a que deux pièces dont Molière se soit tout à fait effacé : la *Critique* (du moins on peut le penser) et *Escarbagnas*; une où il ne tient

qu'un rôle épisodique : *Psyché.* Dans le *Dépit*, trois rôles comiques
s'équilibrent à peu près, ceux d'Albert, de Mascarille et de Gros-René :
il s'attribua le premier, paraissant seulement dans 10 scènes sur 34.
Dans les *Femmes savantes*, il jouait Chrysale, qui ne domine pas la distribution, tenant 13 scènes sur 28 : pas plus que le *Dépit*, ce n'est une
pièce à vedette. Les *Fourberies* en sont une; mais nous sommes à la
limite : Scapin ne paraît que dans 14 scènes sur 26. Sganarelle domine
plus nettement le *Cocu*, bien qu'il ne joue que dans 14 scènes sur 24, et
Mascarille les *Précieuses*, quoiqu'il n'apparaisse que tardivement (mais
dès lors il ne bouge plus). *Don Garcie* lui-même, dans un genre différent,
relève du même type : le héros y détient 14 scènes sur 29, les plus longues.

Nous n'avons cité (faut-il le préciser)? que des rôles que tenait Molière.
On voit facilement qu'ils sont prépondérants. Nous avons déjà tiré parti
de cette statistique pour souligner l'endurance de l'acteur, et aussi son
dévouement à la cause commune : nous y décelons maintenant une habitude de composition. Le théâtre de Molière est sien à un point incroyable :
il l'a composé, il l'a mis en scène lui-même, il en a créé tous les grands
rôles, il s'est attribué l'interprétation de la majeure partie du texte.

*

Par un paradoxe qui n'est qu'apparent, ces mêmes pièces à vedette
dont le comédien est l'âme, sont pour la plupart des pièces à large distribution. Molière s'attribue le rôle prépondérant; mais il appelle autour
de lui le plus grand nombre possible de comparses. Cela encore est inhabituel : les dramaturges classiques réduisent le nombre des personnages,
dans la comédie comme dans la tragédie. Racine en vient, dans *Bérénice*,
à trois acteurs de premier plan avec trois confidents et une utilité; Corneille, dans *Pulchérie*, s'accommode de six acteurs. La technique de
Molière est à l'opposé. Scherer estime que cette pratique tient au désir
d'étoffer la psychologie et de varier le comique. On peut y voir la conséquence de soucis plus élémentaires, non propres au poète, mais inhé-
rents au chef de troupe : ne serait-ce pas que le directeur de la compagnie
tient à satisfaire ses camarades? En donnant un rôle à chacun, du moins
à tous ceux qui sont disponibles, il se prémunit contre de possibles
vexations d'amour-propre, surtout chez les comédiennes, et il partage
assez également la charge de l'interprétation dans une troupe au répertoire chargé et au programme changeant.

La compagnie comprit généralement sept ou huit acteurs masculins,
six seulement dans la première saison, neuf en 1662-1663 : un gagiste s'y

ajoutait au besoin. Or les comédies de Molière comportent le plus souvent sept ou huit rôles d'hommes. Quand elles en alignent davantage,
pour les *Fâcheux*, par exemple et pour *Don Juan*, qui arrivent à treize et
quatorze rôles masculins, c'est que le même comédien en joue plusieurs.
L'*Amour médecin*, l'*Avare*, le *Bourgeois gentilhomme*, *Psyché* en admettent
une dizaine, qui s'agencent de la même façon : il est évident que dans
l'*Avare*, les personnages de Maître Simon, Brindavoine, La Merluche
et du Commissaire, ne réclament pas quatre acteurs particuliers. Par
contre, il est rare que Molière n'emploie pas la totalité des ressources
dont il dispose. On ne retiendra pas les quatre acteurs de la *Critique*,
qui ne fut jamais jouée seule, ni les cinq ou six de la *Pastorale comique*
et de *Mélicerte*, qui n'étaient que des morceaux d'un grand ensemble.
Restent *Sganarelle*, qui comporte six rôles masculins, *Don Garcie*,
avec cinq, l'*École des maris*, avec six, l'*École des femmes* de même, *George
Dandin*, avec cinq. Les quatre premières de ces cinq pièces ont été composées entre 1660 et 1662, quand la troupe comptait sept acteurs. C'est une
période instable : Jodelet est malade et meurt; Joseph Béjart disparaît
peu après; Du Parc revient. Molière a pu craindre de manquer de collaborateurs et prendre ses précautions en vue d'une telle éventualité.
Dandin voit le jour en 1668, entre *Amphitryon*, qui comporte huit rôles
d'hommes, et l'*Avare*, qui en comporte dix : il fait exception.

Du côté des femmes, on constate le même souci de faire une place à
chacune. On connaît les quatre étoiles de la troupe : Madeleine Béjart,
Catherine De Brie, Marquise Du Parc (avec une éclipse) et, à partir de
1663, Armande Béjart; au second plan se tient Geneviève Béjart; Mlle Du
Croisy apparaît temporairement et reste effacée; tardivement, Mlle Beauval; plus tard encore, Mlle La Grange. En 1659, deux grandes actrices à
satisfaire; de 1660 à 1663, trois; de 1663 à 1667, quatre; de 1667 à 1670,
trois encore; de 1670 à 1672, quatre; après 1672, de nouveau trois.
En 1659, les *Précieuses* comportent deux beaux rôles de femmes; en
1660, *Sganarelle* en a trois; de même les trois pièces de 1661. Il est vrai
qu'en 1662, l'*École des femmes* n'a que deux rôles féminins, dont un au
second plan : il est possible que ni Madeleine Béjart ni Mlle Du Parc
n'y aient paru. De 1663 à 1667, toutes les pièces qu'écrit Molière
contiennent trois ou quatre rôles féminins, dont aucun n'est insignifiant,
sauf les deux voisines de l'*Amour médecin*. De 1667 à 1670, Molière res-
treint un peu la distribution féminine : deux femmes dans le *Sicilien*,
trois dans *Amphitryon*, *George Dandin*, l'*Avare* (en écartant Dame Claude,
qui dut être jouée par un homme), *Tartuffe* (en écartant Mme Pernelle,
pour la même raison), *Pourceaugnac* (en écartant le personnage épisodique

de la Paysanne). Le *Bourgeois* est encore une pièce à trois rôles féminins : Hubert tenait sans doute le rôle de Mme Jourdain. Mais *Psyché* en comporte quatre; de même les *Femmes savantes* (Philaminte était un rôle d'homme) : c'est que l'arrivée de Mlle Beauval a accru l'effectif. Madeleine Béjart meurt : le *Malade imaginaire* n'admet que trois actrices.

La correspondance est assez rigoureuse pour appuyer l'hypothèse. Quand Molière compose une pièce, il a en vue une interprétation déterminée; il sait à qui il va confier chaque rôle, tout au moins ceux qui comptent; et il agence sa comédie pour donner un emploi au plus grand nombre possible de camarades. Ce souci paraîtra peut-être indigne à ceux qui oublient les exigences de la profession de comédien. Ils s'insurgeront contre l'idée qu'un *Misanthrope* a pu voir sa conception obéir au besoin de satisfaire les prétentions, au reste légitimes, de trois comédiennes. Nous nous refusons quant à nous à abstraire Molière du métier dans lequel il s'est engagé et nous préférons le retrouver dans le tissu serré d'obligations techniques où son génie se manifeste encore mieux que dans l'irréalité d'un cabinet d'écrivain.

*

Il n'est pas interdit de chercher le comédien jusque dans l'aménagement de l'action. Michaut a cru discerner une évolution à cet égard. Jusqu'au *Misanthrope*, Molière grouperait ses personnages en deux camps : les sages et les fous. Ainsi se présentent l'*École des maris* et l'*École des femmes* par exemple. Dans le *Misanthrope* et dans les *Femmes savantes*, le triptyque remplace le diptyque : il y a deux camps livrés à des excès opposés, entre lesquels se place le parti de la modération. Michaut se demande si c'est là simplement un changement de procédé et il serait tenté d'y voir « un progrès dans la pensée de l'auteur » : « Avançant en âge et en expérience, il se sera rendu compte que c'est une vue un peu simplifiée de l'humanité, d'y reconnaître seulement des sages et des fous, des bons et des mauvais; il se sera rendu compte que, s'il n'y a guère qu'une manière d'être sage ou bon, il y en a plusieurs d'être fou ou mauvais. Et le contemplateur aura tâché de reproduire plus fidèlement la nature humaine. »

Laissons de côté pour le moment cette explication et examinons seulement l'évolution ainsi dessinée. Elle est simpliste : il est bien difficile de voir dans *George Dandin* plus de deux partis; et dans l'*Avare* ? et dans le *Bourgeois* ? et dans le *Malade* ? il faudrait y mettre de la subtilité pour assimiler la structure de ces pièces au triptyque Philaminte-Chrysale-

Henriette. Néanmoins l'idée ne manque pas d'intérêt; peut-être faut-il la présenter autrement.

On remarquera d'abord que le terme de parti ne convient guère : Sganarelle dans l'*École des maris*, ni Arnolphe ne forment un groupe. D'autre part, il ne faut pas attacher une valeur morale aux termes de *sages* et de *fous*, de *bons* et de *mauvais* : Gorgibus n'est pas un sage, si sa fille est une folle; Dandin n'est pas meilleur qu'Angélique. Même quand il y a deux groupes tranchés comme dans *Tartuffe*, ces groupes ne sont pas définitifs : Orgon passe de l'un à l'autre.

Cependant il est évident que la comédie moliéresque repose sur une structure simple. La comparaison avec la comédie cornélienne est significative : qu'on se rappelle les détours par où passe l'action dans la *Place royale* et déjà dans *Mélite*!

Molière ne s'embarrasse pas de subtilités : écolier des farceurs, il oppose la bêtise et la ruse, la ruse étant l'agent moteur de l'action, la bêtise fournissant le sujet ridicule. Un agent et un sujet, c'est ce que contenait toute farce, c'est ce que contient essentiellement chaque comédie de Molière. Le type est simple dans *Dandin* : Angélique est l'agent, son mari fournit le sujet; de même dans le *Sicilien* ou dans *Pourceaugnac*. La victime devient équivoque dans *Tartuffe* : primitivement, c'est Orgon; dans la pièce de 1669, Orgon rallie, pour finir, le groupe des agents, en même temps que Tartuffe devient une sorte de victime; mais le groupe des agents est toujours centré sur Elmire-Dorine. Dans le *Misanthrope*, la notion d'agent moteur s'estompe : le ridicule d'Alceste n'est pas produit par l'entreprise d'un meneur de jeu, mais par la situation même. Dans les *Femmes savantes*, les ridicules se répartissent sur Chrysale comme sur ses antagonistes, là encore par le jeu des caractères et des situations; un agent n'intervient que pour le dénouement. Dans *Don Juan*, Sganarelle fournit le comique par le simple effet du choc de sa nature contre celle de son maître : à la rigueur, on verrait dans Don Juan l'agent moteur de la comédie.

On pourrait poursuivre l'analyse : les *Écoles*, les *Précieuses*, le *Mariage forcé*, l'*Amour médecin*, l'*Avare*, le *Bourgeois*, le *Malade imaginaire*, d'autres encore, se ramènent facilement au type de la farce. Il n'y a aucune évolution dans la carrière du comédien, sinon celle d'une technique qui prend de l'assurance. Il n'est point nécessaire de supposer avec Michaut une évolution philosophique que rien ne confirme. La structure de la comédie moliéresque ne tient pas à un *manichéisme* qui se nuancerait sur le tard : elle est commandée par une tradition comique dont l'acteur qu'est Molière a éprouvé l'efficacité. On veut que la comédie ait pour objet la peinture des mœurs ou des sentiments, qu'elle vise la représentation du réel : il sait bien que c'est d'abord et toujours une *action*. L'immobilité l'anéantit; elle exige le mouvement. La comédie cornélienne peint; la comédie moliéresque anime. Son dynamisme lui est fourni par la structure très simple qu'elle emprunte à la farce : c'est encore un héritage de Scaramouche.

*

Si l'on examine non plus le groupement des personnages en fonction de l'action, mais l'ordonnance des scènes, on trouve encore que Molière use en général d'une grande simplicité et que son procédé révèle une fois de plus l'acteur. On a pu appeler ce procédé la composition en *sketches*, étant entendu qu'on désigne par là des scènes ayant chacune leur unité, leur valeur propre et une certaine indépendance dans l'ensemble. La comédie moliéresque est parfois une suite de *sketches*; même quand elle comporte un enchaînement plus étroit, certains épisodes s'en détachent facilement.

Nous avons vu dans l'*Étourdi* une pièce d'acteur : c'est aussi une comédie à tiroirs. Mascarille ourdit successivement dix ruses pour satisfaire le désir amoureux de son maître. Chacune échoue par l'effet de la sottise, de l'étourderie ou de la malchance de Lélie. Dès que l'échec est consommé, l'esprit de Mascarille se met en branle et une nouvelle entreprise prend forme. L'unité de composition est donc factice; les épisodes sont juxtaposés et non enchaînés, sinon par la donnée initiale, qui est l'amour de Lélie pour Célie; il n'y a aucune raison de s'arrêter, sinon que la comédie a atteint une suffisante longueur; aucun ordre ne régit la succession des scènes; elles sont interchangeables. Ce sont bien des *sketches*, de valeur inégale, mais de même nature. On dirait que Molière débutant manque de souffle pour construire une pièce qui dépasse quelques entretiens. Serait-ce qu'il a l'habitude de la farce, rapide et brève? Ce sont de petites farces accolées qui arrivent à donner cette comédie en cinq actes.

Le *Dépit* offre au contraire un imbroglio tellement serré qu'on a de la peine à s'y reconnaître. Toutefois le comédien ne perd pas ses habitudes. Un groupe de scènes rappelle le mode de composition de l'*Étourdi* : ce sont celles qui donnent à la pièce son titre et que depuis la fin du XVIIIe siècle on a souvent détachées pour en faire une petite comédie en deux actes, aussi claire que charmante.

La comédie en *sketches* la plus typique de tout le théâtre de Molière est celle des *Fâcheux*. Éraste et Orphise ont rendez-vous : ils sont séparés l'un de l'autre ou troublés dans leur entretien par une dizaine d'importuns qui viennent successivement leur narrer leurs affaires. Cela ne suffit pas : Éraste joint le récit à l'action; il raconte d'autres rencontres de fâcheux. Il n'est pas jusqu'à son valet, dont les soins attentifs ne lui soient importuns. Chaque scène a son intérêt propre : les plus célèbres sont celles de l'amateur de musique, du duelliste, du chasseur, du joueur de piquet, du pédant et de l'inventeur. Le lien qui les unit est factice : personne ne se passionne pour ce rendez-vous retardé ni pour cet amour contrarié. Éraste et Orphise sont le compère et la commère d'une revue de personnages que le poète prend tour à tour pour cibles de son génie satirique.

Le *Mariage forcé* offre encore un bon exemple de ce genre de composition. Tel Panurge autrefois, Sganarelle veut prendre femme, mais hésite devant les conséquences du mariage. Tel Panurge, il consulte les compétences : d'abord l'ami Geronimo; puis deux philosophes, un aristotélicien et un pyrrhonien; ensuite deux diseuses de bonne aventure; il projette enfin de voir un magicien, quand il surprend un entretien entre sa future et le galant de celle-ci, qui l'éclaire tout à fait. Les scènes de consultation occupent à peu près la moitié de la pièce et en font le principal attrait. Comme dans les *Fâcheux* et l'*Étourdi*, leur succession est arbitraire, elles peuvent être multipliées, elles ne sont justifiées que par le postulat comique.

Dira-t-on autre chose d'une grande partie du *Bourgeois gentilhomme*? La leçon de musique à l'acte Ier, les leçons de danse, d'escrime et de philosophie à l'acte II, l'épisode de l'essayage, autant de *sketches*. *Sketches* encore que les maladroites répétitions auxquelles Jourdain se livre à l'acte III pour prouver la valeur de la science qu'il s'efforce d'acquérir. La scène du dépit amoureux a la même indépendance; celles de la révérence, de l'ambassade turque, de la danse de Jourdain ne sont pas d'une autre nature. C'est un monstre que cette comédie, si on la rapporte au type classique. Aucun souci de composition n'y a présidé. C'est un spectacle brillant, formé essentiellement d'entrées de ballet autonomes, que séparent des scènes de farce servant de prétexte aux danses et aux chants et non moins autonomes.

On peut relever des traces de ce procédé dans les autres comédies de Molière, même les plus grandes. Les *sketches* abondent dans *Don Juan* : ceux de Monsieur Dimanche, de Don Louis, du dîner; tout le deuxième acte se détache du reste. Dans le *Misanthrope*, la scène du sonnet et celle des portraits ne sont pas difficiles à isoler. *Tartuffe* est mieux lié; mais l'*Avare* offre une suite moins nécessaire.

C'est le type de la scène de farce qui impose ainsi à l'esprit du poète son unité structurale, jusqu'à rompre la construction de l'ensemble. Comme dans la *commedia dell'arte*, l'intrigue, dans la comédie moliéresque, n'a pas de valeur propre; elle ne fonde pas le spectacle; elle n'a d'autre objet que de servir le jeu. Le comédien est favorisé par sa fragmentation. Ces scènes rapides et légères sont propres à mettre en lumière les qualités de l'interprète : elles isolent les effets pour les mieux faire apparaître. Un seul acteur les soutient; il arrive, produit son effort et s'en va : son passage sur le plateau a autant d'intensité que de brièveté. Le public s'accommode à merveille de ces esquisses.

*

Un troisième procédé de composition peut être décelé dans la comédie moliéresque; il relève lui aussi du métier de l'acteur plus que de l'invention du poète : c'est l'usage de la symétrie. Les farceurs en tiraient de grandes facilités pour l'improvisation. La construction symétrique de deux ou plusieurs scènes, de deux ou plusieurs parties de scène, soutient la mémoire et guide l'invention verbale. Elle a aussi l'avantage de susciter ou de renforcer le comique, dont on sait qu'il a souvent pour ressort la répétition. Enfin elle donne un charme particulier au spectacle en flattant le sens des correspondances.

Molière n'a pas oublié cette leçon de ses maîtres. Les effets de symétrie ne manquent pas dans les *Précieuses*, ni dans l'*École des femmes*, ni dans mainte comédie jusqu'aux *Femmes savantes*. C'est peut-être dans *George Dandin* que le procédé a le plus d'importance. La pièce est bâtie sur un triptyque, dont les trois volets reproduisent le même canevas. On pourrait l'intituler : les trois confusions de Dandin. Chaque fois le mécanisme se répète : Lubin fait une confidence à Dandin; Dandin, éclairé sur son infortune, prépare son piège et fait venir ses beaux-parents pour les rendre témoins de l'indignité de sa femme; dans l'intervalle, Angélique retourne la situation; quand les Sotenville arrivent, le mari est confondu. Sans doute il y a progrès : l'audace de l'infidèle croît; le malheur du mari s'aggrave. A la fin du premier acte, il doit faire des excuses au galant; à la fin du second, il est bâtonné et humilié; à la fin du troisième, il implore son pardon à genoux et, désespéré, se résout à se jeter à l'eau.

La symétrie peut jouer à l'intérieur d'une scène : on aboutit alors aux harmonieuses marches et contre-marches qui, comme des figures de ballet, rythment le déroulement du dépit amoureux dans le *Bourgeois gentilhomme*. Dès le début, les répliques se pressent dans une parfaite correspondance : Lucile interroge Cléonte, doublée par Nicole interrogeant Covielle. A la question succède l'exclamation; à l'exclamation, le raisonnement, toujours sur le même double plan maîtresse-maître et servante-valet. Cléonte répond, et Covielle de même; le silence est rompu; le dialogue, le double dialogue semble s'engager. Ici un effet de dissymétrie : Cléonte se lance dans une tirade; Covielle, laconique, approuve. Puis le mouvement retrouve sa régularité. Lucile et Nicole, à tour de rôle, essaient de s'expliquer; Cléonte et Covielle de même refusent d'écouter. Les mots employés par les deux femmes, comme ceux dont usent les deux hommes, se correspondent. Enfin Lucile s'impatiente, imitée par Nicole. Il n'en faut pas plus pour renverser le mouvement. C'est maintenant Cléonte, doublé par Covielle, qui essaie d'engager l'entretien, et c'est Lucile, doublée par Nicole, qui le refuse. Ce nouveau moment reproduit le précédent, en intervertissant les personnages. Il finit de même par un mouvement d'impatience du protagoniste (tout à l'heure Lucile, maintenant Cléonte), que reproduit le valet, et cette fois le dialogue, le double dialogue, s'engage vraiment, hésitant et sommaire pour commencer, s'étoffant peu à peu avec de rares dissymétries. La scène finit dans la régularité.

La symétrie lie donc le couple des maîtres et celui des serviteurs; mais aussi, dans chaque couple, l'amant et la maîtresse; enfin elle lie les moments de la scène. Cet artifice paraîtra excessif à qui voue le poète à la recherche du naturel. C'est une convention dont le charme enchante le véritable amateur de théâtre.

Le procédé n'est pas réservé à la comédie-ballet. *Amphitryon* en offre un autre exemple avec le trio Cléanthis-Sosie-Mercure faisant pendant à Alcmène-Amphitryon-Jupiter. Et *Tartuffe*? N'est-ce pas de ce procédé que le comédien tire son principal avantage dans la scène du « pauvre homme »? Il n'y a pas seulement la double répétition de l'interrogation : « Et Tartuffe? » et de l'exclamation : « Le pauvre homme! ». Ce n'est pas assez non plus de remarquer que l'exclamation porte chaque fois à contretemps. Il faut noter l'équilibre savant qui règne entre les répliques de Dorine ayant trait à Elmire et celles qu'elle consacre à Tartuffe; il faut souligner la progression régulière de la longueur de ces répliques. Quatre fois le mouvement reprend, faisant succéder aux nouvelles d'Elmire que donne Dorine, la question d'Orgon, à laquelle répond la servante, ce qui provoque l'exclamation finale; trois fois, ce mouvement quadruple obéit à une parfaite symétrie; à la quatrième seulement,

Molière introduit une légère irrégularité, en raccourcissant la première réplique de Dorine.

Faut-il rappeler la disposition de la scène de *Don Juan*, à l'acte II, où Mathurine et Charlotte, chacune de son côté, essaient d'obtenir de leur séducteur explications et assurances, puis se querellent en s'adressant des reproches semblables, freinés par les interventions à voix basse du beau cavalier, enfin s'accordent pour solliciter un arbitrage qui ne leur apprendra rien? Là encore, dans chacun des moments, les répliques s'équilibrent et les gestes se reproduisent : la symétrie règne.

On peut même trouver une extension de la symétrie dans la constitution du *Misanthrope*. Mais là nous sortons de la technique de la farce. Ce ne serait, à tout prendre, qu'une transposition d'un procédé formel qui facilite l'interprétation ou lui donne plus d'efficacité, dans le domaine de la création poétique. Toutefois il est curieux de constater que l'action de cette comédie s'appuie sur une succession de contretemps, comme celle des *Fâcheux* ou de l'*Étourdi*. Alceste veut obtenir une explication de Célimène et il arrive chez elle pour la lui demander : il ne l'obtiendra qu'à la fin de la pièce et après quatre ou cinq tentatives infructueuses. La première fois, il se heurte à Oronte, qui l'agace à tel point qu'il s'en va. Il rencontre sa belle et la ramène; il entame la discussion : arrive une visite, que Célimène admet malgré lui; le salon se peuple; il n'est plus question d'entretien particulier. Cependant Alceste s'obstine; va-t-il rester assez longtemps pour que le salon déserté lui rende l'occasion perdue? Non pas, car le garde survient avec un commandement auquel il faut obéir. Alceste rentre pour vider le débat : il tombe mal; Célimène est en querelle avec Arsinoé; elle le laisse aux mains de la prude, qui l'emmène pour lui donner des preuves de l'infidélité de celle qu'il aime. Il revient pour la quatrième fois chez Célimène : exaspéré, il parlera avec franchise; Dubois l'interrompt; il faut encore partir. Enfin le voici pour la cinquième et dernière fois : c'est le dénouement, il pose son alternative, dont on sait le succès.

Ainsi le rythme est d'une importance capitale dans la composition de la comédie moliéresque, comme il l'était dans la *commedia dell'arte*. Les fragments comiques sont disposés avec art, en fonction du jeu et non de l'intrigue, et soumis à une cadence qui relève presque de la chorégraphie. Pour Molière, nous l'avons dit, le théâtre est un spectacle : il est fait pour être vu, puisqu'il est fait pour être joué.

★

Si nous quittons la structure de la comédie pour en examiner les éléments, nous trouvons encore mainte influence du comédien sur le poète. La plus connue est celle qui nous vaut l'introduction de *lazzi* dans la plupart des pièces de Molière. Ces traits comiques, fondés essentiellement sur le geste, souligné souvent par un mot, étaient le sel de la *commedia dell'arte*. Les Italiens en avaient accumulé une quantité prodigieuse et puisaient à volonté dans cet arsenal du rire. Saint-Évremond note que si leurs plaisanteries choquent les délicats, personne ne peut garder son sérieux devant la virtuosité de leur gesticulation. Molière n'ignore point ce trésor : de Mascarille à Scapin, il en éprouve la vertu. Ses *lazzi* ne sont point tous passés dans le texte imprimé, soit que le poète ait voulu respecter le bon goût du lecteur, soit qu'il ait senti que l'imprimé dénaturait l'improvisation, soit qu'il ait refusé de charger son texte. Mlle Desjardins, dans le récit qu'elle a laissé de la farce des *Précieuses*, n'a pas eu ces scrupules : elle ne nous laisse pas ignorer qu'au moment de recevoir le marquis de Mascarille, les deux pecques ne réclamaient pas seulement un miroir pour refaire leur beauté, mais une « soucoupe inférieure » (on devine à quelle intention !).

Les *lazzi* de Sganarelle dans *Don Juan* sont nombreux : celui du raisonnement philosophique achevé en chute bouffonne, celui de l'habit purgatif, celui de la joue enflée; ajoutons ceux des laquais subtilisant assiettes garnies et verres pleins sous le nez du principal valet, etc. Chaque fois le geste illustre le mot.

Harpagon est passé à la même école; témoin, à l'acte IV, le trait de la récompense à Maître Jacques, perdue dans le geste du mouchoir tiré de la poche, ou celui des chandelles, à l'acte V, singulièrement plus développé que le texte ne le dit. Harpagon, voyant deux chandelles allumées, en souffle une; Maître Jacques, qui tient à la réputation de la maison, lorsqu'il aperçoit la chandelle éteinte, la rallume; Harpagon, la voyant brûler de nouveau, la saisit pour l'éteindre et la garde dans la main, les bras croisés; Maître Jacques, qui cette fois a vu le ladre opérer, profite de l'inattention de celui-ci pour passer derrière lui et rallumer le lumignon; un moment après, Harpagon décroise les bras, voit la chandelle allumée, la souffle et la range dans une poche de son haut-de-chausses; où Maître Jacques ne manque pas de la rallumer une quatrième fois; la main d'Harpagon se portant à la poche, rencontre la flamme, etc.

Le *Misanthrope* même, dans son sérieux, offre encore des *lazzi*, ceux de Dubois, à l'acte IV, cherchant partout sur lui le papier qu'il croit apporter à son maître et qu'il a laissé sur la table. Le comédien n'a aucun mépris pour ces excitants du rire. Soufflets qui se trompent d'adresse, coups de pied au derrière, coups de bâton, bourses dérobées, nourritures escamotées, chaises retirées à point nommé pour faire choir celui qui va s'asseoir, morts feintes, tous les clowns d'aujourd'hui usent de ces traits, comme les farceurs d'autrefois et les charlatans de toujours : Molière n'y répugne point. On fait maintenant la petite bouche ou l'on se pince le nez devant la scatologie étalée dans le ballet qui termine l'acte Ier de *Pourceaugnac* : ces réserves eussent étonné les courtisans de 1669; le jeu de la seringue était l'un des meilleurs auxquels on pût avoir recours.

Les *lazzi*, chez les Italiens, n'ont souvent d'autre valeur que spectaculaire. Molière à ses débuts suit Scaramouche : le jeu des douze vêtements dont le marquis de Mascarille est dépouillé pour apparaître enfin dans sa nudité première, n'a aucune fonction psychologique. Il en est autrement un peu plus tard. Pourtant, dans *Don Juan*, les *lazzi* de Sganarelle sont pour la plupart d'un comique élémentaire. Ceux d'Harpagon en revanche soulignent des traits de caractère. Mais les jeux burlesques de Pourceaugnac? de Jourdain? d'Argan? Pour finir, il semble bien que Molière ait repris goût au spectacle pur, soumis à la seule fonction comique.

★

Conception d'acteur encore, plus exactement de farceur, que celle qui gouverne la construction d'un caractère dans la comédie de Molière! Mascarille est un *masque*, le petit masque. Non seulement il joue masqué, mais il a du *masque* les traits que lui a donnés la *commedia dell'arte*. Le masque suppose une certaine fixité du personnage : sans comporter une stricte détermination psychologique, il conditionne un jeu qui fait son individualité. Le personnage masqué arrive à une permanence qui le mène au type. Pantalon et Scaramouche, avec leur silhouette définitive, sont enfermés dans une détermination dont ils ne peuvent s'affranchir. Chose curieuse, ils donnent à chaque instant l'impression de la spontanéité vivante, grâce à l'improvisation et au mouvement scénique, et ils ont pourtant la nature de la marionnette, celle du personnage mécanisé.

Mascarille entre dans la même famille (pourtant il change un peu dans le *Dépit*) : avec ou sans masque, il est rejoint par bien d'autres créations de Molière. Les six Sganarelles ne sont pas autrement bâtis que le Docteur bolonais ou Matamore. Sganarelle, tantôt bourgeois, tantôt paysan, est toujours assez âgé, mûrissant ou vieillissant. Il est mari, tuteur ou père cinq fois sur six, c'est-à-dire destiné à être la victime des femmes et la dérision des amants. Dans *Don Juan*, valet, il est encore victime, de son maître cette fois. Il est trompé, volé, rossé. On peut remarquer aussi que, sans être médecin, il prend deux fois la robe et le bonnet doctoral, une fois pour échapper à une poursuite, l'autre fois par force. Si sa figure comporte donc une certaine variété, cette variété est limitée. Sous ce nom uniforme, c'est encore un *masque*, un masque en train de s'animer et de se diversifier.

Molière n'abandonna jamais ce genre de personnage. Les *masques* masqués ou démasqués ne manquent pas dans son théâtre : ce sont les Philosophes du *Mariage forcé*, sortis directement du Docteur de la *commedia*; c'est le spadassin Alcidas, qui n'est qu'un nouveau Capitan; c'est, dans *Escarbagnas*, Monsieur Bobinet, nouvel avatar du Pédant; ce sont les Médecins de l'*Amour médecin* et ceux du *Malade imaginaire*, autres masques à l'italienne; ce sont les Vieillards des *Fourberies*, variantes de Pantalon.

Et c'est Arnolphe, Harpagon, Jourdain, Chrysale, Argan : ils ne sont pas faits d'une autre chair que Sganarelle. Le personnage n'est plus masqué, mais il a gardé la structure du *masque*. Ils sont tous parents au reste, tous destinés à être trompés, par l'effet d'une définition comique plus que par une justification psychologique. Ils sont présentés au spectateur à l'ouverture de la pièce avec quelques traits essentiels qui sont comme les lignes du masque qu'ils ne portent pas. Ces traits ne bougent pas plus que ceux du masque au long des scènes où ils sont engagés. On les retrouve à la fin tels qu'ils étaient au début. Ils ne sont pas susceptibles de correction : à cet égard, ils ne peuvent se prêter à un dénouement. Ont-ils dit non au mariage qui leur était proposé? ils continueront à dire non et un subterfuge permettra seul de passer par-dessus l'obstacle.

Lanson étend même à Alceste la définition du *masque*. Certes il ne songe pas à nier la richesse psychologique de ce personnage, ni la vie qui l'anime. Mais a-t-il tort d'y remarquer une fixité qui s'apparente à celle de Jourdain ou de Sganarelle? Alceste n'est pas susceptible de correction et c'est pourquoi le dénouement du *Misanthrope* ne dénoue rien : l'aventure recommencera demain, Célimène ne sera pas moins belle ni moins coquette, l'homme aux rubans verts ne sera pas moins amoureux ni moins atrabilaire.

Cependant, si Molière, parti du masque de Scaramouche, a continué, à travers toute sa carrière, à user à l'occasion des ressources de cet artifice scénique, et s'il a constitué ses personnages selon le type en usage sur les tréteaux italiens, il a eu aussi l'idée de faire tomber le masque. Les Italiens connaissaient des personnages sans masque : les amoureux par exemple. Mais ils n'étaient pas moins conventionnels que les autres. Ce n'est pas à cette tradition que Molière se réfère quand il se démasque lui-même dans l'*Impromptu* et démasque avec lui ses camarades. Dans une comédie, dans un artifice scénique, il jette tout d'un coup du réel pur, ou du moins ce qui paraît tel. L'effet est saisissant : il y a une sorte de distorsion dramatique, qui attire le spectateur, qui le fait participer plus étroitement à la création. Il entre dans le jeu; la rampe est abolie. Est-ce la salle qui s'installe sur la scène? est-ce la scène qui se disperse dans la salle? On ne sait plus où on est. Le monde du théâtre et le monde tout court se mêlent. L'illusion règne sur tout.

Cet effet singulier n'est pas réservé à l'*Impromptu* : il s'y présente avec plus de netteté qu'ailleurs; mais Molière en a usé partout, et c'est même son triomphe. On peut appeler cela le jeu de l'antimasque. Il consiste à affronter le réel et l'artifice, de façon que la réalité devienne artifice ou l'artifice réalité. L'exemple de la scène du « Pauvre homme » dans *Tartuffe*, déjà présenté d'un autre point de vue, fait comprendre le procédé. Orgon est là un *masque* : il en a la fixité imperturbable, exprimée par la répétition mécanique des mêmes termes, à peine variés par l'intonation. Dorine est l'*antimasque* : c'est à d'autres égards une servante du répertoire; ici, c'est une figure vivante, dans sa malignité, dans son dévouement à sa maîtresse, dans son hostilité à l'intrus, dans son parler populaire. Sans doute Molière la contraint à s'exprimer avec une régularité qui est un artifice (nous l'avons montré plus haut). Mais ces effets de symétrie ne détruisent nullement la vie du caractère. L'efficacité de la scène tient au contraste offert par cette vie affrontée au mécanisme : la vie paraît plus vivante et le mécanisme plus mécanique. En d'autres termes, Orgon paraît plus sot et Dorine plus maligne. Mais la sottise d'Orgon, mécanisme de marionnette, participe ainsi de la vie qui anime Dorine, et l'esprit de Dorine entre dans le cercle fermé de l'artifice dramatique. Où sommes-nous? Sur un tréteau forain ou dans la salle basse d'une maison bourgeoise? Nous ne sommes plus sûr de rien; ou plutôt nous sommes envahi, non seulement comme spectateur, mais comme homme, par un prestige qui n'est pas sans nous mettre mal à l'aise en même temps qu'il nous charme, le prestige de l'illusion comique.

Un exemple encore pour appuyer le précédent! Dans le *Malade imaginaire*, rien de plus *artificiel* que la scène de l'acte III où Purgon, appelé par l'apothicaire Fleurant, vient déverser sur Argan la litanie des maladies qui menacent le rebelle; rien de plus *naturel* que les scènes où Béralde exprime son scepticisme sur la médecine et les médecins. Purgon et Fleurant sont des *masques*; Béralde est l'*antimasque*. Celui-ci vient de la vie; ceux-là, de la tradition. Et ils s'affrontent devant Argan. Les discours de Béralde encadrent les invectives de Purgon et s'opposent à la menace de Fleurant. La même distorsion dont nous parlions se produit.

Tel est le jeu suprême auquel est parvenu le comédien. Enrichissant singulièrement la leçon de Scaramouche, il conçoit sur les planches où il passe son existence, ce jeu du masque et de l'antimasque, du masque plaqué sur le visage, et qui glisse, et qu'on rajuste, et qui tombe, et qui dénude, le jeu du réel et de l'irréel où s'épanouit sa virtuosité.

★

Un troisième élément de la comédie nous paraît devoir être considéré à la lumière de la profession de Molière : ce sont les tableaux. La comédie moliéresque, par le fait qu'elle n'admet pas d'intrigue serrée (nous avons même vu qu'elle se disloquait parfois en *sketches*), par le fait que jamais elle ne nous intéresse à la résolution d'un imbroglio, comporte de nombreuses scènes qui font tableau. L'objet de ces scènes n'est pas comique, comme celui des *sketches*; elles servent plutôt à mettre en relief un caractère ou à peindre les mœurs d'un groupe social. On en trouve certes chez tous les poètes comiques; cependant, chez Molière, elles ont une allure qui peut tenir à son expérience des planches.

On connaît, dans l'*Avare*, au début du troisième acte, la grande scène qui réunit autour d'Harpagon ses enfants, son intendant et ses serviteurs : c'est un tableau à huit personnages. Il est très animé; Molière reste le poète du mouvement : les tableaux dont nous parlons sont loin d'avoir l'immobilité pittoresque de ceux dont rêvera Diderot. Harpagon est au centre; son fils et sa fille se tiennent un peu en retrait; Valère est proche, prêt à porter secours à son maître; Dame Claude, Maître Jacques, Brindavoine et La Merluche sont rangés sur les côtés : chacun s'avance à l'appel de son nom. Les apartés compliquent le dessin. La scène finira en querelle et Maître Jacques payera sa franchise de quelques coups de bâton. C'est à la fois un tableau de mœurs et de caractère. On y assiste à la distribution des ordres en vue d'une réception : répartition des tâches, conduite à tenir par chacun, constitution du menu, instructions pour l'équipage. Dans chacun de ces moments, l'avarice d'Harpagon éclate.

La scène des portraits dans le *Misanthrope* est construite sur le même type. C'est un tableau de la vie de salon, du moins d'un moment de cette vie, et, en même temps, le caractère médisant de Célimène s'affirme.

Six personnages y tiennent un rôle : la maîtresse de maison au centre, Alceste dans un coin, le couple de Philinte et d'Éliante sur le côté, les deux marquis flanquant Célimène. On peut citer encore le début de *Tartuffe*, avec la famille d'Orgon entourant Mme Pernelle, ou la présentation de Thomas Diafoirius à Argan, dans le *Malade imaginaire*, où participent avec Argan et les deux Diafoirius, Angélique et Cléante, et aussi Toinette. Déjà dans les *Précieuses*, les tableaux ont leur place : celui de la réception de Mascarille par Cathos et Magdelon ou celui de l'arrivée de Jodelet. Les *Femmes savantes* reprendront le thème avec Trissotin et Vadius. Ce ne sont là d'ailleurs que des échantillons d'un type de scène que Molière affectionne.

Or nous ne sommes pas le premier à remarquer que ces scènes sont très... scéniques, qu'elles sont conçues selon les nécessités du jeu dramatique plutôt que selon celles de l'analyse psychologique ou de la peinture des mœurs; elles sont l'œuvre d'un homme du métier. Le métier se reconnaît d'abord au mouvement : les personnages bougent tour à tour. Ils se meuvent sans désordre ni confusion, sur un rythme précis. Le spectateur transporte successivement son attention de l'un à l'autre sans être sollicité importunément par un détail qui le détournerait de l'essentiel. Ils sont nombreux sur la scène; mais un ou deux seulement demandent à la fois à être écoutés et regardés. Regardés en même temps qu'écoutés, car ce théâtre, encore une fois, est fait pour être vu : les gestes sont expressifs, les attitudes ont une valeur psychologique, ou plutôt la psychologie s'exprime par le geste autant que par le verbe. Les répliques se choquent dans un mouvement souvent scintillant; la tirade y trouve un emploi, mesuré par la capacité de l'auditeur. Le discours varie de ton; l'interrogation ou l'exclamation l'anime; il est joué et non déclamé.

Le jeu, toujours le jeu! Comme dans la *commedia dell'arte*, la substance idéologique et psychologique est subordonnée à l'action et au spectacle. C'est toujours la leçon des mimes italiens, toujours la tradition scénique dans laquelle un comédien a délibérément inscrit sa production poétique.

*

L'exposition et le dénouement sont dans une comédie les moments privilégiés où l'art de l'acteur trouve particulièrement à s'employer. On connaît le type traditionnel de l'exposition : deux personnages entrent en conversation ou sont surpris dans une conversation, et leur entretien éclaire l'auditeur sur des événements antérieurs qui vont commander l'action et sur les personnages qui y prendront part. Scherer, qui en a étudié les diverses formes, même aberrantes, note que cette conversation met en présence tantôt un personnage de premier plan et son confident, tantôt deux personnages mineurs, tantôt deux personnages majeurs. L'*Étourdi* appartient au premier type; *Don Juan* au second; l'*Avare* au troisième.

Molière ne s'en tient pas à cette manière facile d'entrer en matière. Elle paraît sans doute trop verbale à l'acteur. Il lui arrive souvent de faire de cet entretien préalable à l'action une première action ou un début d'action. L'exemple le plus connu est celui de *Tartuffe* : Mme Pernelle, excédée de ce qu'elle voit chez sa bru, se retire en hâte, entraînant sa servante; elle est accompagnée à la porte par toute la famille, Elmire en tête, Marianne et Damis, la servante Dorine; il n'est pas jusqu'au frère d'Elmire qui, se trouvant en visite, ne fasse à la vieille un bout de conduite. Sept acteurs sont donc entraînés dans ce mouvement que commande la précipitation de Mme Pernelle. Sur le plateau, plus ou moins étroit, ils avancent par saccades, ponctuées d'arrêts. La vieille se retourne et revient sur ses pas pour lancer une impertinence ou même s'engager dans un discours. Ceux qui l'accompagnent, à tour de rôle, lui donnent la réplique. La scène finit par le vigoureux soufflet que reçoit Flipote. Elle a suffi pour nous faire connaître tous les personnages qui vont entrer en conflit, les caractères et les situations. C'est déjà un petit drame, complet, sinon indépendant. Le mouvement psychologique y est aussi vif que le mouvement physique. C'est une scène de famille, la première scène déclenchée par l'entrée de Tartuffe chez Orgon dont nous soyons témoins. On ne saurait mieux préluder à la comédie que dans ce ton de vigueur et avec cet élan. C'est le type de l'exposition en action, opposé à celui de l'entretien.

L'exposition du *Misanthrope*, moins ample, moins accomplie, participe de cette conception. C'est bien un entretien, mais qu'anime, du moins dans son début, encore une poursuite : Alceste essaie d'échapper à Philinte, comme Mme Pernelle à Elmire; par la suite, le mouvement s'apaise.

Le *Médecin malgré lui* offre encore une exposition en action : Sganarelle et Martine paraissent sur le théâtre en se querellant; la dispute s'envenime; Sganarelle donne du bâton sur le dos de sa femme; un voisin intervient malencontreusement et se fait rosser à son tour, etc. Cette petite comédie, préalable à la grande, non seulement nous fait connaître les protagonistes, mais nous introduit dans les événements.

Le *Bourgeois gentilhomme*, dont nous avons dit la composition frag-

mentée, était très propice à cette façon d'entrer en matière : Jourdain
est présenté, non par un entretien, mais dans l'action de la leçon de
musique et de danse. Le caractère éclate dans ses traits essentiels. Si
l'intrigue ne se prépare pas, c'est que Molière néglige de s'en occuper
pendant plusieurs actes, ne lui donnant d'autre fonction que de prolon-
ger la comédie.

Dans certains cas, l'exposition combine le type de l'entretien et celui
du petit drame. Dans le *Mariage forcé*, nous assistons à une conversation
dans laquelle Sganarelle informe son voisin Geronimo de son projet de
mariage et de ses inquiétudes. Mais c'est déjà un moment de la comédie :
cet entretien constitue la première des consultations auxquelles va se
livrer le soupçonneux vieillard.

Les *Fâcheux* offrent une autre sorte d'exposition mixte. Éraste et son
valet sont en conversation et nous apprenons par eux ce qui va faire le
lien des scènes : c'est le procédé traditionnel. Mais Éraste débute et fait
débuter la pièce par un long récit où il témoigne de son irritation, cette
irritation qui va croître jusqu'au dénouement et que motivent les fâcheux
acharnés à l'empêcher de rencontrer la belle Orphise : il est en effet déjà
la victime de ces importuns et son discours a pour objet de nous en faire
connaître un, dont les extravagances sont narrées sans doute, et non
représentées, mais en recourant fréquemment au style direct et avec
tant de vivacité qu'on croit en être le témoin. Cette narration est quasi
une action.

Au reste, cette façon de faire commencer la comédie par un long discours (ici plus de cent vers) n'est pas rare dans le théâtre de Molière.
Dans *George Dandin*, l'exposition est faite dans un monologue du héros
se lamentant sur son mariage avec une fille noble; dans le *Malade imaginaire*, nous avons aussi un monologue d'Argan épluchant les comptes
de son apothicaire. Le tout premier début de *Don Juan* consiste en une
tirade grotesque de Sganarelle sur le tabac (à vrai dire, ce n'est pas encore
l'exposition) et l'exposition se fait en deux ou trois discours de Sganarelle
et de son maître. On peut penser que c'est encore un procédé d'acteur.

En effet, ces discours ne ressemblent guère à ceux par lesquels débutent
les œuvres des Scarron et des Boisrobert : ce sont des discours *actifs*.
Qu'on se reporte à Argan maniant ses jetons sur sa table de malade!
C'est un monologue et c'est une scène. Le mouvement n'est pas moindre
que dans l'exposition de *Tartuffe*. Le geste des mains ponctue la phrase;
la réflexion coupe le compte; le malade converse avec l'apothicaire; on
entend Fleurant à travers son mémoire, tantôt avide, tantôt modeste;
Argan de son côté passe par vingt sentiments; et tout finit par les coups

de sonnette et les cris précipités où s'épuise un malade qui nous paraît fort gaillard !

L'exposition en action et l'exposition en tirade telle que la pratique parfois Molière ont en commun ce caractère qu'elles mettent en valeur le talent du comédien : dans un cas, son habileté d'animateur du verbe; dans l'autre, son sens du mouvement scénique. C'est toujours le triomphe du mouvement : le mouvement réel, corporel, sur les planches, ou le mouvement idéal, créé par la diversité du langage. Or le mouvement est le propre du théâtre, et tout particulièrement du théâtre auquel s'adonnait notre poète à la suite de ses maîtres italiens. L'affection qu'il marque à ces types d'exposition a bien pour fondement sa profession.

*

Ses dénouements sont encore plus intéressants à analyser. La thèse traditionnelle soutenue par la critique veut que Molière n'attache aucune importance à ce moment du drame, qu'il n'y cherche aucune originalité, qu'il n'y applique nullement son imagination, qu'il accepte des formules consacrées, la reconnaissance ou le mariage par subterfuge, parce qu'elles satisfont le public. Pour lui, le drame ne se dénoue pas. Le dénouement qu'il est contraint de lui donner sera donc parfois provisoire, souvent postiche, toujours arbitraire.

Sans doute cette thèse n'est pas à rejeter brutalement. Elle se justifie pour celui qui voit dans Molière un peintre des mœurs ou un analyste des caractères. Elle est plus discutable si l'on n'oublie pas que cet écrivain est d'abord un homme de théâtre. Alors on s'aperçoit que, loin de négliger le dénouement, Molière en fait un moment capital du jeu dramatique, qu'il en travaille et diversifie les procédés et que, si ses scènes terminales ont l'air de rompre avec ce qui les précède, elles en sont en réalité le couronnement.

Scherer a dégagé, dans sa *Dramaturgie*, une règle importante du dénouement classique : celle qui exige sur le théâtre à l'achèvement de l'action la présence de tous les personnages qui y ont pris part, ou, du moins, du plus grand nombre. Il y voit une pratique proprement française, faite pour procurer à un public féru d'ordre « un sentiment de satisfaction, on pourrait presque dire de plénitude, en lui mettant devant les yeux le bonheur de tous ceux qui sont enfin unis par le mariage ». Qu'il nous soit permis de penser que les acteurs eux aussi sont satisfaits de récolter les applaudissements dans cette dernière apparition sur la scène : ils ne sont pas tous mariés, ni tous intéressés au mariage, mais tous avides de s'entendre acclamer.

Molière le plus souvent rassemble sur le théâtre au dénouement l'effectif complet ou quasi complet de sa troupe. L'effectif est complet dans l'*École des maris*, l'*École des femmes*, la *Critique* et *Scapin*. Il est quasi complet dans une quinzaine de pièces. En général, il manque un garde ou un valet dont l'apparition a été furtive et dont le rôle a peut-être été tenu par un *extra*, ou par un acteur pourvu d'un autre rôle plus important et qui apparaît au dénouement dans ce dernier personnage : c'est le cas de l'*Étourdi*, du *Dépit*, de *Sganarelle*, de l'*Impromptu*, de la *Princesse d'Élide*, de *Tartuffe*, du *Médecin malgré lui*, de l'*Avare*, des *Amants magnifiques*, etc. Parfois il manque un personnage de premier plan, qui se trouve écarté de cette réapparition par le cours de l'intrigue : dans les *Femmes savantes*, on ne voit pas comment Trissotin et Vadius pourraient revenir sur le théâtre pour assister à leur défaite. Parfois il manque encore un personnage important dont les bienséances ne permettent pas le retour : il serait peu gracieux d'obliger l'épouse d'Amphitryon à écouter l'arrêt d'un Jupiter qui a disposé de son honneur conjugal avec désinvolture, et pas davantage de ramener l'amant d'Angélique auprès de la perfide lorsqu'elle triomphe cyniquement de Dandin. Avec ces exceptions toujours motivées, on constate que dans les deux tiers de ses pièces, Molière fait comparaître au dénouement tous les acteurs qui ont concouru au jeu dramatique : c'est parfois une dizaine de comédiens qui se trouvent ainsi réunis devant le public qui va les applaudir, onze dans l'*Impromptu* et dans l'*Avare*, douze dans les *Fourberies*. Ils ne parlent point tous, mais ils constituent une imposante figuration.

Le dénouement du *Misanthrope* offre une variante curieuse de ce premier type. Tous les personnages, sauf deux valets et le garde, sont mentionnés en tête de la dernière scène. Ils sont présents quand elle commence. Leur troupe s'est constituée au long de l'acte V par voie d'agglomération : Alceste et Philinte seuls étaient d'abord sur le plateau; Philinte a quitté son ami au moment où arrivaient Célimène et Oronte; Philinte ramène Éliante; arrivent Acaste et Clitandre avec Arsinoé; les voici tous huit réunis pour les explications qui vont clore le drame. Célimène est confondue : l'exécution achevée, les deux marquis, qui l'ont perpétrée, se retirent; Oronte les suit bientôt; Arsinoé tente sa chance auprès d'Alceste et, échouant, part à son tour; Alceste met Célimène en demeure de choisir entre le monde et son désert et, devant le refus qui lui est opposé, congédie la coquette; le Misanthrope se retourne vers Éliante, qui lui annonce son union avec Philinte; il n'a plus rien à faire dans la société et il s'enfuit, poursuivi par l'amitié fidèle de Philinte et d'Éliante; le théâtre est vide. « C'est la fuite devant le dénouement, qui en manifeste la tristesse », écrit Scherer.

Dans quatre pièces, on constate un dénouement plus compartimenté. Dans les *Précieuses*, Gorgibus n'arrive que lorsque sortent La Grange et Du Croisy et il reste en scène avec Magdelon et Cathos après la fuite de Mascarille et de Jodelet : le dénouement fait bien apparaître dans ces trois scènes tous les personnages ayant pris part à l'action, mais il les fait sortir en trois temps. Le *Sicilien*, *Pourceaugnac*, le *Malade imaginaire* finissent aussi en plusieurs temps.

Les *Fâcheux*, par le fait même de la composition en *sketches*, ne permettent pas la comparution finale de la troupe : la dernière scène ne rassemble que quatre personnages sur seize. Au même type appartiennent le *Mariage forcé*, l'*Amour médecin* et le *Bourgeois gentilhomme*, n'oublions pas *Don Juan*.

Psyché trouve sa conclusion dans un conseil de divinités : les humains, qui tiennent la majorité des rôles, ne peuvent y figurer.

Molière use d'une autre formule qui manifeste l'intérêt qu'il prend en tant que comédien à ce moment de l'action : c'est la tirade de clôture. On l'a remarqué pour l'*Étourdi* : le poète a changé le dénouement de la pièce de Beltrame qu'il adaptait, en y amalgamant une imitation du *Parasite* de Tristan, pour y faire entrer un long discours, où Mascarille, pour résoudre l'imbroglio, se lance dans un récit dans lequel son éloquence et sa verve se donnent carrière. Ainsi l'acteur se fait valoir.

Dans l'*École des femmes*, la tirade fait place au duo : devant la troupe rassemblée, Chrisalde et Oronte distribuent le récit terminal en distiques alternés d'une parfaite régularité. Tous, sauf un, commencent par un *et* de liaison. Les diseurs semblent se renvoyer la balle dans un mouvement mécanique. Mais cette mécanique consomme le désastre dans lequel sombre l'entreprise amoureuse d'Arnolphe : le malheureux est écrasé, jusqu'à ne pouvoir pousser qu'un soupir lamentable. Ce duo ne témoigne pas moins de virtuosité que le discours de Mascarille.

Les *Fourberies* finissent en apothéose : c'est encore une façon de mettre en valeur le comédien. Scapin est amené sur une civière soutenue par deux hommes, la tête entourée de linges. Toute la troupe est là, inquiète ou satisfaite de cet accident qui promet le fourbe à la mort. Devant l'imminent destin, les haines se défont, les pardons effacent les fautes. Le dernier pardon prononcé, Scapin ressuscite, et se fait porter en triomphe au bout de la table dressée pour achever la fête.

Tartuffe offre un dernier type de dénouement verbal propice au comédien : c'est le remerciement au Roi, prononcé par l'Exempt et confirmé par Cléante et Orgon, sous la forme d'un éloge nuancé des qualités du souverain. Molière y rend à son bienfaiteur un hommage public qui dut flatter le cœur de celui auquel il s'adressait. Au terme de la longue campagne menée contre la cabale dévote, ce geste servait les intérêts de la troupe.

La richesse technique de la comédie moliéresque apparaît encore autrement. Nous avons noté, en parlant du masque, la propension du poète à lier l'irréel au réel, à jouer de leur confrontation : nous allons trouver ici la confirmation de cette remarque.

Il arrive à plusieurs reprises que Molière, au terme de sa pièce, ne croit pas nécessaire de la clore absolument. Une discussion est engagée, qui ne s'achève pas devant nous, qui continue dans la coulisse. Dans le *Dépit*, Mascarille, Gros-René et Marinette n'arrivent pas à s'entendre sur le chapitre de la fidélité conjugale : ils rentrent chez Albert, sans grand espoir de s'accorder. Dans l'*École des femmes*, le duo de Chrisalde et d'Oronte, suffisamment explicatif pour Arnolphe et pour le spectateur, n'a pu résoudre tous les mystères : Chrisalde propose à ceux qui l'entourent d'aller chez lui pour les débrouiller. Le *Misanthrope* finit sur la sortie de Philinte et d'Éliante : ils courent après Alceste; rompront-ils son dessein de retraite?

Parfois le dénouement est branché sur une réjouissance, un festin par exemple : c'est le cas du *Mariage forcé* et de *Scapin*. Plus souvent, il nous vaut un ballet : voir les *Fâcheux*, l'*Amour médecin*, le *Sicilien*, *Pourceaugnac*, les *Amants magnifiques*, le *Bourgeois gentilhomme*, *Escarbagnas*, le *Malade imaginaire*. Ce ballet, quelque lié qu'il soit à l'action, introduit une note d'irréalité accentuée dans le spectacle.

Molière use de bien d'autres ressources pour lier l'irréel au réel. Au terme de la comédie du *Bourgeois gentilhomme*, avant le ballet, Covielle, à qui Jourdain vient de confier l'avenir de Nicole, remercie le glorieux *mamamouchi* et, se tournant vers la salle, ajoute : « Si l'on en peut voir un plus fou, je l'irai dire à Rome. » Le spectateur se trouve ainsi mêlé aux acteurs. Sganarelle dans le *Cocu*, Lisette dans l'*École des maris*, Dandin, Sosie, quittent leur rôle au dénouement plus ou moins nettement pour redevenir des acteurs s'adressant au public, des hommes s'adressant à d'autres hommes et leur donnant un conseil utile à retenir. Le procédé vient de la farce. Molière s'en sert pour brouiller le jeu.

Dans la *Critique*, le dénouement est présenté dans tout son artifice, comme un pur procédé de théâtre : la dispute paraît si plaisante à Uranie qu'elle propose d'en faire une comédie; tous acceptent l'idée; on cherche un dénouement; survient Galopin, annonçant que la table est servie; Dorante voit là la conclusion cherchée et Uranie concède qu'on ne saurait mieux finir. Le spectateur se trouve ainsi transporté du théâtre dans le cabinet du poète.

Il est évident que ces dénouements n'ont aucune valeur morale. La farce se refuse aux conclusions vertueuses. Le *masque* est fixe, avons-nous dit. Il ne peut s'animer. S'il a pris un parti, il s'y tient jusqu'au bout. On ne peut le convertir à la raison s'il est fou. Harpagon reste l'Avare, Alceste reste le Misanthrope et Philaminte la Savante; Jourdain marie sa fille au fils du Grand Turc et Argan se fait recevoir docteur.

Ce sont des dénouements de théâtre, de comédien et non de moraliste, pas même de psychologue. La fantaisie y règne et non la logique. On les dit invraisemblables et c'est pourquoi on les croit négligés. En effet, examinés comme des textes écrits, ils achèvent la pièce par un coup d'autorité que ne justifie ni la logique de l'action ni le développement des caractères. Mais ce point de vue méconnaît leur nature. Considérez-les à la lumière de la scène : le mouvement les soutient et les exige. Loin de les bâcler, Molière les a soignés, diversifiés, renouvelés par son expérience de comédien. Aucun spectateur n'est insensible à l'élan qui les emporte. S'ils achèvent arbitrairement, ils couronnent nécessairement. Moore a raison d'insister : le dénouement des *Fourberies* est un chef-d'œuvre de l'art. Jouvet, dont on ne contestera pas la compétence, l'a proclamé : « Il y a une certaine sottise et une certaine impertinence à parler de la pauvreté des dénouements de Molière; ils sont de la plus parfaite et de la plus fine convention théâtrale. »

*

Nous heurterons moins de préjugés en terminant ce chapitre par quelques considérations sur le style de Molière. Sur ce point, la partie est gagnée : la critique reconnaît que ce style est un style de théâtre, un style d'acteur. Lanson remarquait déjà le rapport qui lie l'écriture à l'action : « Un certain jeu impose un certain style, quand l'auteur est acteur et écrit ce qu'il jouera. »

Du point de vue du puriste, Molière écrit mal. La Bruyère lui reprochait de n'avoir évité ni le jargon ni le barbarisme; et Fénelon, de se servir « des phrases les plus forcées et les moins naturelles ». Ses métaphores approchent du galimatias, disait encore celui-ci. De fait, les métaphores abondent même dans une pièce aussi travaillée que le

Misanthrope et leur incohérence éclate. On peut en juger par ces deux vers, souvent relevés :

> *Le poids de sa grimace, où brille l'artifice,*
> *Renverse le bon droit et tourne la justice.*

Trois verbes métaphoriques : *brille, renverse, tourne*; à quoi s'ajoute le *poids de sa grimace*; Mais il faut reconnaître que ces métaphores incohérentes ont perdu toute force imaginative et ne gardent qu'une valeur intellectuelle.

Ailleurs, aux métaphores se mêle l'ambiguïté. Les quatre vers que voici aboutissent à un double *on* parfaitement équivoque :

> *Non, non, il n'est point d'âme un peu bien située*
> *Qui veuille d'une estime ainsi prostituée :*
> *Et la plus glorieuse a des régals peu chers*
> *Dès qu'on voit qu'on nous mêle avec tout l'univers.*

Le premier *on* est un équivalent de la première personne, et le second, de la troisième. Et que désigne *la plus glorieuse*? l'*âme* ou l'*estime*? Faut-il entendre : *l'âme la plus avide de gloire éprouve...*? ou : *l'estime la plus éclatante comporte...*? Le doute est permis.

On peut relever des chevilles, des négligences, de la fausse élégance, des brusqueries de tour et des cacophonies. Mais non seulement cela ne s'aperçoit pas à l'audition, quand l'acteur noie ces imperfections stylistiques dans le torrent de sa diction, non seulement ce sont des fautes excusables chez un auteur dramatique, ce sont d'*heureuses fautes. Felix culpa!* Il ne faut pas dire que c'est la rançon de l'abondance, que ce style est le style d'un poète qui n'a pas le temps de mieux écrire parce qu'il est trop occupé, parce que sa carrière de comédien l'absorbe trop et ne lui laisse pas le loisir de mener ses créations à la perfection. Il faut affirmer que ce style dit négligé est dans son principe supérieur à un style qui serait d'une correction absolue.

C'est un style de théâtre : il n'est pas fait pour la lecture, mais pour le spectacle. Il est fait pour être soutenu par l'action, le jeu, le geste. Parfois même il n'est que le complément du jeu et il n'a dans le spectacle qu'une valeur secondaire. Sous cette lumière, l'obscurité s'éclaire et l'ambiguïté perd son imprécision.

D'autre part, si le lecteur est libre de son allure, s'il lui est loisible d'avancer lentement, dans une sorte de ralenti, pour être sensible à la perfection ou à l'imperfection de l'écriture, le spectateur est obligé de suivre le mouvement de l'interprétation : il n'est pas question pour lui de reprendre haleine, de revenir en arrière, de chausser son nez de besicles. Il avance bon gré mal gré dans une hâte à laquelle il participe. Dans ce *tempo*, l'attention ne peut être continue ou du moins elle ne garde pas toujours la même intensité. Elle varie beaucoup selon les spectateurs. Chez les plus entraînés, elle est loin d'atteindre l'intensité ni la régularité de celle d'une lecture de cabinet. Si donc le poète dramatique écrit pour la scène comme il écrirait pour le livre (n'est-ce pas le défaut de Giraudoux?), il est infidèle à sa fonction. Molière le sait : il veut faire rire; il veut détendre l'esprit du public; il ne doit pas le fatiguer en lui imposant une attention trop stricte; il use d'une sorte de remplissage, d'une bourre enveloppant la rudesse du cuir, d'un tissu conjonctif protégeant et reliant les organes, de ce style dit lâché d'où émergent les phrases expressives, celles qui déclenchent l'hilarité ou frappent l'imagination. Non, Molière n'écrit pas mal; personne au théâtre n'a jamais été choqué par son style. Au contraire, ce style a le mouvement que réclame la scène. Si Fénelon et La Bruyère ne s'en sont pas aperçus, c'est qu'ils vivaient dans un autre monde.

En tout domaine s'affirme la position exceptionnelle de Molière. Que ce soit devant les règles ou devant le style, dans la structure de ses pièces, dans l'aménagement de l'action, dans la création des personnages, dans la façon d'entrer en matière ou de conclure, il s'inspire de son expérience professionnelle. L'auteur ne nous laisse jamais oublier qu'il est acteur.

III

LE POÈTE ET SES INTERPRÈTES

Le problème. — Le retour des noms. — Molière interprète de Molière.
— Madeleine Béjart. — Mlle De Brie. — Mlle Du Parc. — Armande.
— Les autres actrices. — Les frères Béjart. — Trois bouffons. — De
Brie. — La Grange et Du Croisy. — La Thorillière. — Brécourt. —
Hubert. — Beauval. — Baron. — Divers. — Conclusion.

H. Carrington Lancaster, dns sa grande *Histoire de la littérature
dramatique française au XVIIe siècle*, a reproché à bon droit à la critique
de négliger ce fait d'expérience que nombre de pièces ont été écrites en
fonction des acteurs qui devaient les interpréter. C'est le cas surtout des
comédies composées par des auteurs qui étaient aussi acteurs. Toutefois
il est probable que Corneille lui-même dut penser à Montdory quand il
écrivit le rôle de Jason et à Mlle Beauchasteau quand il prépara celui de
l'Infante; Mairet, Benserade travaillèrent dans les mêmes conditions.
A plus forte raison, Molière, comédien, chef de troupe, qui s'était fait
écrivain pour servir sa compagnie, a-t-il conformé sa création à l'interprétation à laquelle il la destinait.

Guéret le remarquait en 1669 : quand Molière fixe son texte sur le
papier, il traduit une vue scénique de la comédie à laquelle il rêve, vue
qui comporte la totalité de l'interprétation, c'est-à-dire non seulement la
mise en scène, mais les acteurs dans leurs particularités, avec leurs dons
propres, leurs possibilités et leurs limites, leur allure, leur costume,
leurs traits. Le spectateur est tellement frappé de la correspondance
entre le comédien et le personnage que, renversant le processus, il croit
le premier fait pour le second et non le second pour le premier. Une
confusion s'établit entre deux êtres, dont l'un relève de la vie commune
et l'autre de la vie poétique. Cette illusion a pour fondement la profession de Molière : l'imagination du poète comédien s'inscrit directement
dans l'espace fictif de la scène hanté par les fantômes des interprètes.

Ce n'est pas que l'intégration de l'artiste dans le rôle à laquelle Molière procède idéalement, se révèle aussi facile à l'épreuve qu'elle était dans la préparation. L'acteur est parfois rebelle à son être, ou, si l'on veut, à son emploi. Le poète le voyait avec certains traits, sur lesquels se modelait le personnage : à la répétition, une discordance se révèle, qu'il faut effacer par le travail. Le metteur en scène (c'est le même que le poète) s'y emploie. Il impose à l'acteur la figure sous laquelle il le considère. L'identité voulue se réalise progressivement : quand la pièce est offerte au public, le spectateur n'aperçoit plus d'hiatus entre Louis Béjart et La Flèche, pas plus qu'entre Molière et Harpagon.

Ces deux personnages sont ceux que l'on met généralement en avant pour établir l'ajustement volontaire des rôles aux acteurs : Harpagon tousse parce que Molière est malade de la poitrine, La Flèche boite parce que Louis Béjart est infirme. Ces correspondances peuvent être poussées plus loin.

Remarquons que dans la farce, surtout dans la farce italienne, l'intégration dont nous parlons était de règle, à tel point que l'acteur n'avait d'autre nom usuel que celui de son emploi et que le personnage n'était désigné, quelle que soit la comédie, que par ce nom attaché à l'emploi : Scaramouche s'appelait partout et toujours Scaramouche, à la ville comme au théâtre; de même Trivelin, Pantalon, Arlequin. Molière, élève des farceurs, adopta cette esthétique, sinon cette pratique, dans nombre de ses pièces. Il ne se distinguait pas lui-même des rôles qu'il se donnait; il ne distinguait pas ses camarades des personnages qu'il leur faisait jouer. Ce n'est pas à dire que le personnage soit limité à la nature de l'acteur. S'il en était ainsi, la comédie moliéresque n'aurait ni sa variété ni ses résonances. Du moins il a été conçu en fonction de l'interprète : ce n'est pas seulement le sujet de la pièce qui lui a imposé son caractère, mais aussi l'emploi de l'acteur qui l'incarnait; le lien qui les relie ne se réduit pas à un trait, il embrasse le complexe physique et moral qui particularise un homme.

Nous nous en rendrions mieux compte si nous connaissions intimement les camarades de Molière. Nos documents sont malheureusement incomplets. Ils nous semblent pourtant suffisants pour légitimer cette étude, dont l'objet, comme pour les précédentes, est de mettre dans sa vraie lumière le processus de la création moliéresque en le situant une fois de plus sur la scène.

*

Dans la *commedia dell'arte*, les personnages portaient toujours les mêmes noms, disions-nous : Molière n'a-t-il vraiment gardé de cette pratique que l'esprit qui y présidait et qui assurait l'identité du personnage et du comédien? Il ne se priva point de baptiser du même nom des figures très diverses. On trouve dans son théâtre six Sganarelles, cinq Valères, quatre Clitandres, trois Cléantes, autant de Climènes, de Dorantes, d'Érastes, d'Élises, de Léandres, de Mascarilles et d'Orontes; vingt-deux noms sont employés deux fois. Y a-t-il quelque constance dans ces dénominations? En d'autres termes, les personnages qui portent le même nom offrent-ils entre eux quelque parenté?

Nous avons remarqué que Sganarelle présente bien dans sa diversité une certaine identité de condition et de situation, même de caractère. En revanche Mascarille, bien que le masque dont il couvre son visage assure sa permanence, s'il se ressemble à lui-même en passant de l'*Étourdi* aux *Précieuses*, s'écarte du type dans le *Dépit*. Léandre est un amant : le second amant de l'*Étourdi* et des *Fourberies*, l'amant du *Médecin malgré lui*. Éraste est le jeune premier du *Dépit*, des *Fâcheux* et de *Pourceaugnac*. Dans ces deux cas, il y a bien constance : le même nom recouvre la même situation et les mêmes traits. Mais ni le nom d'Éraste ni celui de Léandre ne sont attribués à tous les personnages placés dans la même situation et pourvus du même caractère.

Nous sommes en face de trois Cléantes : dans l'*Avare* et dans le *Malade*, ce sont des amoureux qui pourraient s'appeler aussi bien Éraste ou Léandre; dans *Tartuffe*, c'est un autre être, placé non dans le drame, mais en marge, plus âgé, raisonnable et raisonneur, froid, sage, juste le contraire d'un jeune premier. Les trois Orontes non plus ne se ressemblent guère : celui de l'*École des femmes* est le père de l'amoureux, une utilité amenée pour le dénouement; dans *Pourceaugnac*, c'est aussi un père, le père de la jeune première, mais il joue son rôle dans la comédie d'un bout à l'autre; dans le *Misanthrope*, c'est un marquis et un poète. Dorante est le chasseur maniaque des *Fâcheux*, le gentilhomme plein de goût de la *Critique*, le peu scrupuleux amant de Dorimène dans le *Bourgeois* : sa seule constante est sa *qualité*. Clitandre revient quatre fois : dans l'*Amour médecin*, c'est un autre Éraste ou un autre Léandre; de même dans les *Femmes savantes*; mais dans *George Dandin*, s'il est encore le jeune premier, c'est avec des traits moins sympathiques; et surtout, dans le *Misanthrope*, ce n'est plus qu'un marquis peu caractéristique. Valère offre plus de constance : il est le principal ou le second amant dans le *Dépit*, l'*École des maris*, *Tartuffe* et l'*Avare*; mais dans le *Médecin malgré lui*, il tombe au rang de domestique; il est vrai que dans l'*Avare* il entre aussi au service d'Harpagon pour se rapprocher de celle qu'il aime. Élise est une confidente dans *Don Garcie*, la maîtresse de maison de la *Critique* et la fille d'Harpagon. Climène, après avoir été deux fois précieuse, dans les *Fâcheux* et la *Critique*, n'est plus qu'une utilité du *Sicilien*.

Faut-il conclure que le hasard seul a présidé à la distribution de ces noms? La conclusion serait trop rapide. Les deux Angéliques n'ont pas le même caractère, mais ce sont deux amoureuses; de même les deux Célies; les deux Dorimènes sont aussi inquiétantes l'une que l'autre; les deux Elvires ont la même noblesse de cœur; les deux Frosines, le même sens de l'intrigue; les deux Luciles jouent des rôles semblables; Lisette est deux fois une suivante; Lucinde, deux fois une fille à qui son père ne permet pas de suivre son penchant amoureux; Marianne, de *Tartuffe* à l'*Avare*, garde le même caractère doux et soumis; Martine reste une vigoureuse commère. Nérine en revanche se décolore en passant de *Pourceaugnac* à *Scapin* et Julie change de condition de *Pourceaugnac* à *Escarbagnas*.

Du côté des hommes, des analogies peuvent être relevées entre les Aristes, les Ergastes, les L'Épine, les Gros-Renés, les Gorgibus, les Gérontes, les Lélies. Par contre, les Anselmes, les Damis, les Pèdres et les Philintes sont difficiles à apparenter.

Incontestablement Molière s'est éloigné de la tradition des farceurs italiens. Plus de deux cent vingt personnages diversement nommés paraissent dans son théâtre, dont deux tiers d'hommes et un tiers de femmes. Trente-trois noms seulement sont repris. Les retours sont relativement peu nombreux et leur signification est affaiblie par les discordances relevées plus haut.

Cependant, même peu nombreux, même réduits parfois à une identité nominale, ces retours existent. Beaucoup sont intentionnels. Nous verrons que dans nombre de cas l'identité du nom s'appuie sur l'identité de l'acteur chargé du rôle. L'influence de la farce ne se borne donc pas à la création d'une figure comme Sganarelle : on en trouve des traces dans maint cas où s'affirment plus ou moins nettement la permanence du *masque* et l'identification du personnage et de l'acteur, de la fiction et du réel.

*

Le premier interprète de Molière, celui auquel il pensa quasi constamment quand il composait ses comédies, celui auquel il destina le plus grand nombre de rôles, ce fut Molière. Nous l'avons dit, il joua plus de trente personnages différents dans une trentaine de pièces. Ce n'est que dans la *Comtesse d'Escarbagnas* qu'il ne parut pas, et peut-être dans la *Critique*. Il s'attribua tous les grands rôles, les plus longs, les plus lourds, les plus comiques, non pas les plus grotesques (Mascarille, non Jodelet; Clitidas, non Anaxarque), les plus dynamiques, les plus brillants.

Les noms que portent ces personnages, à l'exception de Mascarille et de Sganarelle, sont tous individualisés : il n'est qu'un Arnolphe, un Orgon, un Alceste, un Dandin, un Harpagon, un Pourceaugnac, un Jourdain, un Chrysale, un Argan. On n'imagine guère qu'il puisse en apparaître une seconde épreuve : ils sont trop vivants, trop charnellement vivants, dans une individualité complète, pour se prêter à une réincarnation. Car ce serait une suite de la première comédie. Et les comédies de Molière ne comportent pas de suite : elles ne peuvent que se recommencer. Les noms même qu'ils portent sont en général plus particularisés que ceux des autres personnages, du moins de ceux qui reviennent. Géronte, Léandre, Éraste, Cléante, Ariste, ce sont, par l'effet d'une étymologie transparente ou d'une tradition ancienne, des vocables quasi génériques, aussi anonymes que le Vieillard de la tragédie grecque. Jourdain, Dandin, Pourceaugnac n'ont pas cette signification banale. Arnolphe tire son nom d'un saint dont le Moyen Age a fait le patron des cocus et pourtant Molière n'a pas cru pouvoir transférer à un autre amoureux trompé une appellation dont il avait fait un si brillant usage.

Ceci marque la limite de l'emploi du *masque* dans la comédie moliéresque. Arnolphe, Jourdain, Harpagon gardent de leur origine farcesque un certain nombre de traits; mais ils accèdent à la vie personnelle, ce que ne fait jamais le *masque*. Ils ne sont pas une *figure*, ils sont des *êtres*.

Ainsi, quand Molière conçoit un rôle qu'il se destine, il ne se sent pas limité dans la caractérisation de ce rôle par ses propres moyens d'acteur. Certes, il profite de sa toux pour en tirer un effet comique; du moment qu'elle ne peut être dissimulée, il l'intègre à son personnage. Mais il est conscient de la richesse des moyens dont il dispose. Grand acteur, il a en lui toutes les virtualités comiques, toutes celles dont il nourrit les êtres qu'il a créés.

Il serait donc vain d'essayer de retrouver l'homme dans les rôles que le poète l'a chargé d'incarner. Car cet homme est capable de faire vivre toute sorte de créature. Tout au plus quelques traits physiques imposeront-ils au rôle une certaine constance. Il est impossible qu'Orgon ou qu'Argan soient grands et fluets, puisque Molière était de taille moyenne et fort d'épaules. Sa large bouche, son gros nez, ses lèvres épaisses, ses sourcils bien fournis, son teint brun marqueront tous les personnages qu'il interprétera, en dépit des diversités qu'y apportera le maquillage.

Mais les traits de caractère varieront : de Scapin à Alceste, de Sosie à Orgon, d'Arnolphe à Jourdain la différence est grande. Bien fin celui qui trouverait dans cette variété une uniformité qui révélerait l'interprète. L'interprète ne se devine que dans la diversité même des êtres qu'il incarne : cette diversité témoigne d'une abondance de dons qui décèle le grand acteur.

*

Madeleine Béjart accompagna Molière dans toute sa vie de comédien, sauf la dernière année : elle disparut, à très peu de jours près, un an avant celui dont elle avait favorisé les débuts et suivi la fortune. Elle était née en 1618; elle mourut en 1672, dans la cinquantaine. Dès 1636, elle est intégrée dans le monde du théâtre : elle adresse à Rotrou un quatrain qui figure en tête d'*Hercule mourant*. En 1638, elle met au jour un enfant adultérin du chevalier de Modène. En 1643, elle fonde avec son frère Joseph et sa sœur Geneviève, et avec Jean-Baptiste Poquelin, l'Illustre-Théâtre. Dès lors sa destinée est fixée. Elle mène jusqu'au bout la vie de l'actrice, dévouée à son art et à sa compagnie. Est-ce par ambition littéraire qu'elle adapta le *Don Quichotte* de Guérin du Bouscal? Ne serait-ce pas plutôt pour rendre service à la troupe en lui fournissant à peu de frais une nouveauté à un moment où le directeur en cherchait partout? En tout cas, elle se confina par la suite dans ce qui était proprement son talent.

Car elle fut une bonne actrice. Elle joua la tragédie : elle tint le rôle d'Épicharis dans la *Mort de Sénèque* de Tristan, ceux d'Andromède et de Junon dans l'*Andromède* de Corneille, et, plus tard, celui de Jocaste dans la *Thébaïde* de Racine; elle figura dans la distribution du *Scévole* de Du Ryer, de *Crispe* de Tristan, de l'*Artaxerce* de Magnon. Molière utilisa ses services dans la plupart de ses comédies : elle fut probablement la Marinette du *Dépit*, certainement la Magdelon des *Précieuses*, Elvire dans *Don Garcie*, Lisette dans l'*École des maris* et l'*Amour médecin*, la Nymphe du prologue des *Fâcheux*, peut-être l'Uranie de la *Critique*; elle parut sous son nom dans l'*Impromptu*; elle tint le rôle d'une Bohémienne dans le *Mariage forcé*, de Philis dans la *Princesse d'Élide*, de Dorine dans *Tartuffe*, probablement de Jacqueline dans le *Médecin malgré lui*, de Cléanthis dans *Amphitryon* (et peut-être de la Nuit), de Frosine dans l'*Avare*, de Nérine dans *Pourceaugnac* et d'Aristione dans les *Amants magnifiques*. Elle fut Diane dans le cortège de l'*Ile enchantée*. Sans doute parut-elle encore dans d'autres pièces : à coup sûr, elle tint dans les

Fâcheux un autre rôle que celui de la Nymphe; elle eut sa place dans *Mélicerte*. Il ne semble pas qu'elle ait figuré dans l'*École des femmes*, ni dans *Don Juan*, ni dans le *Misanthrope*.

P. Brisson veut qu'elle ait pris sa retraite dès 1666, avant la présentation de cette dernière pièce. Si en effet sa présence n'est pas établie avec une totale certitude dans les comédies ultérieures, il semble impossible que Molière ait assuré la distribution de *Tartuffe* en 1669 sans recourir à ses services : il n'avait alors à sa disposition, avec elle, qu'Armande et la De Brie pour tenir les rôles d'Elmire, de Marianne et de Dorine (on ne peut supposer qu'il ait remplacé Madeleine par sa sœur Geneviève, incapable de tenir un emploi si important). La même remarque peut être faite pour l'*Avare*, *Pourceaugnac* et les *Amants magnifiques*, toutes pièces antérieures à l'arrivée de Mlle Beauval et comportant trois rôles féminins. Au reste, en 1666, Madeleine Béjart n'avait que quarante-huit ans; pourquoi se serait-elle retirée si tôt? Le Registre de La Grange ne mentionne nulle part cette retraite ni une maladie la motivant.

La chronique s'occupa souvent de cette actrice en vue, pour la louer dans l'éclat de sa jeunesse, pour la déprécier quand cet éclat se fana et que la troupe du Palais-Royal fut en butte aux railleries de ses rivaux. Elle était blonde : on la disait rousse, pour insinuer qu'elle sentait mauvais. Certains la trouvèrent déjà âgée en 1661 ou 1663 (elle avait passé quarante ans) pour le rôle de la première amante dans *Don Garcie*. La Fontaine, qui l'admira en Nymphe dans le prologue des *Fâcheux* à Vaux, la disait « gentille » et « excellente dans son art »; une chanson du temps la compara à Vénus : cela n'empêcha point ses détracteurs de profiter de ce qu'elle se présentait sur la scène en sortant d'une coquille pour la traiter de « vieux poisson ».

On s'est demandé si, tenant le rôle de Philis dans la *Princesse d'Élide*, elle ne dut pas chanter au cinquième intermède. Mais on a remarqué que ce chant est long et exige une voix de grande étendue : il est probable que, selon l'usage, elle figurait l'action de son rôle pendant qu'une chanteuse professionnelle chantait dans une loge grillée. En revanche, il est assuré qu'elle dansa quelques pas dans le *Mariage forcé*, dans un rôle de Bohémienne. Cependant il ne faut pas croire qu'elle se mêla au ballet proprement dit, que dansaient le Roi, deux courtisans et trois professionnels : l'usage ne permettait pas cette promiscuité des comédiennes avec les grands; avec la De Brie, elle joua sa scène à part, après la sortie du groupe principal.

Pouvons-nous deviner son caractère à la lueur de ce qu'elle dit et de ce que Molière lui répond dans l'*Impromptu*? Elle semble femme de bon sens; elle tient une place de choix dans la troupe; le chef la considère et discute avec elle. Il lui confie un rôle de prude. On ne peut rien dire de plus.

Dans la comédie, elle a joué surtout les suivantes : Marinette, Lisette, Philis, Dorine, Cléanthis, des rôles de gaieté, de malice et d'enjouement. Elle a tenu le personnage maternel d'Aristione, ceux, mûrissants, de Frosine et de Nérine. Mais, dans les premières années de la compagnie, elle avait un emploi plus noble : celui d'Elvire dans *Don Garcie*; ou plus important : celui de Magdelon dans les *Précieuses*. En somme, Molière trouva en elle une collaboratrice dévouée, au talent varié, dont il pouvait user selon le besoin de sa création. Elle ne fut pas pour lui une *étoile*, celle qui force le succès, mais celle qui l'aide. Elle concourut au comique et entra facilement dans le mouvement. Elle ne perdit jamais sa verve ni son entrain.

*

Catherine Leclerc, au théâtre Catherine Du Rosé, entra dans la troupe avant 1650; l'année suivante, elle épousa De Brie. Ce fut encore une fidèle et, non moins que Madeleine Béjart, une excellente actrice. Elle tint avec éclat l'emploi de jeune première. Elle fut probablement la Célie de l'*Étourdi*; Molière fit pour elle le rôle de Cathos dans les *Précieuses*, ceux d'Isabelle dans l'*École des maris* et d'Agnès dans l'*École des femmes*, d'Isidore dans le *Sicilien*, de Julie dans *Pourceaugnac*. Un peu en retrait, elle fut encore Cinthie dans la *Princesse d'Élide*, Marianne dans *Tartuffe*, Mathurine dans *Don Juan*, Éliante dans le *Misanthrope*, Martine dans le *Médecin malgré lui*, Élise dans l'*Avare*, Dorimène dans le *Bourgeois gentilhomme*, Armande dans les *Femmes savantes*. Elle fut au moins deux fois Vénus : dans l'*Andromède* de Corneille et dans *Psyché*. Elle joua et dansa le rôle d'une Bohémienne avec Madeleine Béjart dans le *Mariage forcé*. Elle figura certainement dans le *Dépit*, *Don Garcie* et les *Fâcheux*. On peut lui attribuer avec vraisemblance le rôle d'Alcmène, ceux de Claudine dans *George Dandin*, d'Hyacinthe dans *Scapin* et de Béline dans le *Malade imaginaire*.

Sa grâce et sa beauté ne sont pas douteuses. On peut croire que son caractère était particulièrement amène. Ce n'est pas à dire que les rôles qu'elle créa soient tous empreints de douceur. C'est le cas d'Éliante et de Marianne, d'Agnès, si l'on veut; mais la fille d'Harpagon est une personne décidée et Armande a de la peine à contenir sa violence naturelle. Dans le cortège de l'*Ile enchantée*, Mlle De Brie figura le Siècle d'airain. Molière, dans l'*Impromptu*, lui fait la part belle : elle semble à peine moins importante dans la troupe, moins familière avec le chef que Madeleine Béjart. Le concours qu'elle apporta fut l'un des plus précieux, peut-être le plus précieux. Tantôt en tête de la distribution, tantôt en second, jamais effacée, elle rendit de constants services. Plus jeune que Madeleine Béjart, elle pouvait encore jouer Armande en 1672. Elle survécut largement à Molière : elle ne prit sa retraite qu'en 1685 et mourut vers 1705.

*

Marquise Thérèse de Gorla, née d'un charlatan des Grisons établi à Lyon, après avoir joué dans une troupe de second ordre, fut recrutée par Molière, en même temps qu'elle épousait le comédien René Berthelot dit Du Parc, en 1653. Elle avait un emploi de tragédienne, qui convenait à sa prestance : le gazetier Loret vantait son port d'impératrice. Elle brilla aussi dans le genre léger : non point qu'on lui donnât des rôles comiques (elle n'avait ni la malice de Mlle Béjart ni l'enjouement de Mlle De Brie); mais elle tint l'emploi de précieuse ou d'intrigante. Surtout Molière utilisa son talent de danseuse. Elle se savait bien faite et mêlait à ses évolutions des « cabrioles » qui découvraient par le moyen d'une jupe à double fente « des bas de soie attachés au haut d'une petite culotte ».

On veut qu'elle ait été façonnière parce que, dans l'*Impromptu*, c'est un rôle de ce genre qui lui est attribué et que Molière lui recommande de s'y appliquer : « Cela vous contraindra un peu; mais qu'y faire? Il faut parfois se faire violence. » La recommandation serait ironique. Il est vrai que la Du Parc tint dans la *Critique* le rôle de Climène, qui, au dire d'Élise, est « la plus grande façonnière du monde » : « Il semble, que tout son corps soit démonté et que les mouvements de ses hanches de ses épaules et de sa tête n'aillent que par ressorts. » Mais certains critiques ont préféré prendre au pied de la lettre le texte de l'*Impromptu*. Car enfin Mlle Du Parc y affirme qu'elle n'a aucune aptitude aux minauderies et Molière lui donne raison : « Cela est vrai, et c'est en quoi vous êtes excellente comédienne de bien représenter un personnage qui est si contraire à votre humeur. » Si de l'ironie se cachait sous cette phrase, la comédienne aurait-elle supporté d'être ainsi bafouée en public? Il faut reconnaître qu'elle ne tenait pas dans la troupe une place aussi importante que Mlles Béjart et De Brie; elle n'était pourtant pas personne à négliger. Elle avait quitté Molière en 1659 : le chef devait craindre de lui donner à nouveau de l'humeur.

D'ailleurs n'y a-t-il pas incompatibilité entre le caractère de « façonnière » et l'emploi de danseuse étoile? Précieuse, snob, prude, affectée, comment retrouver ces traits dans la belle qui attire les badauds en montrant ses cuisses? Tout au plus dira-t-on que le rôle de Climène exige une souplesse du corps (voir la description des artifices de sa démarche) que seule une danseuse peut acquérir.

En dehors de cet emploi, que fut-elle? La Dorimène du *Mariage forcé* : non plus une précieuse, mais une coquette, et surtout une coquette qui, à la fin de la comédie, prend part au ballet. Car, malgré la coutume établie de ne jamais mêler les comédiennes aux courtisans, Mlle Du Parc eut l'honneur de danser dans la dernière entrée en se faisant « cajoler » par Monsieur le Duc et Saint-Aignan.

Elle fut Aglante dans la *Princesse d'Élide*; elle figura dans l'*Étourdi*, le *Dépit*, *Don Garcie*, les *Fâcheux*, l'*École des maris* et *Mélicerte*. Peut-être fut-elle l'Elvire de *Don Juan* : l'emploi s'accordait à son talent de tragédienne. Sans doute fut-ce elle qui joua Arsinoé, non tant parce que ce rôle de prude revenait à celle qui avait fait Climène, que parce qu'Arsinoé a des côtés de personnage de drame convenant à l'emploi d'une actrice qui venait encore de créer dans l'*Alexandre* de Racine le rôle de la reine Axiane. Dans les fêtes de l'*Île enchantée*, on lui avait confié, avec la figure du Printemps, le personnage central, fort douloureux, de la magicienne Alcine.

Elle quitta la troupe en 1667 pour passer à l'Hôtel de Bourgogne. On admet qu'elle y fut attirée par Racine, qui allait la charger du rôle d'Andromaque. On a dit aussi avec vraisemblance qu'elle ne trouvait plus au Palais-Royal l'emploi de son talent de tragédienne, Molière spécialisant de plus en plus nettement sa compagnie dans le comique. Elle mourut l'année suivante.

On voit les ressources féminines dont disposait le poète à ses débuts : une Parisienne malicieuse et pleine de verve, un être de dévouement et de douceur, une coquette grave doublée d'une habile danseuse. C'est ainsi qu'il bâtit le *Dépit* autour de Marinette, Lucile et Ascagne, *Don Garcie* sur Elvire, Élise et Inès, l'*École des maris* sur le trio de Lisette, Isabelle et Léonor, et le *Mariage forcé* sur les deux Égyptiennes et Dorimène.

*

Une quatrième étoile entra dans la constellation avec la *Critique* : Armande Béjart, c'est-à-dire Mlle Molière. Elle avait alors une vingtaine d'années; elle était passablement plus jeune que ses trois camarades. Elle mourut en 1700, âgée de moins de soixante ans.

Nous la connaissons par le portrait que Molière a laissé d'elle dans le *Bourgeois gentilhomme* : les contemporains affirment que les traits attribués à Lucile sont ceux de l'actrice qui créa le rôle. Le portrait est confirmé par le témoignage de Mlle Poisson. C'est le cas le plus typique présenté par la comédie moliéresque, de conformité du personnage à l'acteur.

Une taille médiocre, de petits yeux, une bouche grande et plate, mais l'air engageant, le regard vif, le parler nonchalant, de la grâce dans son action, même dans les occupations les plus minces, de l'esprit, une conversation plus sérieuse qu'enjouée, l'humeur capricieuse, une toilette recherchée et presque toujours indépendante des commandements de la mode, voilà comme on nous la fait voir. Dans l'*Impromptu*, elle est l'héroïne d'une petite pique d'amoureux où elle paraît susceptible, encore qu'il ne faille pas abuser de propos d'une grande banalité.

Au théâtre, on lui reconnaissait du naturel, le sens des attitudes pathétiques, le don d'exprimer ses sentiments dans le silence et du jugement. Elle avait de la voix : elle chanta avec La Grange dans le second acte du *Malade imaginaire*. Elle dansait avec grâce : elle remplaça Mlle De Brie dans le rôle de la Bohémienne du *Mariage forcé*.

Présentée pour la première fois sur la scène dans le personnage d'Élise de la *Critique*, elle s'y montrait sous des traits sympathiques : on comprend que son mari ait pris plaisir à la mettre en cette lumière. Dans l'*Impromptu*, elle se produisait encore avec avantage, en jeune femme spirituelle et se servant avec bonheur de son esprit pour se moquer d'autrui. Sa grossesse la fit écarter de la distribution initiale du *Mariage forcé*. C'est dans le personnage de la Princesse d'Élide qu'elle fit ses grands débuts. Dans les fêtes de l'*Ile enchantée*, elle figura le Siècle d'or et joua le personnage de la Nymphe Dircé. Elle y fut admirée : la chronique scandaleuse fait partir de ces fêtes sa carrière de coquette.

Dès lors elle se vit confier les premiers rôles : c'est à elle que, dans *Tartuffe*, Molière destina le personnage d'Elmire, pourtant un peu âgé pour ses vingt ans, quand Mlle de Brie, de loin son aînée, dut incarner la jeune Marianne. On la retrouve vraisemblablement dans la Charlotte de *Don Juan*, dans la Lucinde de l'*Amour médecin*, en tout cas dans la Célimène du *Misanthrope*, autre grand rôle qui témoigne de l'estime que portait son mari à son talent d'interprète.

Elle semble vouée aux rôles que désignent des noms évoquant une beauté lumineuse. Elle est Lucinde, Lucette, Lucile, Angélique : Lucinde probablement dans l'*Amour médecin* et certainement dans le *Médecin malgré lui*, Lucette probablement dans *Pourceaugnac*, Lucile certainement dans le *Bourgeois*, Angélique dans *Dandin* et dans le *Malade*. Il est vrai que l'âme de la première Angélique correspond mal à son nom.

En tout cas, les rôles d'Armande furent presque toujours de grands rôles : elle incarna encore Psyché d'une façon enchanteresse, et Ériphile dans les *Amants magnifiques*. Elle fut un peu en retrait dans les rôles, au reste importants, de Climène dans le *Sicilien*, de Marianne dans l'*Avare*, d'Henriette dans les *Femmes savantes*. On ne sait si elle joua dans *Amphitryon*. Partout elle apporta sa grâce et son esprit. Elle ne fut pas confinée dans la comédie : elle créa les personnages de Cléofile dans l'*Alexandre* de Racine, de Flavie dans l'*Attila* de Corneille et de Bérénice dans *Tite et Bérénice*.

De jeunes amoureuses, des femmes d'esprit, des coquettes pleines de séduction, plus généralement des personnes remarquables par leurs ressources intellectuelles autant que par leurs appas, voilà les figures qu'elle incarna. Il semble bien que ces traits étaient les siens propres et que Molière ne se contenta pas de dessiner Lucile à son image : il y a quelque chose d'Armande Béjart dans maint personnage créé pour elle et par elle.

★

Aucune des autres comédiennes de la troupe n'eut l'importance des précédentes; aucune ne put inspirer le poète. Geneviève Béjart, Mlle Hervé de son nom de théâtre, ne nous a pas laissé de traces perceptibles de sa longue présence. Elle dut avoir un rôle dans le *Dépit*; on la retrouve dans l'*Impromptu*, où, selon sa propre expression, elle n'a « pas grand-chose à dire »; elle a sans doute joué des utilités. Lancaster suppose qu'elle rendit service dans la tragédie.

On peut dire à peu près la même chose de Mlle Du Croisy, si médiocre actrice que la troupe lui signifia son congé en 1665. On lui donna des emplois subalternes. L'*Impromptu* ne lui ménage pas beaucoup plus de place qu'à Mlle Hervé, sauf le compliment d'un importun qui la dit « belle comme un petit ange ». Faut-il la croire mauvaise langue parce que Molière, la chargeant d'un rôle de médisante, l'assure qu'elle ne s'en acquittera pas mal?

Marie Ragueneau, la fille du pâtissier-poète, qu'on trouve attachée à la troupe très tôt, mais qui n'y entre officiellement qu'en épousant La Grange en 1672, n'avait pas beaucoup plus de talent. Elle rendit des services en *extra*, dans la Marotte des *Précieuses* par exemple. En 1671, on lui confia même le personnage d'une Sœur de Psyché, puis celui de la Comtesse d'Escarbagnas; enfin elle fut probablement la Bélise des *Femmes savantes*. Après la mort de Molière, ses emplois devinrent plus nombreux grâce à l'appui de son mari.

Avec Mlle Beauval, nous rencontrons une actrice de plus d'envergure. Mais elle n'entra au Palais-Royal qu'en 1670. On la représente comme de caractère difficile, ignorante et grossière. Elle aurait été affligée d'un rire nerveux irrépressible, que l'on retrouve dans la Zerbinette des *Fourberies* et dans Nicole du *Bourgeois*. En dehors de ces rôles, que Molière écrivit pour elle, elle créa ceux de Julie dans *Escarbagnas*, peut-être de Martine dans les *Femmes savantes* et de Toinette dans le *Malade*. Elle joua la Domitie de *Tite et Bérénice*. Ce fut donc surtout une soubrette.

*

La famille Béjart, en plus de Madeleine, Geneviève et Armande, fournit à la troupe deux acteurs : Joseph et Louis, Béjart l'aîné et Béjart cadet. Béjart l'aîné, à peu près contemporain de Madeleine, fut des fondateurs de l'Illustre-Théâtre et suivit Molière jusqu'à sa mort prématurée en 1659 (il avait un peu plus de quarante ans). Il s'intéressait au blason et publia un *Recueil des qualités, armes et blasons... des États généraux tenus à Pézenas en 1655*. Il joua le rôle de Timante et celui du Soleil dans l'*Andromède* de Corneille. Dans l'*Étourdi*, on présume qu'il créa le personnage du vieux Pandolfe. Dans le *Dépit*, il fut Éraste. Il était bègue, ce qui ne semble pas avoir nui à son succès de jeune premier. Molière ne tira nul parti comique de son infirmité. Sa carrière s'acheva avant la création des *Précieuses*.

Béjart cadet dit l'Éguisé était sensiblement plus jeune. Né en 1630, il rejoignit la troupe vers 1652, prit sa retraite en 1670, à quarante ans, et mourut en 1678. Il boitait, peut-être assez anciennement, en tout cas après un coup d'épée qui l'atteignit à la jambe en 1661. Selon Chalussay, il était aussi borgne. On veut qu'il ait été batailleur. Il tint l'emploi de vieillard ou de valet. On le trouve jouant un petit rôle de Porteur de chaise dans les *Précieuses*, ceux d'Alcantor, le père de la coquette, dans le *Mariage forcé*, du prince Théocle dans la *Princesse d'Élide*, de Mme Pernelle dans *Tartuffe*, probablement de Don Louis dans *Don Juan*, de Des Fonandrès dans l'*Amour médecin* et de La Flèche dans l'*Avare*. Peut-être faut-il joindre à ces rôles ceux de Dubois dans le *Misanthrope* et d'Oronte dans *Pourceaugnac*. Il figura le personnage de l'Hiver dans le défilé de l'*Ile enchantée*. C'est pour lui que Molière fit boiter La Flèche; c'est parce qu'il boitait qu'on lui confia le rôle de Des Fonandrès, caricature du médecin boiteux Des Fougerais. N'est-ce pas parce qu'il portait le prénom de Louis que le père de Don Juan, personnage qu'il incarna, porte aussi ce prénom? Les prédécesseurs de Molière ont tous appelé autrement le noble vieillard.

*

Deux bouffons firent une part du succès de la troupe dans ses débuts. Gros-René (il s'appelait René Berthelot et était connu sous le nom de Du Parc) collaborait déjà avec Molière en 1647. Il le quitta, suivant sa femme, en 1659, lui revint en 1660 et mourut en 1664. Il anima de sa verve joviale mainte farce : celles qui portent son nom, *Gros-René écolier* ou *Gros-René petit enfant*, et celles du Barbouillé, comme la *Jalousie du Barbouillé*. On l'appelait le Barbouillé à cause de la farine dont il se couvrait le visage. Il jouait dans la tradition des farceurs français. Il parut sous son nom de Gros-René dans le *Dépit*, où sa rondeur fit merveille. Dans les *Précieuses* (il n'y figura pas à la création), il prit le rôle d'un Porteur de chaise, en compagnie de Louis Béjart. On voudrait croire que, revenant dans la troupe au moment où Jodelet disparaissait, il recueillit plutôt, ou aussi, le personnage du Vicomte; mais le témoignage de Donneau de Visé laisse peu de vraisemblance à cette hypothèse. Dans *Sganarelle*, il retrouva son emploi de Gros-René. Il eut dans *Don Garcie* un rôle sérieux... qui fit rire, dit la chronique du temps. Il se vit attribuer dans l'*École des maris* un emploi plus conforme à ses dons, celui du valet Ergaste, « le gros bœuf » que maudit Sganarelle lorsqu'il trébuche en le heurtant. Sa prestance lui valut de figurer Jupiter dans l'*Andromède* de Corneille. Dans le cortège de l'*Ile enchantée*, on fit de lui l'Été et on jucha sa masse sur un éléphant.

Le passage de Jodelet au Petit-Bourbon fut furtif : il mourut moins d'un an après son arrivée. Il jouissait d'une vieille réputation de farceur. Son accent nasillard, attribué aux suites d'une vérole, faisait déjà l'ornement du valet du Menteur. Il s'enfarinait lui aussi. Scarron et Th. Corneille avaient beaucoup fait pour sa gloire. Molière y mit un dernier fleuron en écrivant pour lui le rôle du Vicomte des *Précieuses*. Jodelet hérita certainement de l'emploi de Gros-René dans le *Dépit* après le départ de Du Parc (sans quoi il serait difficile d'expliquer l'anomalie du texte original au v. 78). Lancaster suppose que le rôle de Sganarelle fut conçu pour lui, comme celui du camarade de Mascarille. Ce premier Sganarelle, aux yeux de l'éminent historien, ressemble beaucoup au Jodelet de Scarron : même vulgarité, même couardise, même hésitation entre les conseils de l'honneur et de la lâcheté. Molière, quand il écrivait cette pièce, était encore Mascarille, le brillant, l'ingénieux, le trépidant valet de l'*Étourdi* et des *Précieuses* : la mort de Jodelet seule l'aurait amené à prendre ce nouveau *masque*, dont il fit le long usage que nous avons dit.

On ne peut séparer L'Espy de son frère. Ils vinrent ensemble chez Molière. L'Espy y resta jusqu'à sa retraite en 1663. Dans ces quatre années, il dut rendre des services, mais ils sont difficiles à discerner. Selon Guéret, on n'en faisait pas grande estime et pourtant il réussit à merveille dans l'*École des maris* : il faut supposer qu'il tenait le personnage d'Ariste. Fut-il Gorgibus? celui des *Précieuses* et celui de *Sganarelle*? C'est vraisemblable.

★

De Brie fut un fidèle collaborateur. Il entra dans la troupe vers 1650 et épousa Catherine Du Rosé en 1651. Molière ne l'aimait guère. La chronique assure qu'il était d'humeur difficile et grand bretteur. Il fut surtout employé à représenter des gens faits à son image : de brutaux porteurs d'épée comme La Rapière dans le *Dépit*, le Maître d'armes du *Bourgeois*, probablement Alcidas dans le *Mariage forcé*, La Ramée dans *Don Juan* et le Garde du *Misanthrope*; des ridicules aussi peu sympathiques que le Notaire de l'*École des femmes* et Monsieur Loyal dans *Tartuffe*. Il fut aussi le laquais Almanzor au service des Précieuses et le Fleuve de *Psyché*. Lancaster suppose que Molière a pu tirer de son nom (il s'appelait Edme Villequin) celui du Villebrequin qui apporte le dénouement de *Sganarelle*. A la mort de Du Parc, il reprit le personnage de Gros-René. Il disparut en 1676, âgé de près de soixante-dix ans.

★

La Grange et Du Croisy, entrés ensemble dans la troupe en 1659, sont liés devant la postérité par leur commune apparition dans les *Précieuses*.

La Grange fut une des meilleures recrues que fit Molière. Il avait vingt ans quand sa destinée se fixa. Il venait de province, où il avait fait ses débuts. Il se forma au Petit-Bourbon et l'on dit que Molière prit plaisir à l'instruire. Il avait une taille ne passant pas le médiocre, mais élégante et bien faite, une démarche gracieuse, l'air dégagé, de l'amabilité, de la culture, de l'éloquence aussi : il déchargea le chef de ses fonctions d'orateur et s'en acquitta à la satisfaction générale. Son talent s'affirma rapidement : docile aux leçons reçues, il devint l'une des vedettes de la compagnie. Son honnêteté et sa politesse le firent estimer. Sa position était telle au Palais-Royal qu'à la mort du chef, il fut le seul à pouvoir maintenir dans l'union les forces divergentes de ses camarades. En 1872, il fut l'âme de l'édition des œuvres de son maître et bienfaiteur. Il mourut en 1692, âgé de cinquante-trois ans.

Il fut tout de suite le jeune premier en titre. Il est dans les *Précieuses* le gentilhomme qui ne se laisse pas éblouir par les faux agréments. C'est lui assurément qui prit les rôles de Lélie dans *Sganarelle*, de Valère dans l'*École des maris*, d'Éraste dans les *Fâcheux* (il sera encore Éraste dans *Pourceaugnac* et il a dû succéder à Joseph Béjart dans l'*Éraste du Dépit*); on le retrouve en Horace dans l'*École des femmes* : c'est toujours le même personnage d'amoureux séduisant, souvent naïf, parfois un peu ridicule, mais aimé. Lycaste dans le *Mariage forcé* a une figure plus obscure. Dans la *Princesse d'Élide*, La Grange monta en dignité : il était encore l'amoureux, mais cet amoureux est le Prince d'Ithaque; tout ridicule s'efface; le personnage s'idéalise, paré de vertus. Dans le cortège de l'*Ile enchantée*, il figura Apollon.

Avec *Tartuffe*, il retrouva le *masque* de Valère : il avait été le Valère de l'*École des maris*, il fut celui de *Tartuffe* et de l'*Avare*, toujours le même amant aimable et aimé. En revanche, on ne le voit guère sous ce même nom dans le *Médecin malgré lui* : là, Valère est un valet et l'amoureux s'appelle Léandre.

Il fut mis bientôt au tout premier rang de la distribution : il incarna Don Juan. Dans l'*Amour médecin*, il n'a pu faire que le personnage de Clitandre, encore l'amoureux. C'est son début sous ce nom : il sera encore très probablement le Clitandre de *Dandin* et celui des *Femmes savantes*. Par contre, il ne fut pas le Clitandre du *Misanthrope*, qui n'est pas vraiment un personnage d'amoureux, mais plutôt Philinte.

Dans *Mélicerte*, il fut le jeune Myrtil, semble-t-il; Corydon en tout cas dans la *Pastorale comique*, Adraste dans le *Sicilien*, Sostrate dans les *Amants magnifiques*, un Prince dans *Psyché*. A ce moment-là, sa position de jeune premier fut mise en danger par l'arrivée de Baron. C'est vraisemblablement Baron qui dans le *Bourgeois* prit le rôle de Cléonte, La Grange se trouvant réduit à celui de Dorante, qui n'est que le second amant. Dans *Psyché*, il se vit évincé du personnage de l'Amour. Dans

Scapin, peut-être même lui confia-t-on un rôle de vieillard. Dans *Escarbagnas*, Baron étant absent, il fut le Vicomte. Dans les *Femmes savantes*, il triompha encore de son rival : le jeune Baron reçut le rôle du peu jeune Ariste, quand La Grange se maintenait dans le *masque* de Clitandre. Dans le *Malade*, il fut encore l'amoureux sous le nom de Cléante. Ajoutons qu'il fut Mercure dans *Amphitryon* et Alexandre dans la tragédie de Racine.

Ainsi, sauf de rares éclipses, il garda son emploi d'amant et de grand seigneur. Sous les *masques* de Valère, de Clitandre et d'Éraste, ainsi que sous son propre nom, il présenta au public une figure qui ressemblait à la sienne, faite d'honnêteté, de dévouement, de bon sens avisé en général, ornée des qualités du cœur et de l'esprit.

La figure de Du Croisy n'était pas très différente au départ. S'il était plus âgé que son camarade quand ils entrèrent au Petit-Bourbon, il se rangea auprès de lui dans la distribution des *Précieuses*; il le suppléa dans l'Éraste des *Fâcheux*. Gentilhomme féru de théâtre, il avait fait partie d'une troupe nomade et vit lui aussi sa destinée fixée par le choix de Molière : il resta fidèle à la compagnie, même dans la disgrâce de sa femme. Il avait du talent et le rôle de Tartuffe qui lui fut attribué consacra son mérite, comme fit celui de Don Juan pour La Grange.

Mais sa stature (il était de forte taille, bel homme, avec de l'embonpoint) le destinait à un emploi plus marqué que celui de La Grange. Il fut rarement promu à la situation d'amoureux : cependant, dans *Mélicerte*, il semble avoir tenu le personnage du deuxième Berger. Plus souvent, il fut le père de famille, le Géronte dupé, celui de *Scapin* comme celui du *Médecin malgré lui*. Il incarna des ridicules : les pédants Lysidas et Vadius, le philosophe Marphurius, le receveur des tailles Harpin, le Notaire du *Malade*, le marchand Dimanche, le Maître de philosophie de Jourdain, l'Oronte du *Misanthrope*. Il fut assez souvent aussi un valet : un valet battu comme Maître Jacques, un valet glorieux comme Covielle, l'intrigant Sbrigani de *Pourceaugnac*. Sa prestance lui permit d'accéder aussi bien à un emploi très noble : Jupiter dans *Psyché* et dans *Amphitryon*, le Prince de Messène dans la *Princesse d'Élide*, le Sénateur du *Sicilien*, le Siècle de fer dans le cortège de l'*Ile enchantée*.

*

Comme Du Croisy, La Thorillière était gentilhomme : il avait porté les armes comme capitaine au régiment de Lorraine. Il entra au Palais-Royal en 1662, venant du Marais. Il avait alors une trentaine d'années.

Il resta dans la troupe jusqu'au bout et mourut en 1680. Il composa une tragi-comédie sur *Cléopâtre*, que Molière monta en 1668. Le *Mercure* le dépeint en ces termes : « C'était un très gracieux comédien, quoique de taille médiocre, mais il avait de beaux yeux et de belles dents... On remarquait un défaut en lui, qui était d'avoir un visage riant dans les passions les plus furieuses et dans les situations les plus tristes. » Ce serait à lui que fait allusion Molière lorsque, dans l'*Impromptu*, il désigne parmi ses camarades un « jeune homme bien fait » qui fait parfois les Rois.

Il fit en effet surtout les Rois : Porus dans *Alexandre*, Attila, Tite, le père de Psyché; ou les princes : peut-être Amphitryon, en tout cas Arbate dans la *Princesse d'Élide* et l'un des Amants magnifiques. Dans l'*Impromptu*, il figura un importun. Il fut aussi le comparse sérieux, celui qui donne un bon avis à l'occasion : Geronimo, le voisin de Sganarelle; Cléante, le beau-frère d'Orgon; probablement Bréalde, le frère d'Argan. Mais on ne manqua pas de lui donner au besoin des rôles comiques : Hali dans le *Sicilien* (il y chantait la chanson turque), l'imbécile paysan Lubin dans *Dandin*, Silvestre, le faux bravache, dans *Scapin*, peut-être Trissotin. En général, on le réserva pour le sérieux, qui convenait davantage à son origine et à son tempérament.

★

Guillaume Marcoureau sieur de Brécourt ne fit chez Molière qu'un bref séjour, de 1662 à 1664 : il venait du Marais; il passa à l'Hôtel de Bourgogne, soit parce que le Palais-Royal n'avait pu retenir le public à sa farce du *Grand Benêt*, soit plutôt parce que son talent de tragédien n'y trouvait pas un emploi à sa mesure. Il nous est présenté par Tralage comme bien planté, doué d'un beau visage, très pâle; il aimait à la fureur le jeu, le vin et les femmes; brave, il ne fuyait pas les querelles. Dans l'*Impromptu*, Molière lui fait prendre un ton brutal et lui recommande de parler d'une voix naturelle et sans excès de gesticulation : sa violence avait peine à se contenir.

C'était un bon acteur et le chef lui marquait de la considération : il tint le rôle du Chevalier dans la petite comédie qui est au centre de l'*Impromptu*; on peut en déduire qu'il jouait Dorante dans la *Critique*. Il fut un philosophe grotesque, Pancrace, dans le *Mariage forcé* et peut-être le serviteur nigaud d'Arnolphe dans l'*École des femmes*. L'Hôtel de Bourgogne n'eut pas de peine à ménager un meilleur sort aussi bien à l'auteur qu'à l'acteur.

*

Hubert lui succéda et s'acclimata beaucoup mieux au Palais-Royal. Il avait quarante ans en 1664 et mourut en 1700. Il joua dans la tragédie, mais surtout dans la comédie. Il finit par se substituer à Louis Béjart dans les rôles de vieilles femmes : c'est ainsi qu'il fut Mme Jourdain et Philaminte. Mais il commença autrement : il créa le personnage d'Iphitas, le père de la Princesse d'Élide, et aussi bien Damis dans *Tartuffe*, un jeune homme bouillant et un père noble. C'est dire que son talent était varié. On fit de lui aussi bien un marquis qu'un berger, un capitaine thébain qu'un noble de campagne, un médecin qu'un maître de musique, le jeune Cléante dans l'*Avare* que le Conseiller Tibaudier dans *Escarbagnas*, un prince amoureux de Psyché que l'amant de Zerbinette dans les *Fourberies*, Diafoirus pour finir. Le comique ne domine pas dans ces rôles, mais davantage la familiarité, un langage direct et sans apprêt, la tendance à l'emportement, de la bonté aussi.

*

Jean Pitel dit Beauval entra au Palais-Royal en 1670. Il fit une carrière médiocre, auprès de sa femme, qui avait beaucoup plus de talent. Il joua les niais : dans *Escarbagnas*, le pédant Bobinet; dans le *Malade imaginaire*, Thomas Diafoirus; probablement le Notaire des *Femmes savantes* et le Garçon tailleur du *Bourgeois*. Les frères Parfait estiment que le rôle de Thomas Diafoirus lui convenait en tout point.

*

Baron avait une autre envergure : il devint le grand acteur de la fin du siècle. Il fit son apprentissage dans la troupe de la Raisin vers 1665 : il avait alors une douzaine d'années. Grimarest affirme que Molière l'engagea pour tenir le rôle de Myrtil dans *Mélicerte*, rôle qui aurait été écrit à son intention, et il bâtit là-dessus une histoire romanesque qui sert son dessein de discréditer Armande. La Grange dit simplement que Baron entra dans la compagnie en 1670. En tout cas, on le trouve en 1669 parmi les comédiens du duc de Savoie et c'est là que Molière alla le chercher.

Il joua des rôles brillants : Domitien dans *Tite et Bérénice*, Cupidon dans *Psyché*, le Berger de la pastorale liée à *Escarbagnas*; il remplaça

Molière malade à l'automne de 1672 dans le rôle d'Alceste et cette substitution fit monter les recettes. Il fut probablement le Cléonte du *Bourgeois*, peut-être Octave dans *Scapin*. Ce sont là uniquement des jeunes premiers. On s'étonne par suite de rencontrer le même acteur chargé du personnage d'Ariste dans les *Femmes savantes*, qui est déjà marqué par l'âge; La Grange avait obtenu le rôle de l'amant. Dans le *Malade imaginaire*, on ne voit pas non plus que le jeune Baron ait pu entrer dans la distribution autrement que sous l'habit ridicule de Fleurant. On ne peut donc dire que son emploi dans la troupe ait été fixé dès son arrivée. Il en était sans doute encore à la période de formation. Molière le tenait en affection et lui prodiguait ses conseils, sans le risquer dans des rôles trop lourds pour un acteur qui n'avait pas vingt ans.

*

Faut-il mentionner le nom de Dufresne, qui se retira à Pâques 1659 et tenait un rôle dans le *Dépit*? Celui de Lully a davantage d'importance : rappelons que, mime autant que musicien, il joua à Chambord le rôle d'un des Médecins de *Pourceaugnac* et celui du Mufti dans le *Bourgeois*. Les gagistes entrèrent aussi occasionnellement dans la distribution : Croisac tint sa partie dans le *Dépit*, Châteauneuf fut un Pâtre dans la *Pastorale comique* et Lycas dans *Psyché*. On eut recours à deux laquais pour compléter la troupe dans *Escarbagnas* : Finet et Boulonnois. Des enfants durent être engagés : dans le prologue de *Psyché*, le fils de La Thorillière eut le rôle de l'Amour; sa sœur et la fille de Du Croisy figurèrent dans la pièce les deux Grâces; au petit Gaudon on confia le personnage du jeune comte d'Escarbagnas; la fille de Beauval prit celui de l'espiègle Louison dans le *Malade*.

*

Au terme de cette enquête, il est plus facile de déterminer à quel point Molière a été influencé dans son travail de composition par la personnalité de ses interprètes. Cette influence ne se limite point à l'introduction dans l'*Avare* d'un Harpagon tousseux ni d'un La Flèche boiteux, et, dans l'*Amour médecin*, d'un Des Fonandrès également boiteux; ni à celle du rire nerveux de Mlle Beauval dans les rôles de Zerbinette et de Nicole. Il faut joindre à ces traits physiques isolés que les personnages ont hérités des acteurs, des figures plus complexes qui se sont imposées à l'imagination du poète et qui étaient de véritables *masques* attachés par une longue pratique à la personne d'un comédien avant de définir le personnage d'une comédie. Ici nous trouvons d'abord le *masque* de Gros-René : la rondeur de Du Parc, sa face barbouillée, sa gaucherie se transmettent du *Dépit* à *Sganarelle*, et même à l'*École des maris*. Le *masque* de Jodelet n'est pas moins caractéristique : il anime les *Précieuses* et est peut-être à l'origine de la figure de Sganarelle. Celui de Mascarille et celui de Sganarelle, portés par Molière lui-même, ont une constance semblable. On pourrait même parler du *masque* de Du Croisy et de celui de De Brie : la prestance du premier dessine dans l'esprit du poète un père noble dont il fait un fréquent usage; la silhouette anguleuse du second lui inspire des créations de bretteurs.

S'il a introduit dans ses comédies des *sketches* de danse, c'est qu'il avait sous la main, dans la personne de la Du Parc, une danseuse faite pour attirer le public; s'il a truffé *Pourceaugnac* et le *Bourgeois* de bouffonneries musicales, c'est parce que Lully était disposé à monter sur les tréteaux. Dans ces deux cas, la création obéit encore à des injonctions qui lui viennent de l'interprétation : la Bohémienne et le Mufti prennent une figure qui n'est pas tant subordonnée à une nécessité poétique qu'à la détermination née des aptitudes des interprètes.

On peut aller plus loin. Quand Molière peignait Marinette ou Dorine, il pensait assurément à la gaieté malicieuse de Madeleine Béjart; c'est la bonté naturelle de la même actrice qu'il avait dans l'esprit en crayonnant le personnage d'Aristione. La douceur, l'enjouement et la grâce de Mlle De Brie lui ont dicté certains traits des caractères d'Éliante, de Marianne et d'Agnès. La beauté grave de Mlle Du Parc se retrouve dans Ascagne et sa coquetterie dans Dorimène. Les yeux lumineux d'Armande n'éclairent pas le seul visage de Lucile; son esprit éclate chez Élise; sa sensibilité dans Psyché. L'honnêteté de La Grange a servi de modèle à celle des Valères, des Clitandres et des Érastes. La Thorillière a donné sa stature à plusieurs princes ou rois. Hubert a marqué ses rôles de sa bonté familière.

Ainsi, auteur-acteur, poète et chef de troupe, Molière a conçu ses comédies en fonction de leur interprétation. Sans doute, il ne s'est pas limité, comme le faisaient les auteurs italiens de scénarios, à l'agencement d'une intrigue mêlant des *masques* toujours identiques. Sa création déborde de loin cette mécanique. Il imagine des êtres qui ne sont pas de simples figures et dont la richesse psychologique ne se réduit pas aux traits d'un *masque*. Mais, ce faisant, il ne perd pas de vue les servitudes de la scène. Sa comédie s'insère dans un possible que définit le talent de ses interprètes. Bien plus, elle se modèle parfois sur leur nature physique et morale. Le personnage reçoit ainsi une part de lui-même de l'acteur qui l'incarnera. La ficton poétique s'identifie par quelque côté à la réalité du jeu dramatique.

IV

LE CRÉATEUR DE FORMES DRAMATIQUES

Un génie libre. — La farce et ses orientations. — La tentation de l'héroïque. — La grande comédie. — La comédie-ballet. — La comédie de cour. — La farce-ballet. — Autres formes dramatiques. — Conclusion.

Le poète comique au XVIIᵉ siècle jouissait d'une relative liberté à l'égard des impératifs de la doctrine. Alors que la tragédie devait satisfaire à des exigences rationnelles ou pseudo-rationnelles que les théoriciens déduisaient des poétiques antiques et de la pratique des dramaturges grecs et latins, la comédie se développa sans entraves, à l'abri du mépris dans lequel elle était tenue par les doctes. Aristote et Horace ne s'en étaient guère occupés; Aristophane ne pouvait servir de modèle; Plaute et Térence heurtaient les bienséances. Que l'on compare l'attention que Boileau donne à la tragédie dans son *Art poétique* à la légèreté avec laquelle il parle de la comédie! La Mesnardière, d'Aubignac, Corneille ont manifesté la même indifférence à l'égard d'un genre qui d'ailleurs, dans la première moitié du siècle, était loin d'atteindre le développement que lui donna Molière.

A cette situation historique, il faut joindre la profession de Molière. S'il eût été un écrivain de métier, il eût peut-être été plus respectueux des dogmes, il eût peut-être cherché dans Térence, non seulement des sujets, mais une manière de lier l'action, de peindre les mœurs, de nouer et dénouer l'intrigue, ou un ton comique. Mais il était comédien et son premier souci était celui de la scène. Sa création se situe en dehors de la littérature, à l'exception de quelques pièces du début : le *Dépit*, *Don Garcie*. Il se forma auprès de Scaramouche, il hérita des traditions italiennes. Or la *commedia dell'arte* est fondée sur la spontanéité. Elle ignore les préparations savantes dans lesquelles un texte s'édifie comme un lourd monument. Elle est fluidité, mouvement, improvisation, liberté. Molière fut un génie libre. Les formes les mieux établies ne limitèrent jamais l'essor de sa fantaisie. Corneille avait écrit ses comédies en vers; Rotrou, Scarron, Quinault, Th. Corneille ne dérogèrent pas à cette exigence. Molière s'orienta autrement. On peut en juger par une statistique. Si l'on partage sa production, rangée dans l'ordre chronologique, en trois tranches de dix pièces chacune (éliminons la *Pastorale comique*, dont nous n'avons presque rien gardé), on compte dans la première tranche sept pièces en vers contre trois en prose; dans la deuxième, cinq contre cinq; dans la troisième, deux pièces en vers seulement font face à huit en prose. Ces chiffres montrent de toute évidence une désaffection progressive pour la forme versifiée. Si le poète a commencé par se plier à l'usage, il s'en est affranchi de plus en plus, parce qu'il éprouvait année après année la souplesse de la prose. Jusqu'en 1665, il ne risqua la prose que dans les comédies en un acte; la hâte avec laquelle il composa *Don Juan* lui interdit de recourir au vers et il lança pour la première fois cinq actes en prose; peu après, ce furent les trois actes de l'*Amour médecin*, puis du *Médecin malgré lui*; en 1668, les cinq actes de l'*Avare* furent encore en prose; enfin les *Amants magnifiques*, une comédie de cour, furent écrits en prose, quand la *Princesse d'Élide*, six ans plus tôt, avait été sinon achevée, du moins projetée en vers.

La tradition voulait aussi que la comédie, à l'image de la tragédie, comprît cinq actes. La comédie en trois actes était rare; en un acte, on ne trouvait guère que des farces. Scherer dénombre six comédies en un acte publiées entre 1650 et 1660, aucune dans la première moitié du siècle. Or, sur trente pièces, Molière n'en a composé que treize en cinq actes. Elles se situent presque également dans les trois groupes que nous distinguions plus haut, donc à raison de quatre ou cinq dans chaque dizaine de pièces. Ce fait marque à nouveau le caractère extra-littéraire d'une part importante de l'œuvre moliéresque.

La répartition des comédies en un acte et en trois actes apporte un autre enseignement. Dans le premier groupe, on compte deux comédies en trois actes contre quatre en un; dans le second, quatre contre deux (nous classons *Mélicerte* dans les pièces en trois actes, bien qu'inachevée, elle n'en comporte que deux); dans le dernier, quatre contre une. Ainsi Molière a remplacé progressivement la forme en un acte par la forme en trois actes. Scherer voit dans cette dernière une imitation de la comédie italienne. S'il est douteux que le théâtre italien ait influencé Molière aux environs de 1670, quand son talent était affirmé, on peut penser que la comédie en trois actes a séduit le poète par sa facilité et sa souplesse.

C'est la formule d'*Amphitryon*, de *Dandin*, des *Fourberies* et enfin du *Malade*.

La combinaison de la statistique portant sur le vers et de celle qui s'appuie sur les actes est encore plus instructive. Dans le premier groupe de dix, les quatre comédies en cinq actes sont en vers; dans le second, trois sont en vers contre une en prose; dans le troisième, deux en vers contre trois en prose : ainsi, si Molière ne se détache pas de cette forme traditionnelle, il l'assouplit par la substitution de la prose au vers. Si l'on passe à la comédie en un acte, sa disparition progressive apparaît dans les chiffres (quatre dans le premier groupe, deux dans le second, une dans le dernier) et s'accompagne de l'élimination du vers, qui n'est utilisé que dans *Sganarelle*, presque au début de la carrière du poète : là encore il y a libération. Enfin les dix comédies en trois actes se répartissent en deux pièces en vers dans le premier groupe, deux en vers et deux en prose dans le second, quatre en prose dans le troisième : leur nombre croît, le vers en est éliminé progressivement.

Ainsi Molière s'oriente vers la forme la plus libre. Il débute en utilisant les types traditionnels : la grande comédie en cinq actes et en vers et la farce en un acte, tantôt en vers, tantôt en prose. Il finit en marquant sa prédilection pour la comédie en trois actes et en prose, dont il est sinon l'inventeur, du moins le vulgarisateur.

Cette indépendance, que le poète devait à sa profession plus encore qu'à la situation historique du genre qu'il pratiquait, a eu pour conséquence la variété des types de pièces qu'il a inventés ou perfectionnés, essayés ou adoptés. Personne ne conteste qu'il soit le vrai créateur de la comédie classique. La tentative comique de Corneille se situait dans un autre domaine : celui de la connaissance morale et non du rire. Celle de Scarron n'avait d'autre valeur que de préparation. L'étranger non plus n'offrait rien qui pût dicter au poète le *Misanthrope* ou *Tartuffe*. Les Italiens partageaient leur effort entre la comédie populaire et la littéraire : ils ne réussissaient pas à lier la *vis comica* et le style. Les Espagnols avaient adopté un genre encore plus éloigné de ce qui fut réalisé en France : ils sacrifiaient surtout au bouffon, parfois à la poésie. Sans dédaigner ni la leçon des Anciens ni celle de l'Italie, appuyé surtout sur la farce, celle de Scaramouche plutôt que celle de Tabarin, Molière a donc véritablement fait œuvre originale. La comédie classique lui est due, encore plus que ne l'est la tragédie classique à Corneille.

Mais ce type ne comporte chez lui aucune uniformité. Il n'est pas suffisant (est-ce même possible?) de distinguer dans la production de Molière la comédie de caractère, celle de mœurs et celle d'intrigue. Il n'est pas moins nécessaire de relever d'autres variétés du genre : comédie héroïque avec *Don Garcie*, comédie fantaisiste avec le *Sicilien*, comédie mythologique avec *Amphitryon*, comédie polémique avec la *Critique*, farce, farce-ballet, pastorale, comédie de cour, pièce à machines. De l'une à l'autre, la technique varie et l'inspiration se diversifie, attestant la liberté d'un génie qui n'a d'autre souci que de plaire, parce que ce n'est pas tant le génie d'un écrivain amoureux de la gloire que celui d'un comédien qui doit faire prospérer son théâtre.

★

Vers 1650-1660, la farce était discréditée, tout au moins à Paris. Selon Tallemant des Réaux, Jodelet seul arrivait à la perpétuer sur la scène du Marais. Scarron, dans le *Roman comique*, la considérait comme abolie. On n'en parlait plus dans les milieux cultivés que comme d'un divertissement provincial. Il est vrai qu'à Lyon elle gardait quelque vogue, grâce à l'influence de la *commedia*.

Molière et ses camarades en usaient pour divertir les publics méridionaux qui faisaient leur fortune. Le chef adaptait aux possibilités de la troupe des scénarios où triomphaient Gros-René le Barbouillé et sans doute Molière lui-même. C'est à la farce du *Docteur amoureux*, on le sait, qu'il dut son premier succès devant le Roi. Les *Précieuses*, sa première pièce parisienne, furent une farce. Rompait-il avec l'opinion accréditée? Fondait-il son entreprise sur un genre suranné? Non point : il avait de plus hautes ambitions. S'il présenta le *Docteur amoureux*, c'est qu'il ne pouvait pas laisser les spectateurs sur le médiocre succès de *Nicomède*; s'il écrivit les *Précieuses*, ce fut peut-être sur le conseil de Jodelet auquel il fallait un rôle à sa mesure, ce fut surtout parce que la troupe ne retenait pas le public avec des œuvres sérieuses. Il tenta pendant un temps d'imposer sa compagnie comme troupe de tragédie. Le verdict de la recette disposa de ses goûts et la majeure partie de sa production dut s'apparenter à la farce.

Des *Précieuses* au *Malade*, il écrivit onze farces. La faveur qu'il témoigna à ce genre ne fit que croître. Si l'on recourt encore une fois au partage de son œuvre en trois groupes égaux se suivant chronologiquement, on trouve d'abord deux farces sur dix pièces, puis trois sur dix, enfin six sur dix. Sainte-Beuve affirmait que Boileau avait détourné Molière de la farce : on voit ce qu'il faut penser de cette influence. Le poète qui finit sa carrière sur *Dandin*, *Pourceaugnac*, le *Bourgeois*, *Scapin*, *Escar-*

bagnas et le *Malade*, marque sa prédilection pour la formule dramatique la plus libre.

Certes il y a de sérieuses différences entre la *commedia dell'arte* et la comédie moliéresque. Celle-ci est écrite, celle-là s'improvise. L'imagination joue un plus grand rôle dans l'une, la mémoire dans l'autre. Et la farce moliéresque bénéficie du génie de son créateur. Cela n'empêche point qu'elle soit une farce : elle l'est par ses sujets, sa technique, son comique et son objet. Elle reste une comédie liée à l'acteur.

Les *Précieuses* sont incontestablement une farce. Le témoignage de Mlle Desjardins permet de penser qu'elles furent d'abord présentées sous cette étiquette. Elles sont écrites en prose. Plusieurs acteurs gardent dans la pièce leur nom d'acteur : La Grange, Du Croisy, Jodelet surtout, tenu pour un farceur. Gorgibus est un personnage de farce (utilisé dans le *Médecin volant*, il reparaîtra dans *Sganarelle*); Mascarille aussi, qui trouvait là sa troisième incarnation. Mascarille jouait masqué et Jodelet enfariné. Les costumes touchaient presque au grotesque; les *lazzi*, souvent grossiers, fournissaient une grande part au comique. Le récit de Mlle Desjardins prouve que l'improvisation y ajoutait nombre de traits encore plus forcés. L'intrigue est inexistante : des tableaux bouffons se suivent, amenés par un postulat sans intérêt.

Sganarelle porte à peu près les mêmes caractères, sauf que la pièce est intitulée comédie et qu'elle est écrite en vers. Ce sont encore des personnages de farce qui y apparaissent : Gros-René, Gorgibus, Sganarelle, Villebrequin, les noms ne laissent pas de doute. Trois personnages ne sont même désignés que par leur parenté avec le héros ou leur fonction. Le ton est gaulois, l'intrigue est mue par le hasard, le mouvement est vif et produit partout l'amusement.

Cette double expérience ne porta pas fruit aussitôt. Nous verrons tout à l'heure ce qui en détourna momentanément le poète. Il ne revint à la farce qu'avec le *Mariage forcé* en 1664, l'*Amour médecin* en 1665 et le *Médecin malgré lui* en 1666. De 1668 à 1673, ce furent les six farces de la dernière période. Dans cette importante production, on peut discerner deux tendances, dont le *Médecin malgré lui* et les *Fourberies* fournissent les meilleurs exemples. Ce sont deux pièces en trois actes, en prose, mais différant aussi bien par la technique que par le sujet.

La première repose sur un thème banal, qui se transmet des fabliaux et des contes médiévaux à la farce française. Elle a pour objet principal la production du rire. Elle est toute agencée pour des effets de gaieté. C'est le grand triomphe du Molière comique. Tous les procédés y trouvent place : les gestes, les mots, la satire, l'observation, tout concourt au résultat cherché. Les coups de bâton tombent comme grêle sur Martine, Robert, Sganarelle et Géronte; les coups de poing que Lucas destine à Jacqueline atteignent le vieillard; Sganarelle caresse sa bouteille comme une amie; il se méprend sur les saluts qu'on lui adresse; il flatte Jacqueline à la barbe de son mari et finit par l'embrasser; etc. Le comique de mots n'y est pas moins fréquent que le comique de gestes : le calembour, le coq-à-l'âne, les proverbes inattendus, les familiarités saugrenues y émaillent les rôles de paysans. La gauloiserie est poussée jusqu'à l'indécence. La parodie des mœurs et du langage des médecins tient une place considérable. De nombreuses scènes accusent les ridicules de la vie conjugale. C'est un chef-d'œuvre et qui fut accueilli comme tel. La farce y prend de l'ampleur. Le poète prouve qu'il a pleine conscience de la fonction comique du genre.

Les *Fourberies* se placent sur un autre plan. Elles sont beaucoup moins comiques, mais elles ont beaucoup plus de mouvement. Animée par un puissant meneur de jeu, la pièce se déroule sur un rythme étourdissant. C'est le rythme que Mascarille imposait à chaque scène de l'*Étourdi*, mais se prolongeant ici sans défaillance à travers trois actes. L'action est encore parfaitement illogique; la convention s'insère partout; mais Scapin entraîne tout le monde avec lui vers le dénouement qui sera son apothéose. Il adore l'aventure, il a le génie de l'intrigue, il est souple, il est divers, il bondit, il discourt, et jamais il ne s'essouffle. Nous sommes en présence d'une forme dramatique qui touche au théâtre pur, si l'on admet que le théâtre est avant tout action. C'est une autre tendance de la farce qui s'accuse dans cette pièce. Car la farce vit à la fois par le mouvement et par le comique. Molière en a dissocié les éléments fondamentaux en opposant Scapin à Sganarelle.

Au reste, le genre, tel que l'a conçu le poète, supporte à peu près tout ce que supporte la comédie, mais en le subordonnant au rire et à l'action : avec *Dandin*, il se charge d'une peinture de mœurs qui tourne au drame; avec le *Bourgeois*, il se voue à la satire; avec le *Malade*, il touche à la philosophie. La souplesse dont il témoigne atteste que Molière n'a pas été mal inspiré quand il s'est engagé dans le chemin que lui ouvraient son ami Jodelet et son maître Scaramouche et auquel le destinait sa verve de comédien.

★

Si en 1659 Molière ne marqua pas un grand enthousiasme pour la farce, si pendant des années il hésita à fonder sa fortune sur ce genre, c'est que, obéissant au préjugé qui gêne tant d'acteurs dans leurs débuts, il se crut fait pour l'emploi de jeune premier. C'est en tragédien qu'il se fit peindre par Mignard. C'est sur la tragédie qu'il comptait pour imposer sa troupe au public parisien à côté de l'Hôtel de Bourgogne. Cette méprise sur son emploi et sur les aptitudes de ses camarades entraîna une méprise analogue sur la direction dans laquelle il devait pousser sa carrière d'écrivain.

Il a fourni sa compagnie de scénarios de farces. Il lui a donné avec l'*Étourdi* une comédie d'acteur, assez proche de la *commedia*. Le *Dépit* manifestait déjà plus d'ambition : il s'apparentait plutôt à la comédie littéraire. Les *Précieuses* et *Sganarelle*, s'ils marquent un retour à la farce, sont écrits sous la pression d'une nécessité devant laquelle Molière s'incline plutôt qu'il n'y voit son destin. Au même moment, il soigne amoureusement la composition de *Don Garcie* : c'est sur cette comédie héroïque qu'il fonde son avenir et non sur d'autres *Sganarelles*; c'est elle qui répond à son vœu.

La comédie héroïque est une variante de la tragi-comédie. C'est une pièce sérieuse, mettant en scène des personnages nobles, liés par une action de ton soutenu et se terminant heureusement : pas de péril mortel, un intérêt d'ordre privé au premier plan, l'intérêt public n'intervenant qu'à l'arrière-plan. Corneille en avait donné le modèle avec *Don Sanche*; Du Ryer et Rotrou, pour ne citer qu'eux, s'y étaient exercés. Molière y trouvait un genre de moindre envergure que la tragédie : instinctivement il devait sentir qu'il convenait mieux à son talent de parler d'amour que de politique. Du moins c'était un genre sérieux, sans mélange de comique; les grands sentiments y avaient place; l'héroïsme s'y déployait à l'envi; le romanesque y faisait une part du charme; les discours y prenaient une ampleur qui réjouissait l'acteur amoureux du bien-dire. Tout opposait la comédie héroïque à la farce et c'est celle-là, non celle-ci, que le poète choisissait. Il succombait à la tentation de l'héroïque.

Don Garcie fut écrit en 1659 sur le modèle d'une comédie de Cicognini. On y découvrait une belle étude de la jalousie, dépouillée de ridicule, mais aussi de tragique, menée dans une sorte d'objectivité qui ne détruit pas le pathétique. Malheureusement cette jalousie non motivée n'intéresse pas un spectateur qui sait fort bien comment finira la tempête verbale. Don Garcie émeut parfois; plus souvent il ennuie; son amour maniaque touche à la stupidité; Elvire raisonne trop pour que nous puissions croire qu'elle aime et qu'elle souffre. Enfin le style est trop abstrait et artificieux : Molière semble avoir perdu le secret des prouesses oratoires de Mascarille.

Le public le lui fit sentir. Malgré les lectures publicitaires, la comédie, montée, à quelques jours près, pour l'inauguration de la salle du Palais-Royal, échoua complètement; elle ne fut même pas sauvée par le soutien des farces qui lui furent adjointes : la septième et dernière représentation ne rapporta que 70 livres.

Molière ne se résigna pas tout de suite à cet échec inattendu. Nous avons dit qu'il en appela du verdict de la Ville à celui de la Cour : non sans succès. Les reprises de 1662 et 1663, à Chantilly et à Versailles, le prouvent. Mais, remise sous les yeux du public parisien en novembre 1663, avec le secours probable de Brécourt dans le rôle du héros en remplacement de Molière (reconnaissant enfin qu'il était mauvais tragédien), la pièce ne dut d'être supportée qu'à l'accompagnement de l'*Impromptu*. *Don Garcie* disparut dès lors de la scène. Il ne fut pas imprimé du vivant de l'auteur. Et pourtant Molière avait pris un privilège pour l'impression dès 1660; en octobre 1662, il le transférait encore aux libraires Barbin et Quinet. Tous ces projets ambitieux sombrèrent en 1663. Pour finir, le poète utilisa des fragments de sa pièce dans *Tartuffe*, *Amphitryon*, les *Femmes savantes* et surtout dans le *Misanthrope* : c'était marquer nettement le caractère irrévocable de la condamnation.

Ainsi, en 1663, Molière fit oraison. La tentation à laquelle il avait succombé perdit son attrait. Il sentit l'impossibilité de s'obstiner dans une voie qui n'était pas faite pour son talent. Il abandonna sans esprit de retour le genre sérieux, le ton noble et il se rejeta dans la comédie comique, celle qui sort de la farce ou du moins qui lui doit le secret du rire.

Sans esprit de retour? On peut le croire. Pourtant la comédie de cour qu'il va être amené à pratiquer dès l'année suivante fournira un exutoire à son goût de l'héroïsme ou du romanesque : la *Princesse d'Élide*, les *Amants magnifiques*, et surtout *Psyché*, intitulée *tragédie-ballet*, rappelleront parfois les accents douloureux de *Don Garcie*. La comédie de caractère elle aussi ne sera pas sans profiter de l'expérience malheureuse de 1661 : Alceste sera un nouveau Don Garcie plus justement jaloux et d'une jalousie qui étouffera le pathétique sous le ridicule.

*

Après les *Précieuses* et *Sganarelle*, Molière attend quatre années pour se remettre à la farce; après *Don Garcie*, il renonce à la comédie héroïque : sur quoi porte-t-il son effort de 1661 à 1664? Il crée la grande comédie. Il y prélude avec l'*École des maris*; il s'y impose avec l'*École des femmes*;

il touche au chef-d'œuvre avec *Tartuffe*. Ce sont les trois étapes de cette création.

Ce que nous appelons la grande comédie est une pièce en vers; elle s'étend à cinq actes; elle a pour fonction de faire rire, mais elle dégage le ridicule de la peinture des mœurs et de l'analyse des caractères; le ton y garde de la dignité; l'obscénité et la scatologie en sont proscrites; le comique de gestes et de mots y cède le pas à celui de situation et de caractère; l'intrigue est soumise plus étroitement à la vraisemblance; les caractères sont plus fouillés; l'intérêt est accru par la mise en forme dramatique de débats où sont traitées des idées auxquelles l'actualité donne du relief.

Il paraît inutile d'insister sur l'originalité et le contenu de ces pièces : la critique s'est particulièrement portée là-dessus, au point de négliger le reste. Peut-être feut-il pourtant marquer à nouveau, après Lanson, que la grande comédie moliéresque entretient des rapports étroits avec la farce. Sans doute Lancaster a raison de rappeler que le véritable héritier de la farce, celui qui en prolonge la tradition en 1670, c'est Raymond Poisson, le farceur de l'Hôtel de Bourgogne. Nous avons déjà dit que même dans *Sganarelle*, Molière s'éloigne de la *commedia dell'arte* et aussi bien de la farce française : il transforme le type dans lequel Poisson reste prisonnier. A plus forte raison ne peut-on assimiler *Tartuffe* à une tabarinade. Toutefois le savant érudit concède que l'influence de la farce a au moins aidé Molière à rompre avec les complications de l'intrigue, chères à l'Espagne et à l'Italie, dont le *Dépit* offre encore un bel exemple. C'est reconnaître que la grande comédie moliéresque ne se constitue pas en partant de la comédie d'intrigue à l'italienne; sa source est bien, comme le voulait Lanson, la farce.

De la farce elle garde la médiocre importance donnée à l'agencement de l'action, l'audace réaliste, la *typification* des caractères, le primat du comique. La vraisemblance et les bienséances, ignorées du farceur, y jouent un rôle, mais ne commandent point la création (ce point, des plus importants, demandera de plus longs développements). Enfin certaines scènes manifestent étroitement cette dépendance, comme si le poète qui écrit *Tartuffe* n'avait pas voulu nous laisser ignorer qu'il avait composé *Sganarelle*.

Qu'on se reporte à l'*École des maris* : les propos du barbon, l'obstination qui l'aveugle quand Valère et Ergaste essayent vainement d'engager la conversation avec lui, le jeu d'Isabelle se faisant baiser la main par Valère pendant que Sganarelle l'embrasse, l'invitation lancée par Lisette aux spectateurs au terme de la comédie, ce sont des scènes de farce.

Dans l'*École des femmes*, les grimaces d'Arnolphe, les rôles d'Alain et de Georgette, l'entretien entre le Notaire et Arnolphe, le dénouement débité en distiques, se réfèrent au même type comique. Dans *Tartuffe*, le personnage de Mme Pernelle dans certains de ses aspects, celui de Monsieur Loyal, le soufflet que reçoit Flipote, le bâton que réclament Orgon pour châtier son fils et Dorine pour réprimer l'insolence du sergent, l'attitude d'Orgon donnant ses instructions à sa fille, la main levée, prêt à sanctionner les interruptions outrageantes de la servante, s'apparentent encore à la farce. Il n'est pas jusqu'au *Misanthrope* qui ne garde des traces de l'origine farcesque de la grande comédie : qu'on se rappelle l'arrivée de Dubois, le valet d'Alceste, plaisamment accoutré, effaré, prenant des airs mystérieux, s'embrouillant dans son propos et lassant la patience de son maître, annonçant enfin qu'il apporte un précieux papier, qu'il cherche dans toutes ses poches et ne trouve pas, jusqu'à ce qu'il se souvienne qu'il l'a laissé à la maison.

On comprend que Molière, de 1661 à 1664, n'ait pas écrit de farce : il a intégré ce genre aux *Écoles* et à *Tartuffe*; il l'a enrichi et il en a haussé le ton; c'est ainsi qu'il a créé la grande comédie.

Allait-il en rester là? Non pas. Avec le *Mariage forcé* en 1664, il revenait à Sganarelle et à la farce, en même temps qu'il composait *Tartuffe* et qu'il rêvait déjà au *Misanthrope*. L'échec de *Don Garcie* produisait donc alors de nouveaux fruits. En 1660, Molière dédaignait encore la farce; de 1661 à 1664, il s'écartait de l'héroïsme tentateur et bâtissait des comédies de plus en plus ambitieuses, qui, s'élevant progressivement jusqu'à une qualité littéraire au moins égale à celle de la comédie héroïque, s'appuyaient sur la farce; en 1664, parallèlement à *Tartuffe*, il écrivait de nouveau une farce. Désormais il allait mener de front les deux entreprises. La farce retrouvée ne devait plus être abandonnée et son importance dans l'œuvre allait croître. La comédie de mœurs ou de caractère restait aussi l'objet des préoccupations du poète : après *Tartuffe*, *Don Juan* et le *Misanthrope*, il écrivait en 1668 l'*Avare*, puis en 1672 les *Femmes savantes*. Toutefois le rythme de composition de ces grandes comédies ralentissait après le *Misanthrope*. La farce et ses variantes l'emportaient alors. Molière redevenait surtout un farceur.

*

Pour retracer l'évolution de la production moliéresque, nous avons dû jusqu'ici en abstraire une composante qui en modifie considérablement l'allure et qu'il nous faut réintroduire pour obtenir la perspective complète : c'est le service de la Cour. C'est aussi en 1661, quand il vient de soumettre au verdict des spectateurs son *Don Garcie*, quand il prélude à la création de la grande comédie avec l'*École des maris*, que Molière est invité à contribuer aux divertissements des grands par des pièces faites spécialement pour eux : la première est la comédie des *Fâcheux*.

D'emblée, il crée du nouveau. Cette nouveauté, il la cherche surtout dans l'union de l'action dramatique et de la musique : il se lance dans la comédie-ballet. Bientôt il en diversifie le type : tantôt il greffe le ballet sur la minceur de la pastorale selon une association traditionnelle; tantôt il l'adjoint à une imposante pièce courtisane ou à une tragédie à machines; tantôt il le mélange à la farce; tantôt à la comédie de mœurs; il en orne même la comédie fantaisiste. Autant de formes dont son imagination s'enchante dans une quasi constante improvisation et dont la diversité s'explique par sa connaissance pratique des ressources de la scène.

Assurément il faut tenir compte ici du concours apporté par Lully. Nous avons déjà parlé de cette longue collaboration. « Baptiste le très cher » fut des amis de Molière dès 1661. Il composa de 1664 à 1671 la musique de dix spectacles montés par le Palais-Royal pour la Cour. On ne peut contester que l'esprit inventif du musicien dut fertiliser en mainte occasion le génie du poète créant la comédie-ballet.

Mais il faut aussi mettre en avant le goût du Roi pour la danse. Louis XIV aimait ce divertissement et figurait souvent dans les ballets dansés au Louvre, à Vincennes ou ailleurs, en compagnie de gentilshommes de même humeur. Il fut du ballet du *Mariage forcé*, de celui du *Sicilien* et enfin de celui du *Divertissement royal* encadrant les *Amants magnifiques* en 1670. Il fallut les remontrances de l'Église pour le détourner de ce plaisir. Il encouragea certainement Molière dans l'adjonction de la danse à la comédie de cour.

Enfin il convient de rappeler que le Palais-Royal possédait en la Du Parc une danseuse étoile, que la De Brie et Armande ne manquaient pas de talent chorégraphique et que le chef de troupe avait intérêt à user de leur séduction pour attirer ou maintenir l'afflux des spectateurs à son théâtre.

Ce sont là les circonstances qui ont favorisé la création par Molière de la comédie-ballet et son développement. Cependant ces circonstances n'auraient pas eu un tel effet si elles n'avaient fait surgir dans son esprit un goût inné pour cette forme dramatique. Sainte-Beuve a remarqué que Molière « se complut bien vite dans la comédie-ballet et s'y exalta comme éperdument ». Il y avait dans sa façon de composer (c'est le critique danois Vedel qui l'a fait observer) « quelque chose tout ensemble de musical et de plastique » : les variations sur le thème du dépit amoureux, que nous avons longuement analysées, la construction en triptyque de *George Dandin*, dont nous avons aussi démonté le mécanisme, le dialogue en écho par lequel débutent les *Fourberies*, autant d'exemples de cette architecture musicale qui semble inhérente au génie du poète.

Et pourtant c'est bien le hasard qui l'a orienté vers la comédie-ballet. Il nous a conté cette histoire en tête des *Fâcheux*. Les organisateurs de la fête avaient prévu une comédie et un ballet. On manqua de bons danseurs pour fournir les équipes qui devaient se succéder dans les entrées d'un ballet continu. On décida de loger les entrées de ballet dans les entractes de la comédie : la même équipe de danseurs pouvait ainsi pendant tout un acte se préparer à sa prochaine entrée. Mais, pour ne pas rompre par les intermèdes dansés le fil de l'action comique, Molière s'avisa de ne faire qu'une seule œuvre du ballet et de la comédie, en donnant aux intermèdes une fonction semblable à celle des scènes : les uns et les autres montrent des importuns qui viennent empêcher deux amoureux de se réunir ou de s'entretenir selon leur vœu. Ainsi naquit la comédie-ballet, c'est-à-dire une forme dramatique unissant la danse et l'action, dans laquelle l'une et l'autre concourent dans la continuité à la mise en œuvre d'un unique sujet.

On a contesté l'originalité des *Fâcheux*. Les opéras italiens, dit-on, avaient déjà donné des exemples de l'union de la danse et du jeu : rien ne prouve que Molière les ait connus. Quelques tragi-comédies françaises s'ornaient d'un ballet occasionnel : ce ballet unique, intervenant pour couronner l'action, était un ornement plutôt qu'un élément du spectacle. Enfin Corneille, dans *Andromède* et la *Toison d'or*, avait usé d'une figuration décorative insérée dans la tragédie : cette figuration ordonnée ne peut être confondue avec un ballet et, comme dans le cas précédent, elle était plus spectaculaire que dramatique.

Au reste peut-on mettre en doute la parole du poète, qui affirme, en parlant de la liaison étroite du ballet et de la comédie dans les *Fâcheux*, que « c'est un mélange qui est nouveau pour nos théâtres » ? Les contemporains n'ont pas protesté. De Visé a même confirmé l'originalité de Molière dans son éloge funèbre : « Il avait trouvé par là un nouveau secret de plaire qui avait été jusqu'alors inconnu et qui a donné lieu en France à ces fameux opéras qui font aujourd'hui tant de bruit. » On peut voir à l'opéra une autre origine; du moins il faut avouer que la liaison intime de la comédie et du ballet est due à Molière.

Dans la préface des *Fâcheux*, il reconnaissait qu'il n'avait pas eu le loisir de rendre cette liaison partout aussi satisfaisante qu'il eût voulu. Il projetait de mieux faire par la suite. Aussi n'a-t-il pas manqué de perfectionner le genre qu'il venait d'inventer. L'occasion lui en fut donnée quand on lui commanda le *Mariage forcé*. La pièce est distribuée en trois actes. Dans chacun, l'action se poursuit avec le secours conjoint du dialogue et de la danse. A l'acte Ier, deux scènes dialoguées sont suivies d'un récit chanté et de deux entrées dansées. A l'acte II, trois scènes mènent à la troisième entrée; puis un court dialogue ouvre une danse, que suit un récit chanté, qui lui-même entraîne la quatrième entrée. Dans tout l'acte, Sganarelle et les danseurs sont mêlés; le premier parle et les autres dansent; leur danse est leur réponse. A l'acte III, à trois scènes succède la cinquième entrée; la scène IV conduit à un concert que couronnent les trois dernières entrées. On ne peut désirer un agencement plus intime du dialogue et de la danse. Ils sont traités avec un même intérêt. Aucun ne l'emporte sur l'autre. Ils mettent conjointement en œuvre le sujet. La danse, à l'égal du dialogue, a pour fonction de peindre et d'expliquer les sentiments de Sganarelle et d'en faire surgir le comique. La cohésion est parfaite.

Molière ne s'est pas toujours astreint à cette unité. La comédie de *George Dandin* par exemple est encadrée dans des ballets pastoraux qui s'y lient artificiellement : très tôt la séparation se fit entre des éléments pour une fois hétéroclites. Dans le *Malade imaginaire*, si la cérémonie burlesque qui termine la pièce s'y rattache étroitement, on ne saurait en dire autant du premier intermède, qui expose les malheurs d'un Polichinelle dont le seul lien avec les personnages de la comédie est dans le message que Toinette lui confie (et encore ne voyons-nous nulle part Polichinelle s'en acquitter), ni même du second intermède, composé de danses mauresques dont Béralde essaie de distraire Argan et qui ne sont qu'un ornement, non un élément de l'action.

En tout cas Molière, comme le remarquait Sainte-Beuve, « s'est exalté éperdument » dans la comédie-ballet. Dans ses dix premières pièces, il n'a usé du ballet que pour les *Fâcheux*; dans les dix suivantes, il y eut recours cinq fois; dans les dix dernières, sept fois. La progression est instructive.

Il s'est assez intéressé à la danse pour en distinguer les diverses fonctions. Il en a discerné le caractère expressif (la danse des Égyptiennes dans le *Mariage forcé* exprime la moquerie), le caractère burlesque (la danse des Matassins dans *Pourceaugnac*), le caractère décoratif (la danse des Jeux, des Ris et des Plaisirs à la fin de l'*Amour médecin*). De même pour le chant : le chant de Moron dans la *Princesse d'Élide* est dérisoire;

celui d'Angélique et de Cléante dans le *Malade* est galant. Il a entrevu les possibilités de la pantomime : il s'y est essayé dans quelques intermèdes de l'*Amour médecin*, de *Pourceaugnac* et du *Bourgeois*; il y est arrivé au cinquième intermède des *Amants magnifiques*. On ne saurait douter de l'attention qu'il a portée à ces formes du jeu dramatique et à leur valeur.

Notons, pour finir, que toutes ces pièces furent composées pour le service de la Cour : si la dernière, le *Malade imaginaire*, fut donnée au Palais-Royal, elle dut cet avatar aux manœuvres de Lully. Des critiques austères regrettent que Molière ait perdu son temps à ces badinages au lieu d'écrire d'autres *Misanthropes*. Le public qui a fait la fortune du *Bourgeois* est d'un autre avis. Aurait-il tort?

*

Le ballet était facile à lier à la pastorale. Molière fut peu tenté par cette entreprise. Il ne répugnait pas absolument aux fadeurs de la bergerie : dans le *Bourgeois gentilhomme*, il introduit sans intention parodique un dialogue amoureux en musique qui est une scène bucolique et il justifie cette convention par la tradition. Pourtant il a parodié le genre dans la *Pastorale comique*, qui remplaça *Mélicerte* dans le *Ballet des Muses* en 1667. Dans le troisième intermède de la *Princesse d'Élide*, le personnage de Moron affecte aussi de quelque ridicule les plaintes galantes dont il veut se faire enseigner le secret. Cependant ces intentions satiriques sont peu marquées et elles ne doivent pas nous faire oublier que le poète a usé de la bergerie à plusieurs reprises.

A *Mélicerte* et à la *Pastorale comique*, il faut en effet joindre la pastorale qui était liée à *Escarbagnas* dans le *Ballet des ballets* en 1671 et qui ne nous est pas parvenue. A ces trois pastorales proprement dites, on peut ajouter encore le ballet qui encadrait *George Dandin*, celui qui servit de prologue au *Malade imaginaire* et le troisième intermède des *Amants magnifiques* (sans parler de la scène déjà mentionnée du *Bourgeois gentilhomme*). Cela fait donc six ou sept expériences plus ou moins considérables du même genre.

Toutes ces pastorales, sauf la scène du *Bourgeois*, ou sont insérées dans des ballets, ou sont des ballets coupés de récits. Aucune cependant ne réalise rien de semblable à ce que présente le *Mariage forcé*. On sent que Molière n'a pas longuement réfléchi pour organiser ces spectacles et leur donner de l'unité. L'unité est dans le ton. Le poète a recours selon les besoins à des conventions qui ne retiennent guère son attention. Peut-être laissa-t-il au musicien et au chorégraphe la responsabilité majeure de ces divertissements.

La *Princesse d'Élide* et les *Amants magnifiques* eurent dans sa carrière plus d'importance. Ces comédies en cinq actes firent l'un des charmes des fêtes de Versailles en 1664 et de Saint-Germain en 1670. Ce sont des exemples achevés de la comédie de cour, dont la pastorale n'est qu'une esquisse.

La comédie de cour est un spectacle complexe. Il s'adresse aux yeux autant qu'à l'esprit. Nous avons dit la même chose de la farce; mais le spectacle dans la comédie de cour a une fonction esthétique et non comique. Il cherche à émerveiller. La merveille est l'âme du décor, du costume, de la machinerie, de la figuration et des évolutions du ballet. Les personnages eux-mêmes contribuent à la merveille, soit par leur haut rang, soit par leur beauté. La nature n'y a guère d'emploi, sauf sous la forme du jardin; le palais y est plus fréquent que la forêt et la forêt y ressemble à un parc.

La musique y tient sa partie : l'oreille n'y est pas beaucoup moins intéressée que les yeux, non point l'oreille attentive aux mots qui font comprendre, mais celle qui se laisse flatter par la musique simple et douce des violons et des luths. La danse vient par endroits matérialiser la musique en la traduisant en pas.

La convention règne dans la comédie de cour; l'invention n'a pas grand-chose à y faire. Mais un agrément réside dans la facilité que donne l'usage de la convention. Le spectateur retrouve avec plaisir ce qu'il connaît : il se plaît au romanesque du sujet, à l'artifice de l'intrigue et à la politesse cérémonieuse de la démarche et des paroles. L'invention se réfugie dans les détails : elle est imagination d'un joli sentiment ou d'un bon mot. La psychologie n'y est pas ignorée : elle se limite pourtant à l'amour galant, dont les finesses et les nuances sont l'objet d'une analyse frisant la préciosité. Le génie de Molière y introduit quelques éléments hétérogènes : du réalisme dans l'expression d'une jalousie, d'un dépit ou d'un sentiment maternel; du grotesque à l'occasion, séquelle de la farce. Mais tout est ramené à l'unité par le style. Comme chez Racine, le style a ici une fonction poétique : il jette un voile sur le réel, il embrume et il déforme, il éloigne le spectacle de la vie et en fait comme l'expression d'un rêve. La comédie de cour a été le chemin d'une évasion pour l'aristocratie de 1670. Molière n'a pas refusé d'y prêter les mains.

Psyché, après les *Amants magnifiques*, donna à la comédie de cour une nouvelle forme. La *Princesse d'Élide* et les *Amants magnifiques* s'apparentaient à la pastorale et différaient de *Mélicerte* surtout par l'ampleur du dessein et par sa complexité. De la pastorale, ces pièces tenaient, sinon les personnages, du moins le sujet, tout de galanterie. Celui de *Psyché* n'est pas un sujet de pastorale, mais de tragédie : l'héroïne court un danger mortel. Ce n'est pas que le spectateur tremble beaucoup pour elle; du moins certaines scènes ont un accent pathétique qu'ignore la bergerie. Et puis c'est une tragédie à machines : la machine jouait un rôle médiocre dans les *Amants magnifiques*; ici elle tient une place essentielle dans l'agencement du spectacle. Le sujet est d'ailleurs tout féerique. C'est un prétexte au déploiement fastueux de décors en mouvement autant qu'à l'expression de sentiments passionnés ou douloureux. Un connaisseur a vu dans *Psyché* un opéra sans récitatif. C'est en effet dans la direction de l'opéra que Molière s'engageait et qu'il eût poussé si la mort n'était survenue et si Lully ne s'y était opposé.

★

Si le poète n'a pas dédaigné les comédies spectaculaires, alliant la danse et la machine à une intrigue galante pour séduire et émerveiller les courtisans, il s'est plu davantage à un genre de comédie-ballet plus proche de son génie, celui qui unissait la farce à la danse. Le *Mariage forcé*, qui réalisait à la perfection le dessein de la comédie-ballet, était une farce-ballet. L'*Amour médecin*, *Dandin*, *Pourceaugnac*, le *Bourgeois*, *Escarbagnas* et le *Malade* donnèrent de nouvelles épreuves du même type.

L'alliance du ballet avec la farce n'est pas moins naturelle qu'avec la pastorale : elle repose sur une communauté d'artifice. Dans la farce, la convention est souveraine : c'est le plus artificiel des genres comiques. Il le doit à l'invraisemblance et à la banalité de l'intrigue, à la *typification* des personnages et à la mécanique des *lazzi*. Le pas de danse n'est pas moins conventionnel : tout geste en scène est artifice, toute posture; mais un geste qu'ordonne la musique est encore plus affranchi des exigences de la réalité représentée. Le chant de même ajoute à l'artifice du vers. L'union du chant et de la danse avec le comique de farce n'introduit donc aucune disparate. La scène où Pourceaugnac essaie d'échapper à deux Médecins chantant et à un Apothicaire aidé de Matassins dansant, réalise au mieux cette alliance de la farce et du ballet. Tout y fait rire : le dialogue, les paroles chantées et la musique, les pas de danse, les gestes et les attitudes. Tout y a une unique vertu de dérision burlesque. Ce n'est pas que la farce-ballet ne comporte une part expressive : elle exprime des sentiments et peut peindre des mœurs. Mais ce souci le cède à celui du comique.

Si l'on contestait la communauté d'artifice de la farce et du ballet, on devrait se reporter aux *Fâcheux*. Cette pièce n'est pas une farce, mais une comédie de mœurs : chaque scène est une brève peinture illustrant un ridicule. L'intention comique n'est pas douteuse, mais elle est voilée par le désir de vérité. Le poète cherche à faire dire au spectateur : « Comme c'est vrai ! » C'est pourquoi, quand il interrompt le dialogue pour y glisser un intermède dansé, il change de registre. Si, à la fin du second acte, l'entrée des joueurs de boule, puis celle des petits frondeurs sont encore dans le ton général, l'arrivée des savetiers et celle du jardinier sont purement ornementales. Molière a senti qu'une telle disparate nuisait à l'union du ballet avec la comédie de mœurs, l'un étant fondé sur l'artifice et l'autre sur la réalité. Aussi n'a-t-il jamais renouvelé l'expérience. Les *Fâcheux* sont sa seule comédie de mœurs avec ballet.

La farce-ballet n'est pas, comme on pourrait le croire, spécialement populaire. La poursuite bouffonne de Pourceaugnac par les porteurs de seringues, si elle offusquait Boileau, plaisait aux courtisans, à l'égal du dialogue galant chanté à l'ouverture de la pièce. L'aristocratie d'alors ignorait nos pudeurs et notre délicatesse. D'ailleurs ces intermèdes exigeaient une profusion de décors et un concours de danseurs, chanteurs et musiciens, dont la Cour seule permettait le luxe. Reprises pour la Ville, ces pièces le furent dans un appareil simplifié. Elles relèvent, tout comme *Psyché*, d'un goût aristocratique. On pourrait encore y voir des comédies de cour.

Le *Mariage forcé*, avons-nous dit, par son unité, réalisa la perfection de la farce-ballet. L'*Amour médecin* renouvela l'expérience avec un bonheur non moindre : l'équilibre y était parfait entre le dialogue, la musique et la danse; tous les éléments concouraient à la même action et s'enchaînaient sans à-coup. *Dandin* rompit avec la formule : le ballet se contentait d'encadrer la comédie et s'y accordait mal. *Pourceaugnac* ramena au type; mais la musique tendait à envahir la comédie. Elle y pénétrait dans le *Bourgeois* : s'évadant des intermèdes, elle se glissait dans les scènes, parfois accompagnée de la danse; le ballet final était mal lié à l'ensemble. *Escarbagnas* se terminait par un divertissement de musique et de danse annoncé à plusieurs reprises, interrompu, puis repris : le lien devenait plus lâche entre les deux composants. Le *Malade* enfin était un nouveau *Pourceaugnac*, un peu plus ample et surtout plus fort : le dialogue s'y parait des grâces de la danse et de la musique jusque dans le cours des actes; il est vrai que certains intermèdes étaient mal unis à l'action; la pièce penchait vers la satire des mœurs médicales et la peinture de la vie bourgeoise; la vérité comique y gagnait sur la fantaisie burlesque.

*

L'imagination du poète ne s'est pas limitée à l'exploration des possibilités de la farce ou de celles de la danse, du chant et des machines. Sa souplesse a fait merveille dans des créations furtives dont il s'est enchanté un jour et qu'il a dédaigné de renouveler ou d'approfondir, à moins qu'il n'en ait été empêché par la mort. Avec le *Sicilien*, il a composé une comédie fantaisiste; *Amphitryon* se range dans la comédie mythologique; la *Critique* et l'*Impromptu* sont du ressort de la comédie polémique.

Le *Sicilien* est encore une comédie-ballet. Il fut écrit pour servir d'entrée surnuméraire dans le *Ballet des Muses* pour les fêtes de Saint-Germain de 1666-1667. La musique et le chant y trouvent emploi dès la scène III, dans une sérénade offerte à la belle esclave : on entend un chant plaintif en mineur qui exprime la langueur des amants, puis, en majeur, le chant joyeux de l'amoureux qui s'affranchit et riposte au dédain par le dédain. A la scène VIII, la chanson galante d'Hali et la réponse burlesque de Don Pèdre, coupées de danses, sont déjà dans le ton de l'opéra-comique mozartien. Une mascarade mauresque termine le jeu. La forme s'accorde au caractère musical de la pièce : les vers blancs abondent dans cette prose; le poète se prépare à l'emploi du vers irrégulier, dont il usera bientôt dans *Amphitryon*, puis dans *Psyché*. Le décor prend un aspect poétique inhabituel chez Molière : ce n'est plus le banal carrefour, ni l'insignifiante salle basse, mais un lieu déterminé et choisi pour plaire. Nous sommes dans une Sicile de convention, au confluent de l'Italie et de l'Islam, au pays des amours ardentes et du rêve. La pièce débute dans la nuit : « Il fait noir comme dans un four : le ciel s'est habillé ce soir en Scaramouche, et je ne vois pas une étoile qui montre le bout de son nez. » Bientôt les flambeaux viennent trouer l'obscurité. L'intrigue, toute galante, a quelque chose de gratuit qui accroît la fantaisie. Le comique prend une teinte poétique : Don Pèdre sort de sa demeure en robe de chambre et bonnet de nuit sous l'éclat inégal des flambeaux; les soufflets qu'il échange avec Hali sont cadencés comme une figure de ballet. Le sujet surtout est poétique : il s'agit encore d'amour et de jalousie, mais le ton n'est plus vraiment comique. Le dialogue de Don Pèdre et d'Isidore, quand elle se lève de mauvaise humeur et se plaît à agacer son maître, l'entretien galant dans la séance de pose entre le peintre et le modèle sous la surveillance du mari, tout cela est traité avec finesse et agrément, pour nous faire sourire et non rire, dans le ton de Marivaux déjà. Le charme du *Sicilien* est dans cette légèreté, cette délicatesse et ce piquant. Tout y contribue au même effet poétique.

Molière serait-il poète? C'est surtout un homme de théâtre. Sa création est agencée pour faire rire. Elle a de ce chef une rigueur peu propice à la poésie. Cependant certains moments heureux prouvent que le comédien savait aussi chanter ou rêver. Il y a quelques-uns de ces moments dans les comédies de cour, la *Princesse d'Élide*, les *Amants magnifiques*, *Psyché*; dans *Don Juan* se glisse du lyrisme, et aussi dans le rôle du Mascarille de l'*Étourdi* et dans celui de Scapin. Mais cette poésie chante surtout dans le *Sicilien*.

Elle chante aussi dans *Amphitryon*. La machine s'y substitue au ballet; le faste règne dans les costumes; le sujet est mythologique. Mais la mythologie manque de sérieux : l'aventure de Jupiter auprès d'Alcmène est romanesque et galante. Le monde où elle se déroule est celui de la fantaisie, comme dans le *Sicilien* : le temps n'a pas de date, les hommes voisinent avec les dieux, les dieux sont d'ailleurs fort humains. Le débat amoureux se teinte de préciosité : les propos de Jupiter voulant séparer dans l'esprit d'Alcmène le mari à qui l'on doit de l'amant à qui l'on donne, ne manquent pas de subtilité. Le style passe de la galanterie soutenue à la vivacité la plus spirituelle : la gaieté domine. Le vers se libère de la monotonie de l'alexandrin : entraîné par son sujet fantaisiste, le poète mélange les mètres et joue des rimes selon les détours de son imagination. Doublant le trio des maîtres, Alcmène et les deux Amphitryons, par un trio de valets, Cléanthis et les deux Sosies, il installe un contraste permanent entre le comique qui naît des uns et la galanterie qui occupe les autres. Dans cette symétrie, il introduit même une dissymétrie : Jupiter recherche la femme d'Amphitryon quand Mercure fuit celle de Sosie; ainsi Alcmène est toujours amoureuse et Cléanthis toujours furieuse. Le prologue, malgré l'appareil mythologique, touche à la bouffonnerie; le dénouement, en dépit des machines, est ironique. Un caprice, voilà ce que devient cette comédie mythologique au feu de l'imagination d'un poète qui s'amuse pour nous amuser.

La *Critique* et l'*Impromptu* s'éloignent de ce ton poétique. Ils n'ont point pour but de nous amuser ni de nous charmer. Molière se défend contre ses ennemis et leur renvoie des traits acérés. Ce sont deux comédies polémiques, nées de la querelle où le comédien fut engagé par l'effet du succès de l'*École des femmes*. Elles forment un accident dans sa carrière, mais qui révéla en lui un talent qu'on eût sans cela ignoré et grâce auquel il donna les modèles d'un genre qui n'avait connu jusque-là que le pathos et l'invective. Molière n'eut pas de peine à surclasser d'emblée les Somaize et les Gilbert. Il le fit sans effort. La *Critique* est la mise en œuvre, simple et naturelle, d'une conversation : aucune intrigue; on discute du dernier spectacle; tout à tour les précieuses, les prudes, les délicats, les turlupins et les envieux y reçoivent leur paquet; aucun appareil dogmatique; c'est la vie d'un salon. Pas un personnage qui n'ait du relief, pas un rôle qui ne s'anime; de l'esprit souvent, et du plus fin.

L'*Impromptu* est plus hétérogène : il nous présente une répétition sur la scène du Palais-Royal. Tantôt les comédiens s'entretiennent, tantôt ils répètent la pièce qu'ils vont jouer devant le Roi; un importun vient les troubler; un messager les presse; pour finir, la représentation est remise. Là encore le naturel domine. Mais la polémique occupe les plus longues scènes, dirigée surtout contre l'Hôtel de Bourgogne. Molière s'y montre cruel. On ne devait pas lui pardonner d'avoir tant d'esprit.

★

On mesure la diversité de sa production et la fécondité de son imagination. Son expérience des planches, son aptitude à se plier aux exigences de la vie courtisane, son sens de l'harmonie, son talent satirique, son esprit de fantaisie, mais, par-dessus tout, son indépendance à l'égard des types consacrés, ont fait de sa carrière d'écrivain une improvisation continuelle. Il ne s'est jamais asservi à une formule, même qui ait réussi. Comédien de vocation, il savait l'instabilité native du public, le besoin de nouveauté qui dévore les spectateurs. A ce Moloch, il a jeté en pâture une trentaine de pièces, où la critique peut discerner une douzaine de formes, parfois irréductibles l'une à l'autre, en tout cas séparées par des différences sensibles de ton et de moyens. Un créateur, disions-nous : oui, non seulement il a créé la grande comédie et la comédie-ballet; mais il a exploré les possibilités de l'union de la danse et du dialogue; il s'est avancé sur le chemin de l'opéra et même de l'opéra-comique; il a donné des modèles de polémique; il a précédé Marivaux dans la fantaisie; il a mis au point le vers mêlé dont Corneille n'avait fait qu'entrevoir les vertus. Dans un temps de règles, le génie de Molière est le génie de la liberté. Ce comédien ne reconnut qu'un maître : le public.

V

L'IMAGINAIRE ET LE DÉRAISONNABLE

Un nouveau Térence? — Molière chimérique. — Molière bouffon. —
L'imaginaire et le réel. — Les imaginaires. — Molière et la raison.

En 1663, De Visé dans ses *Nouvelles nouvelles*, bien que sa critique soit loin d'être uniformément favorable à Molière, affirme que l'auteur de l'*École des femmes* « peut passer pour le Térence de son siècle ». Dix ans plus tard, il reprendra l'éloge dans les mêmes termes. Ph. de la Croix de son côté met en scène, dans la *Guerre comique*, la dispute des partisans et des ennemis du poète devant le tribunal d'Apollon; au terme du débat, le dieu prononce une sentence en faveur du nouveau Térence :

> *Un esprit bien fait, quoi qu'on die,*
> *Doit admirer sa comédie*
> *Et le prendre, tout bien compté,*
> *Pour Térence ressuscité.*

En 1682, La Grange rénovera ce lieu commun de la critique.

Que voulait-on dire lorsqu'on se référait ainsi, dans l'appréciation du talent de Molière, à l'ami de Scipion? Boileau nous renseigne dans les *Stances de l'École des femmes*, exactement contemporaines des *Nouvelles nouvelles*. Il vante le poète comique :

> *Que tu ris agréablement!*
> *Que tu badines savamment!*
> *Celui qui sut vaincre Numance,*
> *Qui mit Carthage sous sa loi,*
> *Jadis, sous le nom de Térence,*
> *Sut-il mieux badiner que toi?*

Térence, que ce soit l'esclave qui porta ce nom ou Scipion Émilien déguisé, comme le croit Boileau, est pour le XVIIe siècle entier le *savant badineur* de l'antiquité. Ménandre est quasi inconnu; on ne peut songer à imiter Aristophane; Plaute porte le poids de sa bouffonnerie, de son jargon, de ses proverbes populaciers, de ses pointes de mauvais goût, Racine dira : de sa liberté. A cette liberté de ton on oppose la régularité de Térence. On rapproche Térence de Virgile : même bon sens, même naturel, même application, même bienséance, même goût. Térence. c'est la raison, la nature et le goût.

Molière est donc loué dès ce temps-là pour les qualités que l'on donne à Térence et que l'on refuse à Plaute. On le tient pour un observateur consciencieux et exact de la réalité. Ses adversaires comme ses partisans le désignent d'un vocable significatif : le Peintre. Boursault fait le *Portrait du Peintre*. De Visé use du même terme dans la *Vengeance des marquis* pour désigner l'auteur de *l'Impromptu de Versailles*. Dans *Zélinde*, il s'étend sur l'idée qu'il se fait de Molière. Il montre Élomire dans la boutique d'un marchand de dentelles, appuyé sur un comptoir, silencieux, « dans la position d'un homme qui rêve ». « Il avait les yeux collés sur trois ou quatre personnes de qualité qui marchandaient des dentelles; il paraissait attentif à leurs discours, et il semblait, par le mouvement de ses yeux, qu'il regardait jusqu'au fond de leurs âmes pour y voir ce qu'elles ne disaient pas; je crois même, ajoute le marchand qui raconte ce qu'il a vu, qu'il avait des tablettes et qu'à la faveur de son manteau, il a écrit, sans être aperçu, ce qu'elles ont dit de plus remarquable. » La suite est encore plus significative. Oriane prolonge le propos d'Argimont : « Peut-être que c'était un crayon et qu'il dessinait leurs grimaces pour les faire représenter au naturel sur son théâtre. » Et Argimont : « S'il ne les a dessinées sur ses tablettes, je ne doute point qu'il ne les ait imprimées dans son imagination. C'est un dangereux personnage; il y en a qui ne vont point sans leurs mains; mais l'on peut dire de lui qu'il ne va point sans ses yeux ni sans ses oreilles. » Oriane insiste sur ce dernier point : « On commence à se défier partout de lui et je sais des personnes qui ne veulent plus qu'il vienne chez elles. »

Voilà Molière vu par de Visé : un voleur d'un nouveau genre, un espion des gens de qualité, un amateur passionné de la vérité des attitudes, des propos et des sentiments, un observateur de la réalité humaine, ne se laissant arrêter par aucun scrupule, pourvu qu'il contente sa manie, emplisse de notes ses carnets, pourvoie de couleurs sa palette de Peintre.

Quand Neufvillenaine rend compte de la comédie de *Sganarelle*, il caractérise l'art de l'auteur dans des termes proches de ceux de Donneau de Visé. Pour lui, Sganarelle n'éprouve aucun sentiment dont Molière n'ait eu l'expérience, « si bien que l'on peut dire que, quand il veut mettre quelque chose au jour, il le lit premièrement dans le monde ». L'observation du monde, voilà la source essentielle de la comédie moliéresque. C'est une comédie d'observation, comme le fut celle de Térence.

Grâce à son talent d'observateur, Molière donne à ceux qui l'écoutent l'impression du naturel. « Il faut peindre d'après nature, disait-il dans la *Critique*; on veut que ces portraits ressemblent et vous n'avez rien fait si vous n'y faites reconnaître les gens de votre siècle. » La Fontaine, sortant de la représentation des *Fâcheux*, y sentait l'annonce d'une révolution de la tradition comique :

> *Jodelet n'est plus à la mode,*
> *Et maintenant il ne faut pas*
> *Quitter la nature d'un pas.*

Il préconisait l'adieu aux bouffonneries et l'entrée dans le règne de la vérité. Loret, à propos de l'*École des femmes*, vantait « les plaisantes naïvetés d'Agnès, d'Alain et de Georgette ». De Visé voyait dans les personnages de la même comédie « des portraits de la nature qui peuvent passer pour originaux ». « Il semble qu'elle y parle elle-même », ajoutait-il. Dans *Zélinde*, c'est encore le terme de *naturel* qui revenait sous sa plume. Molière mort, il proclamait que « jamais homme n'a su si naturellement décrire ni représenter les actions humaines ». La Grange lui faisait écho : « Jamais homme n'a si bien entré que lui dans ce qui fait le jeu naïf du théâtre. » Montfleury et Boileau s'entendaient pour parler de la *naïveté* de Molière. Et le docte Chapelain, en l'inscrivant en 1663 sur la liste des écrivains à pensionner, se prononçait dans les mêmes termes : « Il a connu le caractère du comique et l'exécute *naturellement.* »

Comment douter devant cette apparente unanimité? L'auteur des *Fâcheux* et de l'*École des femmes* s'est imposé d'emblée comme l'inventeur d'une comédie de vérité, fondée sur l'observation et restituant au vif la nature humaine. La critique depuis lors n'a cessé d'exploiter ce thème. Elle affirme que le poète s'est donné comme but la ressemblance de la peinture au modèle et qu'il a été le premier à poursuivre cette ressemblance d'une façon consciente et suivie. Le plaisir que l'on prend au spectacle d'une comédie de Molière viendrait du sentiment qu'il nous donne de la présence du réel. Nous nous disons : « Oui, c'est ainsi que sont les hommes, c'est ainsi que va la vie. »

*

Ce nouveau Térence, aussi véritable que raisonnable, ne serait-il pas l'un de ces mythes que le XVIIe siècle a fabriqués, l'une de ces idoles qu'il a faites à son image, au prix de mainte simplification, dans l'entraînement d'un cartésianisme infidèle à son fondateur? Térence lui-même n'est point ce que Boileau pensait : Chapelain, plus scrupuleux et plus érudit, savait qu'il ne le cède guère à Plaute en liberté de propos et en esprit de fantaisie. Molière est-il donc ce génie de la raison et du naturel qu'ont cru voir La Fontaine, de Visé, Boileau et d'autres, pour aboutir à Rigal et à Mornet?

Quand Loret présenta aux lecteurs de sa Gazette la nouvelle pièce de Molière, la première créée à Paris, les *Précieuses ridicules*, il le dit en bons termes : « Ce n'est qu'un sujet chimérique... » Le jugement n'est point contestable. Il ne peut venir à l'esprit d'aucun spectateur ni lecteur de croire un instant à la vérité de l'aventure. On en dira autant de maint sujet choisi par le poète. L'artifice qui écarte les amants des *Fâcheux*, celui qui force Sganarelle au mariage, celui qui confond trois fois Dandin, les malheurs de Pourceaugnac, les extravagances de Jourdain, les entreprises de Scapin, les infortunes d'Argan (la liste n'est point limitative), ce ne sont que « sujets chimériques ». Chimérique aussi bien, le sujet de l'*École des femmes* : si l'intention d'Arnolphe a de la vraisemblance, on ne peut accorder de réalité aux moyens par lesquels il prétend arriver à s'unir à Agnès. On nous dit que les Tartuffes n'étaient pas rares en 1660 : aucun n'a pu se conduire comme celui de la comédie. La chimère commande tous les sujets moliéresques, ceux de la grande comédie comme ceux de la comédie-ballet ou de la farce, le *Misanthrope* comme l'*Amour médecin*, les *Femmes savantes* comme *Amphitryon*.

L'artifice n'est pas seulement dans l'argument : il se glisse à maint moment de l'action. On a montré depuis longtemps les invraisemblances qui vicient l'action de *Tartuffe*, si l'on doit y trouver une reproduction de la vie. Dorine croit devoir expliquer à Cléante ce qui se passe chez Orgon (acte I, scène II) : comment Cléante peut-il ignorer ce qui affecte gravement l'existence de sa sœur et de son beau-frère? il vit dans la même ville, il n'a point une âme de reclus, il n'est pas allé en voyage... A la scène suivante, voici Orgon qui rentre de la campagne; on l'annonce, sa femme sort immédiatement de la pièce où il va entrer : l'excuse qu'elle donne ne nous convainc point; cette sortie n'a aucune vérité; elle ne sert qu'à rendre possible la scène qui vient. A l'acte II, le dépit

qui sépare un instant les amoureux est faiblement fondé. A l'acte III,
scène v, nouvelle sortie d'Elmire, aussi inexplicable que celle du premier
acte : Damis dénonce Tartuffe à son père; comment sa belle-mère ne
soutient-elle pas une tentative dont dépend le sort de toute la famille,
qui est aussi le sien? A l'acte V, l'histoire de la cassette confiée à Orgon
et remise par celui-ci à Tartuffe est d'un romanesque achevé. Et que dire
du dénouement, si on le considère sous l'aspect de la vraisemblance?

Il n'y a pas moins d'invraisemblances dans l'*Avare*. Valère a sauvé
Élise d'un grave danger et c'est ainsi qu'ils se sont aimés : qui croit à
cette histoire? Harpagon vient de subir de terribles reproches de la
part de son fils, qui l'a pris en flagrant délit d'usure : comment admettre
qu'il lui pardonne si facilement? Le dénouement est encore plus romanesque que celui qui tire Orgon des griffes de l'imposteur.

Il y a un côté chimérique dans le génie de Molière, qu'il ne faut pas
escamoter si l'on veut le juger exactement. Il a loué la simplicité d'Alceste,
mais il a eu toute sa vie un faible pour le précieux, le tendre et le romanesque : Bidou l'a remarqué. L'action du *Sicilien* est un modèle du genre.
Comment d'excellents critiques ont-ils pu prendre au sérieux cette merveille de fantaisie? L'un d'eux, tablant sur les données de la comédie,
se demande avec inquiétude si l'esclavage existait encore en Sicile au
XVIIe siècle et, après une enquête menée selon la règle, il affirme qu'il en
était bien ainsi et fait compliment au poète de sa véracité historique!
Quel roman pourtant que celui de ce gentilhomme jaloux et de sa belle
esclave! Un peintre doit faire le portrait de cette beauté; un jeune Français, qui en est tombé amoureux on ne sait comment, se substitue au
peintre sous le prétexte le plus futile; il mène son entreprise galante sous
les yeux du jaloux; son valet lui apporte du secours en se faisant passer
pour un cavalier espagnol qui vient de recevoir un soufflet et, on ne sait
pour quelle raison, s'avise de consulter le gentilhomme sicilien; une
femme voilée demande asile au même gentilhomme pour se sauver de la
poursuite d'un mari furieux; le mari apparaît : c'est le peintre français;
le Sicilien, pris d'un accès de générosité, veut le réconcilier avec sa
femme; la femme sort de la chambre où elle était enfermée, toujours
voilée; elle se laisse adoucir; elle part avec le Français; mais sous ce voile,
c'est la belle esclave qui a quitté son maître pour suivre son amant; le
jaloux s'entend persifler par la complice restée à la place de la fugitive;
il se plaint en vain à un sénateur mélomane qui ne pense qu'à la mascarade sur laquelle se termine la pièce.

La *Princesse d'Élide* n'est pas moins romanesque, mais elle est plus
précieuse. Une princesse est recherchée en mariage par trois princes

galants. Ils se la disputent dans des jeux renouvelés de l'antique. La princesse, qui se défend d'aimer, se laisse gagner par les qualités de l'un d'eux; mais elle refuse d'avouer ses sentiments. Pour la faire sortir de sa réserve, il faut l'entremise d'un bouffon qui machine une subtile intrigue : au dédain de la princesse répondra le dédain du prince. La princesse affecte d'aimer un autre prince; le prince affecte en retour d'aimer une autre princesse. La princesse finit par perdre la maîtrise de soi : elle se découvre et est contrainte d'avouer le sentiment qui la domine. N'est-ce pas une héroïne digne du *Grand Cyrus* ou de la *Clélie*? On a fait un livre sur *Molière auteur précieux*, qui contient des analyses tout à fait justifiées. *Don Garcie,* où le poète débutant avait mis ses plus grands espoirs, comporte des discussions amoureuses dignes d'entrer dans les *Conversations* de Mlle de Scudéry. *Psyché,* qu'il écrit à la fin de sa vie, narre encore une galanterie dans un style qui se ressent de la mode.

La chimère, le romanesque et la préciosité sont peut-être encore plus apparents dans *Amphitryon.* Quelle aventure que celle de ce maître des dieux qui, s'étant épris d'une vertueuse mortelle, n'arrive à se faire accepter qu'en prenant la forme d'un mari trop aimé! Peut-on imaginer une preuve plus piquante de la fidélité d'Alcmène que cette forme d'infidélité? Mais les choses ne sont pas simples : le mari revient quand l'amant vient de partir; il n'en faut pas plus pour jeter le trouble dans le cœur d'Alcmène et dans celui d'Amphitryon. Le mari s'en va chercher des témoins pour confondre l'imposture. Et l'amant revient pour jouir du plaisir de triompher dans une situation difficile. Il n'y manque pas et double sa victoire. L'imbroglio ne se dénouera que par un coup d'autorité, où Jupiter agira enfin en maître des dieux. La préciosité du langage s'allie au romanesque de l'action. Voici Jupiter un peu honteux d'être aimé sous la forme d'Amphitryon; il presse Alcmène d'oublier le mari et de s'abandonner à l'amant :

> *Cet amant, de vos vœux, jaloux au dernier point,*
> *Souhaite qu'à lui seul votre cœur s'abandonne...*
> *Il veut, de pure source, obtenir vos ardeurs;*
> *Et ne veut rien tenir des nœuds de l'hyménée;*
> *Rien d'un fâcheux devoir, qui fait agir les cœurs,*
> *Et par qui, tous les jours, des plus chères faveurs,*
>   *La douceur est empoisonnée.*
> *Dans le scrupule, enfin, dont il est combattu,*
> *Il veut, pour satisfaire à sa délicatesse,*
> *Que vous le sépariez d'avec ce qui le blesse,*

> *Que le mari ne soit que pour votre vertu;*
> *Et que de votre cœur, de bonté revêtu,*
> *L'amant ait tout l'amour, et toute la tendresse.*

Le recours au ballet accentue le côté chimérique des comédies de Molière. La vraisemblance est alors entièrement négligée. L'action est organisée dans l'arbitraire pour servir de prétexte aux agréments concertés de la danse. Contesterait-on que la majeure partie des aventures de Jourdain ont pour raison d'être, non point le moindre souci de vérité, mais le seul besoin de mener à ce *clou* de la représentation que doit être la Cérémonie turque?

La farce moliéresque ne se soucie nulle part de la vraisemblance : elle n'a d'autre objet que de faire rire et elle atteint son but tantôt par le recours à la plus banale des conventions, tantôt par une parfaite spontanéité, mais toujours sans préoccupation de vérité. Molière aurait-il songé un seul instant à la règle sacro-sainte en imaginant de lancer sur Pourceaugnac la troupe des médecins, des apothicaires et de leurs servants?

Est-ce à dire que le *Misanthrope* soit construit différemment? Nous en avons déjà montré le mécanisme : Alceste vient chercher une explication que les circonstances ou le caractère de Célimène lui refusent. Il lui faut s'y reprendre à cinq fois pour arriver à son but. Pourquoi cinq fois? Parce que le poète a besoin de ces contretemps pour agencer sa comédie; mais non point parce que la réalité le veut ainsi. Où faut-il donc chercher la vérité que, selon la critique, Molière a fait monter sur la scène?

★

La trouverait-on dans les caractères si on ne la rencontre pas dans les actions? Sur ce point, les contemporains faisaient déjà des réserves. Montfleury tenait l'auteur de l'*École des femmes* pour un bouffon et pour un burlesque. De Visé, dans *Zélinde*, lui reprochait plus explicitement de grossir les traits de la réalité qu'il avait observée : « Il nous habille autrement que nous ne sommes (c'est un marquis qui parle); il allonge nos cheveux, il agrandit nos rabats, appetisse nos pourpoints, augmente nos garnitures, donne plus de tours à nos canons, nous fait peigner plus souvent que nous ne faisons, nous fait faire des contorsions au lieu de révérences; et s'il nous fait dire un mot, il nous le fait répéter cinquante fois; et en ajoutant ainsi à nos habits et à nos actions, il nous veut faire passer pour ce que nous ne sommes pas. » Dans la *Lettre sur les affaires du théâtre*, le critique reviendra sur ces grimaces, ces turlupinades, ces grandes perruques et ces grands canons qui, bien loin de peindre la réalité, ne visent qu'à faire rire.

Dira-t-on qu'il s'agit seulement dans ces propos de l'apparence des personnages et non de leur être intime, que les mœurs tout au plus sont en cause et non les caractères ? La même *Lettre* se prononce sans ambages sur le cas d'Arnolphe : « Quoique nous voyons bien des jaloux, écrit de Visé, nous en voyons peu qui ressemblent à Arnolphe. » Et il ajoute ironiquement à l'adresse du poète : « C'est pourquoi il se devrait donner encore plus de gloire et dire qu'il peint d'après son imagination. »

Ainsi Molière ne peindrait pas « d'après la nature ». L'unanimité dont nous parlions n'était qu'apparente. En fait, les contemporains ont hésité entre deux interprétations de la comédie moliéresque : tantôt ils ont été sensibles à l'outrance des traits, à la bouffonnerie, au burlesque; tantôt ils en ont jugé par comparaison et y ont vu un grand progrès vers le naturel. Ce partage des opinions ne s'est pas toujours opéré selon la loi de l'inimitié ou de l'amitié. Un partisan du poète comme Ph. de la Croix aussi bien qu'un adversaire comme de Visé hésitent entre des jugements difficiles à concilier : l'un et l'autre déclarent les portraits moliéresques inimitables et parfaitement ressemblants; l'un et l'autre voient pourtant dans leur auteur un copiste des bouffons italiens.

Il est indéniable (et la critique n'a pas cherché à le cacher) que la plus grande partie de ces personnages sont plus conventionnels que naturels. Qui soutiendrait que Zerbinette et Hyacinthe dans les *Fourberies*, Octave et Léandre, Argante et Géronte, Scapin lui-même et Silvestre sortent d'une réalité observée? Ces jeunes filles, ces amoureux, ces vieillards, ces valets, et cette nourrice, et ce fourbe, c'est un personnel de convention que la tradition a légué à Molière et qu'il a accepté sans vergogne. Il a rafraîchi quelques propos épisodiques : les détails ne changent rien au procédé de composition. La *nature* n'a rien à faire avec ces figures : elles n'obéissent qu'à des nécessités scéniques ou comiques. Nous retrouvons ici notre comédien, notre farceur; comme Scaramouche, il se préoccupe de monter un spectacle parfait, qui ne laisse pas échapper l'attention du spectateur et le détende en rires bienfaisants. Son dessein est celui d'un technicien, nullement d'un psychologue ou d'un moraliste. Il imagine beaucoup plus qu'il n'observe; car l'imagination seule assure la liberté dont sa création a besoin.

★

Mornet, à qui n'échappe point l'outrance des traits qui nous empêche d'apparenter à la nature les figures dessinées par Molière, en vient, pour

sauvegarder les positions de la critique, à distinguer entre comédies
d'imagination et comédies de vérité. Les *Précieuses, Sganarelle, Dandin,
Escarbagnas* « serpentent constamment à la limite de la réalité et du gros-
sissement caricatural, tour à tour de ce côté et de l'autre »; le *Bourgeois*
et le *Malade* restent presque entièrement dans le réel; seul le dénouement
nous entraîne dans la mascarade.

Cependant, en y regardant de plus près, le critique est obligé de reconnaître que presque partout Tabarin s'allie à Térence. Dans le *Bourgeois*
comme ailleurs, certains traits sont « d'un naturel parfait »; un autre
est exceptionnel; un troisième est absurde; un quatrième, presque
invraisemblable; un dernier l'est tout à fait. Ce n'est pas seulement dans
Escarbagnas que « la limite est constamment indécise entre le réel et le
possible de l'exagération comique », elle l'est aussi bien dans les grandes
comédies. Orgon se met à quatre pattes pour épier Tartuffe, Vadius et
Trissotin échangent des injures de laquais. Harpagon, à la recherche
de la cassette qu'on vient de lui dérober, se saisit lui-même par le bras,
croyant appréhender son voleur.

Tabarin (ou Scaramouche) serait donc toujours le collaborateur de
Térence? Non, Mornet se refuse à voir aucune de ces outrances dans le
Misanthrope. Il y aurait au moins une comédie de vérité dans le théâtre
de Molière. L'*École des femmes, Tartuffe, Don Juan*, les *Femmes savantes*,
moins marquées que les autres pièces par l'exagération comique, y
succomberaient pourtant de temps en temps.

Mais est-il possible que le poète ait eu un génie double? qu'il ait ici
visé à la gaieté et là à la vérité? Peut-on admettre que le *Misanthrope* sorte
d'une autre veine que *Sganarelle*? L'une et l'autre comédie sont œuvre
d'imagination. Mornet lui-même l'a montré en termes décisifs dans une
autre partie de son petit livre. Sans doute il y a chez Molière un observateur : ses courses à travers la province, les contacts pris avec des classes
sociales et des milieux divers, les relations qui se sont offertes à lui dès
qu'à Paris le succès lui est venu, les innombrables mémoires que les gens
du monde lui ont fournis, ses séjours à la Cour, lui ont permis d'appréhender le réel. Il a constitué dans ses souvenirs et dans ses dossiers une
documentation qui a énormément facilité sa production et lui a donné le
pouvoir de répondre rapidement aux sollicitations. Mais à cette matière
observée se joignait une tradition non moins considérable : l'héritage de
Scaramouche et de Tabarin, des Latins et des Italiens; des conventions
scéniques dont le secret se transmettait de troupe à troupe et gardait son
efficacité, des sujets de pièces, des types de scènes, des traits comiques,
des *masques*. La vie observée n'est pas comique en soi. Il serait vain de

transporter une *tranche de vie* sur la scène : cela resterait de la vie et ne serait pas du théâtre. La vie ne peut qu'enrichir la tradition dramatique et non s'y substituer. Cet enrichissement est le propre de l'imagination.

Ainsi chez Molière comme chez tout grand dramaturge (mais chez lui davantage, parce que, comédien, il a passé sa vie sur la scène), l'imagination l'emporte sur l'observation. L'imagination de Molière n'a pas moins de puissance que celle de Shakespeare. Elle a le pouvoir d'amalgamer la réalité et l'artifice, la vérité et la convention. Elle ne procède pas par savante combinaison; elle ne cherche pas à équilibrer l'une par l'autre, pour satisfaire deux goûts contradictoires : elle opère une transmutation, sans laquelle ni l'or ni le plomb ne gardent leur identité métallique. Elle est poétique, c'est-à-dire créatrice. On pourrait reprendre au bénéfice de notre poète ce que Mauriac disait récemment des grands romanciers : « Il existe une planète Balzac, une planète Dostoïevski, habitée par des monstres à tête d'homme et de femme, aussi vivants, plus vivants peut-être, moins éphémères en tout cas que les habitants de la planète Terre, mais qui ne leur ressemblent pas, ou qui n'ont avec eux qu'une ressemblance superficielle. »

Un personnage de Molière, qu'il soit Scapin ou Alceste, qu'au point de départ il ait été inspiré par un *masque* de pure convention ou par un original en chair et en os rencontré dans un salon, ne garde plus aucun lien avec son origine. Dès qu'il est conçu, il s'enferme dans un cadre imaginaire, fait de toile, de couleurs et de lumières, en trompe-l'œil; il s'habille selon un code qui n'est point celui du monde; il se grime avec des fards dont l'usage ne convient qu'à l'éclat du plateau; il marche et gesticule selon des nécessités comiques et non point selon celle de l'action à laquelle il est censé participer; son langage lui est dicté par la loi du théâtre, qui n'est pas celle de la vie, mais celle d'une illusion dans laquelle s'accordent des acteurs et des spectateurs. La comédie s'établit d'emblée dans l'artifice. Ce n'est pas qu'elle puisse glisser dans l'incohérence ou l'illogisme : le théâtre a sa logique à lui, qui n'est pas moins différente de la logique de la vie que la mathématique non-euclidienne de l'euclidienne. L'imagination comique n'est donc pas absolument libre. Loin de là : elle obéit à des règles strictes, mais qui lui sont propres, et sont liberté à l'égard du réel.

La critique est encore trop souvent obsédée par la notion classique de vraisemblance. Les théoriciens du classicisme ont fondé presque toute leur doctrine sur cette prétendue règle et lui ont donné une signification étroite. L'appliquant tyranniquement au théâtre, ils ont loué les pièces où ils croyaient retrouver un portrait du réel et vitupéré celles qui sacrifiaient à la fantaisie. D'Aubignac prétendait que l'action dramatique s'inscrivît dans le même temps et dans le même espace que l'action représentée. Selon lui, la raison ne pouvait ajouter foi à une représentation violentant des habitudes nées de l'existence quotidienne.

Il n'avait pas tort de supposer que le spectateur doit avoir foi dans la réalité du spectacle : s'il n'y croit pas, il n'en jouit pas, il n'y participe pas. Mais son adhésion n'est pas soumise aux servitudes que lui imposait l'abbé. Dès qu'il franchit les portes du théâtre, il entre dans le royaume de l'illusion. Le petit enfant à qui l'on conte l'histoire du Petit Poucet sait bien qu'il ne rencontrera jamais l'Ogre : cette certitude ne l'empêche point d'adhérer au récit. Le spectateur qui entend la voix des sorcières génératrices du malheur de Macbeth ne refuse pas sa foi à l'histoire que Shakespeare figure sur la scène. Son imagination suit celle du poète, sans s'inquiéter des jugements que sa raison pourrait porter sur la réalité ou l'irréalité de ce qu'il voit et entend. La vraisemblance n'est donc rien d'autre que la rencontre entre le pouvoir de suggestion du poète et le pouvoir d'adhésion du spectateur. Le premier n'a d'autres limites que celles du génie dont il est l'attribut; le second dépend de multiples facteurs, d'ordre social aussi bien que personnel, tenant à l'époque, au milieu où se recrutent les spectateurs et à leur forme de culture, à leur pratique du théâtre, tenant aussi à ce qu'on peut appeler l'âme de la salle et qui varie, pour un même spectacle et un même public, de soirée en soirée. En tout cas, les commandements de la raison n'ont en cette affaire qu'une médiocre influence.

Les classiques auraient mieux fait d'user, pour rendre compte de la valeur d'une pièce, non pas de la notion de *vraisemblance*, mais de celle de *bienséance*. S'ils l'avaient fait, ils auraient ménagé le pouvoir créateur de l'imagination. Une pièce est une création de l'imagination, dominée dans sa structure par la bienséance interne, c'est-à-dire par la cohésion établie entre les éléments entrant en jeu, et dans son efficacité par la bienséance externe, c'est-à-dire par l'accord cherché entre le spectacle et le spectateur. Si cet accord est obtenu (et il l'est sans recours à une confirmation rationnelle fondée sur une comparaison avec la réalité ayant cours hors du théâtre), la pièce s'avance d'un seul élan dans une harmonie que crée l'obéissance aux lois du monde enchanté de la scène. Le lieu où se déroule le *Misanthrope*, ce n'est pas un salon du Marais, c'est cette chambre illusoire que le poète voit dans son imagination aussi nettement qu'il voyait hier par ses yeux le salon où il se trouvait en personne, et qu'il essaie de réaliser grâce au matériel dont il dispose au Palais-Royal. Alceste et Célimène n'ont d'autre vérité que celle que leur donne cette force d'illusion qui habite Molière et à laquelle il fait participer le public. Pourceaugnac, Scapin, Jourdain, Argan, Harpagon n'en ont ni plus ni moins. Extravagants ou sages, tous les personnages ainsi créés vivent de la même vie imaginaire. Tous, ils sont animés par cette puissance d'expansion propre au génie dramatique et d'où naît une réalité plus vraie que le réel.

*

Le fils Poquelin, à vingt ans, quittait la boutique du tapissier parce que son imagination lui représentait trop vivement les prestiges de la scène. Toute sa vie, cette séduction opéra; toute sa vie, Molière resta sous le coup de l'enchantement qui l'avait frappé. C'était un imaginatif, ce qui ne l'empêchait point de conduire sa barque et celle de sa troupe. Orgon est *sage* pour tout ce qui ne touche pas à Tartuffe; Argan dirige fort bien son ménage et ne déraisonne que lorsque sa santé est en cause; si Jourdain est riche, c'est qu'il n'a pas manqué de bon sens dans la conduite de ses affaires et que sa folie ne commence qu'avec sa vanité. « Il n'est pas incompatible, a dit le poète, qu'une personne soit ridicule en de certaines choses et honnête homme en d'autres. » Molière est comme ses héros : *honnête homme* à la ville, mais possédé par le démon du théâtre dès qu'il arrive au Palais-Royal.

Ou plutôt ses héros sont faits à son image. Jouvet l'a dit un jour : « Derrière Molière, qui est le premier de tous, tous ses héros sont des imaginaires ou des imaginatifs, des hommes en proie à eux-mêmes, des déraisonnables qui raisonnent dans la déraison. » Sganarelle et Argan sont deux *imaginaires*, l'un de la maladie, l'autre du cocuage. A l'appui de la thèse de Jouvet, W. G. Moore remarque que Tartuffe, Arnolphe et Don Juan s'efforcent également de se faire prendre pour ce qu'ils ne sont pas : Tartuffe porte le masque de la religion pour cacher sa sensualité, Arnolphe est un timide qui affecte d'être un tyran, Don Juan a le cœur généreux en dépit de sa profession de foi calculatrice, Jourdain a certainement oublié son passé de marchand et ne doute pas de sa qualité de gentilhomme, Mascarille et Jodelet ont assez d'imagination pour se persuader de la réalité de leur « braverie », les médecins dissimulent leur ignorance et leur avidité sous l'orgueil du pédantisme. Ils se sont tous construit un masque pour vivre à leur guise au moins un jour ou un instant. Qu'ils le portent consciemment ou inconsciemment, ils vivent tous d'une vie imaginaire.

Certains vont plus loin dans ces jeux subtils. Tartuffe est un parfait comédien : avec quel art il jette sa recommandation à son valet dès qu'il s'aperçoit qu'on l'observe!

Laurent, serrez ma haire avec ma discipline.

Célimène entre avec un plaisir intense dans le jeu que les marquis lui proposent et soutient avec maîtrise son personnage de médisante; un peu plus tard, quand Alceste veut la confondre avec la lettre qu'Arsinoé lui a montrée, elle se retranche avec hauteur dans une nouvelle figure : celle de la vertu qu'on outrage. Don Juan devant Elvire n'est pas moins bon comédien, ni Angélique devant Dandin. Argan joue à sa fille et à sa femme la comédie de la mort. Frosine feint d'admirer la prestance et la santé du pauvre tousseux qu'est Harpagon. Y a-t-il meilleur metteur en scène que le premier Mascarille, celui de l'*Étourdi*, à moins que ce ne soit l'ingénieux Scapin? La scène de la galère est une petite comédie insérée dans la grande. Et de même celle où Sosie joue avec tant de virtuosité les héros, pour se préparer à conter à Alcmène la victoire d'Amphitryon. « Jouer la comédie dans la comédie, jouer un personnage qui à son tour en joue un autre, disait Vedel, voilà de quoi satisfaire en Molière le démon du théâtre. » Pour avoir accès auprès d'une fille qu'il convoite, l'amant accepte les déguisements les plus divers : il se fait médecin, maître de chant, peintre, fils du Grand Turc ou marchand d'Arménie. Jupiter lui-même entre dans la peau d'un capitaine thébain. Elmire hésite-t-elle beaucoup devant la feinte à laquelle elle doit s'abaisser pour engluer l'hypocrite? Si Sganarelle refuse avec obstination de se laisser endosser l'habit doctoral et prétend rester bûcheron, les coups de bâton ont une admirable vertu sur son être : il en vient à guérir les malades avec la même impudence que Purgon.

Quel fourmillement d'*imaginaires* dans ce théâtre que l'on dit *de vérité*! Alceste lui-même ne serait-il pas une victime de la confusion qui abolit la frontière entre l'irréel et le réel? Il se scandalise, a dit W. G. Moore, de ce que le monde ne va pas comme il devrait et confond dans son idéalisme doctrinaire vérité et réalité. Nous sommes sur la scène : tout y devient possible. L'illusion habite le cœur des êtres que la rampe éclaire. Ils sont en proie à des démons qu'aucune réalité ne leur permet d'anéantir ou de réduire. Car la réalité ne passe pas la rampe; elle ne franchit même pas les portes du théâtre : elle reste dans la rue, où elle attend la sortie des spectateurs. Ces êtres dont la présence s'impose à notre esprit ne sont point réels; ils sont vrais, d'une vérité conçue par le génie créateur, par ce génie plus imaginatif encore que ses personnages, qui les entraîne tous dans la sarabande de l'illusion.

*

Comment pourrions-nous encore ajouter foi à ce mythe que nous avons souvent évoqué et dont la critique refuse obstinément de s'affranchir; celui d'un Molière raisonnable?

> *La parfaite raison fuit toute extrémité.*

On a tiré de ce vers d'infinies déductions sur la nature morale du poète, ses idées, sa philosophie. Alceste exagère son besoin de franchise; Orgon pousse la religion jusqu'à la bigoterie; Chrysale est par trop attaché à la matière et Philaminte à l'esprit. On en déduit que Molière les désapprouve : puisque ces personnages dont il prend à tâche de nous faire rire sont déraisonnables, c'est qu'il est lui-même raisonnable.

Nous l'avons dit, c'est un point de vue de moraliste : pour parler ainsi, il faut faire litière de tout ce qui conditionne un spectacle, et particulièrement une comédie. La fonction de la comédie, c'est de faire rire. Et de quoi rire, sinon des ridicules? Et où trouver des ridicules, sinon parmi ceux qui s'écartent du chemin de tout le monde, parmi ceux dont la conduite manifeste la déraison? Et quand, avec Molière, on veut donner au rire toute sa force, ne doit-on pas pousser le ridicule à l'extrême? Ce n'est donc pas par l'effet d'un choix personnel que le poète fait d'Alceste un forcené et d'Orgon un aveugle, qu'il enfonce Chrysale dans le matérialisme et épure les sentiments de Philaminte jusqu'au mépris de toute contingence : c'est la comédie qui le veut.

Arnolphe, Jourdain, Argan, Harpagon, et aussi bien Sganarelle, Mascarille, Dandin, Don Pèdre, Pourceaugnac, et les Géronte et les Oronte et les Gorgibus, tous ceux dont nous rions si librement, tous sont habités par la déraison, tous affectionnent l'*extrémité*. Si la comédie moliéresque donne l'impression à certains d'être une comédie de la raison, c'est simplement parce que le rire opère une sorte de retranchement. Le spectateur qui rit se désolidarise de ce dont il rit : il se refuse implicitement à être Harpagon ou Jourdain; il s'établit loin de Chrysale et aussi bien de Philaminte, dans un juste milieu, à égale distance des extrêmes, dans la raison, à égale distance des déraisons. Mais cette impression qui naît chez certains, par l'effet d'une réflexion à laquelle le vrai spectateur est récalcitrant, mène à une conclusion erronée si elle entraîne avec elle l'idée d'une volonté moralisatrice chez l'écrivain.

Revenons à Jouvet : « Molière, a-t-il dit, qu'on a étiqueté l'homme de la raison, est l'homme qui a le mieux senti et le mieux compris ce que c'était que le déraisonnable, et son théâtre, qui paraît être le triomphe de la raison aux yeux de ses commentateurs, est surtout en vérité le royaume de cette merveilleuse déraison qui s'appelle la poésie. » Celui qui a conçu les personnages de Jourdain et d'Argan, n'a pu le faire sans entrer dans leur folie. Il a été ce malade imaginaire et ce bourgeois perdu dans le rêve d'une condition noble, il a éprouvé les obsessions d'Orgon, il s'est senti avec Harpagon dépossédé de son bon sens. La puissance de son imagination lui a rendu familiers les égarements qu'il a mis en scène. Il a sympathisé, pour les créer, avec les êtres déraisonnables dont il a peuplé le théâtre. Il était poète : sa création l'atteste.

Le XVIIe siècle opposait le merveilleux au vraisemblable. Les théoriciens plaçaient la perfection de l'art dans la conciliation de ces deux exigences. Ordinairement, ils n'appliquaient la notion de merveilleux qu'aux genres nobles : à l'épopée et à la tragédie. Mais le merveilleux n'est point absent de la comédie moliéresque : il est l'âme des machines de *Psyché* et d'*Amphitryon*, il gronde dans le dénouement de *Don Juan*, il fait le charme cardinal des comédies de cour, il se glisse dans les ballets. N'y aurait-il pas du merveilleux, bien plus généralement, dans toutes les scènes qui déclenchent un rire irrépressible? Le merveilleux, c'est « tout ce qui est contre le cours ordinaire de la nature », disait le P. Rapin. Rien de plus antinaturel que le monde comique où nous introduit Molière, rien de plus pénétré de fiction. « La poésie dramatique a la merveille pour sa perfection », écrivait Chapelain : on peut l'appliquer à la comédie comme à la tragédie. L'univers merveilleux qu'habitent Alceste, Jourdain et Sganarelle n'est pas régi par les lois de la raison : c'est un royaume enchanté où règnent l'imaginaire et le déraisonnable.

VI

UN MONDE COMIQUE

Gaieté et sérieux. — Comique et tragique. — Les sources du rire : le comique d'euphorie. — Les sources du rire : la satire. — Les procédés du comique. — La philosophie du comique. — Comique et réalité. — Comique et moralité. — Un monde comique.

On n'a pas attendu le xxe siècle pour mettre en doute le caractère comique de la comédie moliéresque. En 1660, Somaize fait paraître la *Pompe funèbre de Scarron* : Scarron, sur le point de mourir, se choisit un successeur qui continue sa carrière d'amuseur; il refuse successivement les deux poètes en renom, Quinault et Th. Corneille, puis Desmarets, dont le succès s'estompe dans le passé, enfin Molière, nouveau dans le métier; il accepte, pour terminer le débat, le plaisant abbé de Boisrobert. Molière est alors connu par l'*Étourdi*, le *Dépit* et les *Précieuses*; comédien, il joue Mascarille avec le succès que l'on sait. Pourquoi Somaize l'écarte-t-il? il le traite de « bouffon trop sérieux ». Serait-ce pour déconsidérer une verve qui s'exerce contre des ridicules dont il prétend se faire une chasse gardée?

Il est évident que certains milieux affectèrent de ne pas rire aux plaisanteries de Mascarille. Quelques années plus tard, Boileau s'en plaignait dans les stances qu'il adressait à son ami sur l'*École des femmes* :

> *Ils ont beau crier en tous lieux*
> *Qu'en vain tu charmes le vulgaire,*
> *Que tes vers n'ont rien de plaisant...*

Le vulgaire imposa son point de vue et la critique impartiale suivit. « Pleurer au *Tartuffe* » n'était pas moins absurde que de « rire à l'*Andromaque* ».

Molière s'est affirmé comme un auteur gai, en dépit de résistances plus intéressées que raisonnées. C'est un contresens historique que de voiler la gaieté de son génie. Cela ne veut pas dire que le spectateur d'une comédie de Molière, quelle qu'elle soit, rit d'un bout à l'autre. *Don Garcie* n'est pas absolument isolé dans la production du poète. Ce ton sérieux qu'il prenait pour faire une figure honnête devant le public de Paris, il ne l'a pas tout à fait répudié. La *Princesse d'Élide* n'est pas tellement différente de *Don Garcie* :

> *Ce silence rêveur dont la sombre habitude*
> *Vous fait à tous moments chercher la solitude,*
> *Ces longs soupirs que laisse échapper votre cœur,*
> *Et ces fixes regards si chargés de langueur,*
> *Disent beaucoup sans doute à des gens de mon âge.*

Ce sont les propos que, tout au début de la pièce, le perspicace gouverneur du prince d'Ithaque adresse à son maître. Don Alvar ne parlerait pas autrement au prince de Navarre. Les comédies de cour comportent nombre de scènes de ce genre : le comique est absent de ces scènes. L'intérêt majeur en réside dans l'analyse des sentiments.

Une pièce comme *Amphitryon* contient des passages de même qualité, plus rares, il est vrai, concentrés sur les rôles d'Alcmène et de ses deux amants. Encore faut-il remarquer que souvent le dialogue y prend un tour galant, donc léger, qui atténue le sérieux fondamental. Toutefois, dans *Amphitryon* comme dans la *Princesse d'Élide* et les *Amants magnifiques*, le comique est nettement séparé du sérieux : il est fourni par le rôle de Sosie, en liaison avec Mercure et Cléanthis, accessoirement par Argatiphontidas; dans la *Princesse d'Élide*, il repose sur le bouffon Moron; dans les *Amants*, le bouffon s'appelle Clitidas; il a une victime à peine moins plaisante en la personne de l'astrologue Anaxarque.

Ce procédé, qui consiste à introduire le comique dans le sérieux comme un élément hétéroclite, ne se retrouve-t-il pas dans *Don Juan* ? Le dessein de cette pièce n'est pas comique : le poète se propose de peindre un libertin. Son objet est donc proche de celui qu'il poursuivait dans *Don Garcie*. C'est d'ailleurs ce dessein psychologique (faire vivre un caractère) qui assure l'unité d'une pièce au premier abord incohérente. L'acte II, qui montre la tentative de séduction des paysannes, s'il comporte du comique, a surtout pour fonction de dessiner (sans réalisme, en pleine fantaisie scénique) la façon d'agir du séducteur. La machine qui procure le dénouement est un ornement; elle n'a aucun caractère fonctionnel; tout au plus dira-t-on qu'elle arrache le spectateur à des réflexions trop sérieuses en l'occupant par un spectacle merveilleux. Le comique réside donc dans le seul Sganarelle (joignons-lui Monsieur Dimanche). Il est vrai que la liaison du bouffon avec les personnages sérieux est plus fréquente et plus intime que celle que Moron, ou même Sosie, entretient avec ses partenaires : il plaisante devant Elvire, devant le Pauvre et devant la Statue tout comme avec son maître; toutefois Don Louis est épargné. Quoi qu'il en soit, le comique est obtenu par la bande, pourrait-on dire. Il n'est pas dans le sujet, fondamentalement sérieux : il est ajouté par l'intermédiaire d'un personnage de farce. Sans Sganarelle, la pièce tomberait dans la tragi-comédie, le drame, si l'on veut.

Le cas de *Tartuffe* n'est pas très différent de celui de *Don Juan*. Quel est l'objet de la pièce? Encore la peinture d'un caractère : non plus l'athée, mais l'hypocrite. Cette peinture ne peut pas être comique. On s'est demandé parfois si l'on pouvait rire de Tartuffe. Sans aller jusqu'à dire que le scélérat excite l'horreur ou le dégoût, sentiments mal venus dans l'âme d'un spectateur de comédie, il faut reconnaître qu'il n'est guère plaisant. La situation dans laquelle il se met en essayant de concilier dévotion et libertinage, est fausse et pourrait être une source de ridicule : en fait, on ne rit pas. A l'acte IV, l'hypocrite s'enferre lorsqu'il explique à Elmire ce qu'il a fait d'Orgon, à la barbe du mari caché sous la table : cet aveu cynique qui le perd est-il comique? A l'acte V, le cynisme s'accuse avec la scélératesse : nous touchons au drame. Si la pièce reste une comédie, elle le doit aux autres rôles : à Mme Pernelle, à Dorine, à Orgon surtout. Le spectateur rit de la dupe et non du dupeur. Or c'est le dupeur qui donne son titre à la pièce et c'est son portrait que le poète a voulu nous donner. Le ton est habilement ménagé : dès que le sérieux s'accentue, Molière fait intervenir les bouffons, dans une sorte de mouvement de compensation, exigé aussi bien par le besoin du public que par le dessein de la comédie. L'acte III, qui nous expose un désastre familial, débute ou presque sur les railleries de Dorine et se termine sur la stupidité d'Orgon; le quatrième, à l'inverse, commence et finit dans un ton grave et c'est au centre qu'il nous ménage un bon moment, en nous donnant en pâture l'obstination d'un mari aveugle; l'acte V est partout sérieux et partout comique, les effets plaisants intervenant à chaque instant pour balancer la gravité du propos. *Tartuffe* offre donc un nouvel exemple de juxtaposition du comique au sérieux.

Et le *Misanthrope*? Alceste est comique dans sa conception même d'atrabilaire amoureux, alors que Don Juan ne l'est pas et que Tartuffe, qui pourrait l'être, ne l'est pas non plus. C'est en quoi il diffère de Don Garcie, dont il est un avatar. Mais la pièce est aussi un « portrait du siècle » : le poète a voulu peindre la vie mondaine. Certes il l'a fait

plaisamment : les marquis sont ridicules. Toutefois le ridicule n'est pas
constant. Les deux desseins en arrivent parfois à se distinguer : la comédie
du rire ne coïncide pas absolument avec la comédie de la connaissance.

★

Le cas de l'*Avare* nous induit à d'autres réflexions. Selon Gœthe,
cette comédie serait construite sur un sujet de drame. C'est vrai, et
pourtant c'est une comédie. Le drame est dans les effets de l'avarice
sur l'existence d'un père de famille bourgeois : un fils en train de dissiper
son patrimoine, une fille disposée à trahir son devoir pour suivre celui
qu'elle aime, le père perdant la considération de ses serviteurs et de ses
voisins et s'avilissant aux yeux de ses enfants. Toutefois Molière a limité
les dégâts : Cléante est encore honnête, Élise a confié sa vertu à un brave
garçon, Harpagon ne s'est pas déshonoré. La famille est menacée; elle
n'est pas encore détruite.

D'autre part, si le sujet est dramatique, le poète nous empêche d'y
penser, ne serait-ce que par les *lazzi* dont il émaille les scènes. Mais il
ne se contente pas de ce procédé, qui relève de la technique que nous
venons d'analyser : cette fois, il fait surgir le rire du sérieux. Il n'y a pas
seulement superposition des tons; l'amalgame est parfait : ce qui pourrait être tragique est comique. Harpagon cherche à placer son argent;
il impose des conditions extravagantes à l'emprunteur qui s'offre et qui
pour le moment est anonyme; il s'assure que ce jeune homme a dans son
père un répondant pourvu de fortune; le jeune homme va jusqu'à s'engager à ce que son père meure bientôt; Harpagon ricane : « C'est quelque
chose que cela. » Or ce jeune homme, c'est le propre fils d'Harpagon.
Le mot odieux de l'avare devient plaisant. Il serait odieux si le cynisme
d'Harpagon s'exerçait à l'égard d'autrui, il est plaisant dès que l'avare
ne souhaite que sa propre mort : c'est le schéma du dupeur dupé qui s'y
retrouve.

Un autre exemple de cette fusion intime a été étudié par la critique.
Harpagon, se méfiant des sentiments de son fils à l'égard de Marianne,
qu'il se propose d'épouser, lui offre la jeune fille et obtient ainsi l'aveu
d'un amour qu'on cachait. Il se joue donc vilainement de la sincérité de
son enfant. C'est de la même façon que Mithridate perce le mystère de
l'âme de Monime. La scène, tragique chez Racine, est comique chez
Molière. Pourquoi? D'abord la menace que peut fulminer le roi du Pont
contre ceux qui lui résistent est infiniment plus grave que les impuis-
santes vociférations d'un bourgeois parisien. D'autre part, le mariage

d'Harpagon et de Marianne est invraisemblable : nous n'y croyons pas, nous assistons à une comédie et tout doit finir dans le bonheur. Surtout, le procédé d'Harpagon est caricatural, quand celui de Mithridate est terrifiant : sa manière insistante, les effets de répétition, l'évocation du cocuage, l'inquiétude qui naît en lui dès que la révélation est amorcée, le style de l'injonction, le rappel au respect, le recours au bâton, tout est hors du réel.

Il n'y a pas deux mondes dramatiques, l'un qui serait comique, l'autre, tragique. La réalité d'où part Racine ne diffère pas de celle d'où part Molière. Certains critiques étrangers sont enclins à déprécier la comédie telle qu'elle est traditionnellement pratiquée en France : ils la confondent tout entière sous le mépris dont ils accablent le vaudeville. Avec eux, Bergson prétendait qu'elle n'offre qu'une vue superficielle de l'humanité. C'est un préjugé : il n'y a pas moins de profondeur dans l'*Avare* que dans *Mithridate*. Toute réserve faite sur l'ampleur du dessein, une farce comme le *Malade imaginaire* ou *George Dandin* n'est pas moins pénétrante qu'une tragédie comme *Polyeucte*, ou *Phèdre*. L'une nous fait pleurer, l'autre nous fait rire. Ce sont deux attitudes différentes que l'on peut prendre devant le réel, mais dont nous nous refusons à penser que l'une a plus de valeur que l'autre. Il n'est pas moins humain de rire que de pleurer. On dit même que le rire seul est propre à l'homme et que l'animal verse des larmes. En tout cas, c'est le même spectacle de notre imperfection, de nos contradictions, qui inspire à l'un une tragédie, à l'autre une comédie. Le comique réside dans une certaine vue du monde.

Molière voit la réalité humaine avec l'œil du poète comique. C'est pourquoi l'*Avare* n'est pas un drame; c'est pourquoi Alceste est un ridicule; c'est pourquoi Sganarelle égaie Don Juan. La comédie moliéresque ne cherche pas à dissimuler une amertume que viendrait masquer la plaisanterie. Il n'est plus guère nécessaire de relever le contresens que commirent les romantiques en imaginant l'auteur du *Misanthrope* comme un des leurs. Sérieux dans *Don Garcie*, appliqué ailleurs encore à mettre sur pied un spectacle visant surtout à l'expression de notre nature morale, il n'a jamais cherché à nous donner de l'existence une idée de tristesse : au contraire, il a été essentiellement, et par l'effet de son génie, un poète du rire. Il s'est donné comme but de nous égayer.

★

Comment y est-il arrivé? Le problème du rire est un problème ardu, que les philosophes n'ont point tout à fait éclairci. Du moins la critique littéraire peut, dans le cas particulier de la comédie moliéresque, tâcher de discerner les sources du comique, ses divers aspects et les procédés dramatiques qui conditionnent sa naissance.

Il faut observer d'abord que le comique dépend de dispositions subjectives. Un trait n'est pas comique en soi : il l'est par rapport à celui qui en est frappé. Mais le théâtre étant un art collectif, le comique dépend de l'ensemble des spectateurs réunis dans la salle. Il y a une contagion du rire comme des pleurs, à laquelle il est possible de résister sans doute, mais qui généralement entraîne tout le public. Reste que ce public change de soirée en soirée, d'une ville à l'autre, d'un pays à l'autre et d'un siècle au suivant, ce qui permet d'affirmer la subjectivité du comique. Allons plus loin : le comique n'est ni dans l'objet ni dans le sujet, ni dans ce dont on rit ni dans celui qui rit; il réside dans un rapport unissant l'un à l'autre. Nous disions plus haut qu'il est dans une certaine façon d'appréhender le réel. Les philosophes parlent ici d'une « forme de la représentation ».

Dans un récent ouvrage, R. Jasinski distingue avec bonheur deux rires différents, ordinairement confondus, l'un qui s'épanouirait dans un mouvement de gaieté euphorique, l'autre qui se nourrirait de satire : il y a certainement chez Molière comme chez Rabelais un comique qui naît dans la détente joyeuse de l'organisme, provoquée par des moyens divers, mais qui supposent tous une participation du spectateur à l'action. Cette participation peut se traduire par un mimétisme corporel élémentaire, aussi bien que s'élever jusqu'à la sympathie. Non seulement le spectateur ne s'oppose pas au personnage dont il rit, mais il s'identifie à lui dans une sorte de communion. Le rire naît là dans une expansion de l'être, que facilite une disposition agréable du corps et de l'âme, le spectateur sentant qu'il est entré dans le royaume de la joie en même temps qu'il a quitté la rue pour passer les portes du théâtre, et qui s'appuie sur l'intuition de la fraternité qui lie les créatures.

Ce rire d'euphorie demande des ménagements. Le poète doit à son public de ne pas rompre un instant la fiction dans laquelle celui-ci s'est intégré de son propre mouvement. Cette fiction est celle de la gaieté. L'action doit donc exclure soigneusement tout ce qui pourrait altérer cette gaieté. Il y suffirait de peu de choses, d'un mot, d'une idée qui rappellerait le spectateur aux soucis de l'existence qu'il vient de quitter. Le monde comique n'est pas le monde de la réalité commune, nous l'avons dit : c'est un artifice poétique soumis à ses lois propres.

La distinction des genres, tant honnie des romantiques, a un fondement psychologique. Le tragique et le comique ne peuvent se rencontrer sans perdre leur pureté respective. Le sentiment du sublime suppose une élévation de l'âme, mouvement tout différent de l'expansion ou de la détente physiologique qui accompagne le rire. Le pathétique même entre difficilement dans la comédie. On ne peut haïr ce dont on rit : le rire dont nous parlons s'appuie, disions-nous, sur une sympathie fondamentale. On ne peut pas non plus vraiment avoir pitié de celui dont on rit. Sans doute Harpagon est pitoyable; mais on ne s'en avise qu'après coup. Molière peut jouer avec des situations pathétiques dans l'*Avare*, dans *Tartuffe*, dans *George Dandin*, et même dans le *Bourgeois* et le *Malade*; il ne les traite pas comme telles, il en fait surgir le comique.

A vrai dire, toute bouffonnerie repose sur un fond pathétique. Au dénouement de l'*École des femmes*, Arnolphe pousse un soupir dans lequel il fait entrer sa détresse. Rien de plus douloureux, si l'on veut, que ce *Ouf!* Les ennemis de Molière, en 1663, le remarquèrent. Mais le public en rit. La bouffonnerie naît justement de ce qui pourrait être pathétique. C'est que l'expression en est conventionnelle. Le spectateur ne voit pas la réalité du sentiment qui lui donne naissance; il situe tout cela dans une fiction qui ne peut comporter de vraie douleur et il n'est sensible qu'à l'inadéquation du personnage à la situation. Voici l'achèvement souhaité de l'action : chacun est satisfait; les amants sont heureux; seul, Arnolphe refuse de s'adapter à l'euphorie qui règne sur la scène. Ce refus le rend comique. Non seulement il souligne le bonheur général, mais il l'accentue. Le spectateur transpose le pathétique du sentiment en bouffonnerie de l'expression. Il ne croit pas à la douleur du barbon; il ne la prend pas au sérieux : il en rit, d'un rire de sympathie, qui ne rompt pas l'euphorie dans laquelle il se trouve.

Le comique que nous analysons s'appuie donc sur l'irréalité du spectacle. L'action de l'*École des femmes*, comme celle de chaque comédie de Molière, se situe de toute évidence dans l'irréel. Les personnages sont fictifs, non moins que les événements qui les unissent. Peu importe que le spectateur en ait une conscience actuelle. Il sait plus ou moins vaguement qu'il s'est évadé de l'existence habituelle, de celle qui comporte de petites douleurs et de petites joies, des soucis surtout. Le poète veille à entretenir le sentiment d'agrément qui règne dans la salle. La fantaisie qui court à travers une comédie comme le *Sicilien* ne fait pas rire, mais elle donne au spectateur un agrément de chaque instant. Elle se développe avec facilité, dans une allégresse qui nous installe dans le bien-être. Don Pèdre voit s'échapper sa belle esclave : sa fureur ne fait qu'ajouter à notre plaisir, parce qu'elle n'est, comme le reste, qu'une fiction. La comédie moliéresque est gouvernée plus ou moins par cette fantaisie, si sensible dans le *Sicilien*, qui est la condition du comique.

Pour obtenir la communion d'allégresse qui fonde le rire, Molière use de ressources variées. Tout lui est bon, qui nous fera participer à la gaieté qui s'épanouit sur la scène. Il sait que nous avons plaisir à manger et à boire, que la vue d'un repas et le fumet d'un vin déclenchent dans notre organisme des réflexes, une attente du plaisir qui est déjà un plaisir. Il sait que toute activité physique qui s'exerce dans la facilité est agréable. Aussi a-t-il recours aussi bien à la physiologie qu'à la psychologie pour créer l'euphorie : on n'explique pas autrement la séduction qu'opère sur le spectateur l'entrain forcené de Scapin. A ce comique de la sensation, Jasinski joint un comique du sentiment, né de notre consentement à l'action qui se déroule et même de notre participation à cette action : avec les personnages, nous avançons vers le bonheur qui terminera l'aventure. Notre participation ne concerne pas seulement l'ensemble de la comédie : elle se situe dans nombre des instants qui composent la pièce. Elle est dans un bon mot, dans un geste, une idée, une imagination : c'est nous qui faisons ce trait d'esprit, qui prenons cette attitude, qui avons cette pensée. Nous entrons dans chaque être et son action nous offre une détente que nous n'aurions jamais eue de nous-même (car nous n'avons pas le génie inventif de Molière) et que nous accueillons dans la joie. Nous jouons le jeu et nous en sentons tout allègre, même si ce jeu est peu conforme à notre nature. Nous sommes bien incapable de brandir les seringues qui affolent Pourceaugnac, et pourtant nous sommes pour un instant cet apothicaire ou ce matassin auquel nous ressemblons si peu et son entrain devient le nôtre.

Lanson disait que Molière, à la suite des farceurs, a placé « la source du rire hors de l'intrigue, uniquement dans le rapport sensible de ses figures à la vie vraie ». Pour une fois, nous avons peine à suivre notre maître. Il nous semble au contraire que dans la farce, et de même dans la comédie moliéresque, la plus importante source du rire se place dans l'action : elle est dans la participation du spectateur à la fiction; non point dans la perception d'un rapport entre la comédie et la réalité, mais dans l'installation tranquille du spectateur dans une irréalité heureuse qui se suffit à elle-même et fait naître la gaieté.

*

Jasinski sépare le comique satirique de ce comique euphorique. La satire procède en effet de dispositions psychologiques tout autres. Elle suppose, comme les philosophes l'ont dit, la constatation de l'infériorité d'autrui. C'est encore une expansion de la personnalité, mais moins instinctive que dans le comique d'euphorie, et accompagnée d'une opération intellectuelle menée par l'amour-propre. Elle provoque un sentiment de plaisir, qui naît de la comparaison et non plus du jeu libre et facile d'un tempérament. Elle repose sur la distinction entre celui qui rit et celui dont il rit, et non plus sur la communion entre moqueur et moqué. Elle est donc moins généreuse de nature que la simple gaieté. Elle peut se mêler de malignité; chez Molière toutefois, elle est presque toujours nuancée de sympathie. Thomas Diafoirus est criblé de traits de satire; en riant de lui, nous nous écartons de sa sottise; nous avons un sentiment de fierté devant son irrémédiable médiocrité; et pourtant nous ne perdons pas de vue que c'est un de nos semblables; plus profondément que la distinction que nous établissons entre lui et nous, subsiste le sentiment d'une commune humanité.

Il en est ainsi de maint grotesque, de Géronte et d'Argante, de Mme Pernelle, etc. Molière se garde de toute cruauté. Ses plaisanteries se déroulent dans la bonne humeur. Ce n'est pas que nous plaignions ses victimes : nous ne contestons pas qu'elles méritent le traitement qu'elles subissent; mais ce traitement ne leur fait pas grand mal. Thomas Diafoirus ne souffre nullement de ses infortunes : la comédie le laisse dans l'état où elle l'a trouvé. Il nous a donné du plaisir un instant en nous apparaissant sous des traits qui décèlent une nature qui ne vaut pas la nôtre, et il s'évanouit dans le rire qui nous secoue.

La satire moliéresque est donc fondée sur l'enjouement. Molière en veut-il aux pecques provinciales qui s'entichent de préciosité? Il s'en amuse. D'autres s'indignent contre les vices et les vicieux, d'autres se complaisent dans une verve caustique et y assouvissent un besoin de vengeance procédant de l'insatisfaction. Molière ne connaît pas ce genre de moquerie. Il faut pourtant faire une exception pour Trissotin : là le poète prend vivement à partie une victime qui ne méritait pas son sort. On peut dire à peu près la même chose de Vadius. Les Médecins de l'*Amour médecin* peuvent à la rigueur être joints aux deux pédants; cependant il faut remarquer que si la satire y devient précise, elle rejoint un thème d'une grande banalité. En revanche, quand Molière fait le portrait du Chasseur des *Fâcheux*, y met-il la moindre acrimonie? Il s'égaie et nous égaie. La figure du Maître de philosophie de Jourdain n'est pas peinte d'un ton moins enjoué. Et celle de Jourdain lui-même? Et celle de Pourceaugnac? Et celle de la Comtesse d'Escarbagnas? « La fonction première du comique, a dit un critique, n'est pas de faire rire de ceci plutôt que de cela, mais de faire rire tout court. »

Selon Jasinski, une condition de la satire moliéresque serait son caractère superficiel. C'est à cette légèreté de touche qu'elle devrait son efficacité. Le spectateur ne fait aucune réserve devant la condamnation d'un ridicule évident. Il ne se sent pas touché par la flèche que décoche le poète. La sécurité dans laquelle il se trouve lui permet de s'associer à la moquerie. Sur ce point, nous hésitons devant une analyse par ailleurs brillante : Molière nous paraît parfois plus profond que ne le dit ici le critique. La satire de l'avarice par exemple plonge au cœur de l'homme; et non moins celle de l'orgueil misanthropique. Pourquoi pouvons-nous pourtant rire d'Harpagon et d'Alceste, même quand quelque parenté nous lie à eux? Ne serait-ce pas un effet de la fiction dramatique? Nous voici au théâtre : sommes-nous encore tout à fait celui que déterminent un tempérament, un caractère, une profession, une famille, une expérience de la vie? Non, tout cela s'est éloigné de nous : nous sommes un spectateur au milieu d'autres spectateurs. Une nature commune s'établit, où s'atténuent et même s'effacent les déterminations individuelles dont la conscience rendrait douloureux tel ou tel trait de satire. Nous nous oublions dans la participation au jeu. Ce jeu est un artifice : le personnage sur la scène, dans sa schématisation, est un être imaginaire; le spectateur, dans la salle, n'est pas non plus l'homme réel qu'il était avant d'entrer et qu'il redeviendra en sortant. La satire peut donc viser dans les profondeurs comme à la superficie de notre nature : si elle est bien menée, si elle ne sort pas de la bonne humeur, elle nous laissera dans le jeu, elle ne fera pas surgir en nous la conscience d'un ridicule qui nous en expulserait et nous ramènerait dans la vie. C'est ainsi qu'un avare peut rire d'Harpagon, un cocu d'Arnolphe, un vaniteux de Jourdain et une coquette de Célimène.

★

Euphorique ou satirique, le comique utilise les mêmes procédés. La critique en a fait depuis longtemps l'inventaire. Il n'est pas toujours facile de distinguer le comique de situation de celui de caractère. On peut du moins donner des exemples qui permettent d'en apercevoir la différence.

L'*École des femmes* offre le premier dans sa pureté : Arnolphe prend mille précautions pour se réserver l'affection d'Agnès et sa prudence échoue dans une suite d'événements où le hasard sert l'amour. Sa situation est comique par l'effet du contraste qu'elle offre entre cette attention et la nullité de ses résultats. La vie se moque de l'intelligence. Nous rions de constater l'inutilité d'une sagesse dont le point d'application est mal choisi. Le rire satirique y a place; car nous pensons assurément que nous ne serions pas ainsi berné : nous serions plus habile ou moins téméraire que le barbon qui veut réchauffer son vieux sang au feu de la jeunesse. Mais le rire d'euphorie se mêle au rire satirique : l'entrain avec lequel l'action se déroule nous tient de lui-même en joie.

Les scènes de dépit amoureux se présentent aussi comme des exemples du comique de situation. Le contraste s'établit entre la croissance de la discorde, dont on sent qu'elle est artificielle et qu'elle va se résoudre dans la concorde, et le retour progressif à la tendresse. Le processus est symétrique. Parfois la situation des valets suit celle des maîtres. Ce double déroulement des sentiments et des paroles est plaisant. La correspondance d'un moment à l'autre, établissant une différence à l'intérieur d'une similitude, provoque un rire euphorique.

Dans le contraste des discours, une intention parodique peut se glisser. Arsinoé vient de prodiguer à Célimène, dans un véritable sermon, une suite d'avis dont la perfidie se dissimule sous l'amitié. Célimène répond sur le même ton, au grand dam de la prude, dont la situation devient comique. Le comique s'accentue du fait que Célimène emploie les termes mêmes dont s'est servie Arsinoé : l'intention maligne rend plus piquante la défaite de la conseillère.

Le comique de situation peut se dégager de l'opposition entre deux personnages. Philaminte veut marier Henriette à Trissotin; Chrysale est résolu à donner la main de sa fille à Clitandre. Le Notaire demande les indications utiles à l'établissement du contrat. Il reçoit des deux parents des réponses symétriques et contradictoires. L'antagonisme met le public en gaieté.

Le comique de caractère a une autre base. Mme Pernelle n'est pas comique par l'effet de la situation où elle est engagée, mais par son inadaptation foncière à l'existence. Elle est plus *imaginaire* encore que les personnages qui l'entourent. Elle ne voit pas comme nous Elmire, Damis, Marianne, Dorine et Cléante. Ce qui est gaieté naturelle lui paraît dissipation, la vivacité de la jeunesse est pour elle extravagance et la timidité devient à ses yeux hypocrisie. La déformation qu'elle fait subir à la réalité (ou à ce qui est réputé tel) provoque le rire. On rit d'elle comme d'une maniaque, non pas d'une folle (une folle serait dangereuse ou pitoyable), mais d'une personne au cerveau dérangé. Ce dérangement sans gravité amuse.

Orgon offre un exemple semblable de comique de caractère, et Jourdain, et Harpagon, et Argan, et Géronte. Arrêtons-nous un instant au

10

Géronte des *Fourberies*. Scapin lui conte une fable invraisemblable que le bonhomme accepte bêtement. Mais la nature avaricieuse du vieillard ne se laisse pas oublier. Il va chercher mille raisons de ne pas payer la rançon que le serviteur de son fils voudrait lui faire verser à un Turc supposé. Et chaque fois que s'évanouit son espoir d'échapper au souci qui le point, il s'exclame : « Que diable allait-il faire dans cette galère ? » Le comique ressort bien du caractère : il réside dans l'inutilité de la question où se marque la détresse d'un ladre sentant son argent menacé. Mais la répétition l'accentue. Le comique de caractère, tout comme celui de situation, peut être renforcé par la répétition, par le contraste, la progression et l'accumulation. Jourdain manifeste une vanité ridicule quand il reçoit l'hommage du Garçon tailleur : le rire ne fait que grossir quand celui-ci donne au Bourgeois du Monseigneur après du Gentilhomme, puis pousse jusqu'à la Grandeur.

Le comique de caractère n'est donc pas réservé à la grande comédie : la farce en fait usage. Sganarelle, dans le *Médecin malgré lui*, est un fantoche divertissant. Le poète fonde sur sa figure la satire des médecins. Ce paysan a commencé des études et servi chez un docteur avant de devenir fagotier. Cela suffit pour expliquer qu'après avoir endossé la robe malgré lui, il se voit tout à coup revêtu de la même pédanterie, de la même ignorance, de la même avidité, de la même méchanceté et du même cynisme qui, à en croire la farce, parent ordinairement la profession médicale. Le rire naît ici de l'outrance des traits, de la caricature. Il n'est pas d'une autre sorte que celui que provoquent les caractères d'Orgon ou d'Argan.

Au début de la même pièce, nous assistons à une scène de ménage entre Sganarelle et Martine; un voisin obligeant veut séparer le couple qui se gourme; la femme se retourne contre l'importun qui prétend la protéger et, avec l'aide de son mari, punit une philanthropie déplacée. Sans doute est-ce surtout le renversement de situation qui est comique. Pourtant, au comique de situation, se mêle du comique de caractère : le premier nous fait rire de Monsieur Robert, le second de Martine.

Ce qu'on appelle le comique de mots est souvent chez Molière du comique de caractère. Il lui arrive certes de nous égayer d'un calembour, d'un coq-à-l'âne, d'une familiarité inattendue, d'un cliquetis verbal dont la cocasserie ne tient ni aux personnages ni aux circonstances. Les paysans nous offrent fréquemment de tels traits. Valère, qui veut renseigner Sganarelle sur ce qu'on attend de lui, lui dit : « Il est question d'aller voir une fille qui a perdu la parole. » Et le fagotier répond : « Ma foi, je ne l'ai pas trouvée. » Cependant, le plus souvent, les propos de ce genre tirent leur valeur du contexte. Le poète l'a dit dans la *Critique* pour un mot d'Agnès rapporté par Arnolphe : « Pour ce qui est des *enfants par l'oreille,* ils ne sont plaisants que par réflexion à Arnolphe et l'auteur n'a pas mis cela pour être de soi un bon mot, mais seulement pour une chose qui caractérise l'homme et peint d'autant mieux son extravagance, puisqu'il rapporte une sottise triviale qu'a dite Agnès, comme la chose la plus belle du monde et qui lui donne une joie inconcevable. » Le *Pauvre homme* d'Orgon et le *Sans dot* d'Harpagon tiennent plus du comique de caractère que du comique de mots.

Il n'est pas jusqu'au comique de geste qui ne puisse avoir de valeur psychologique. L'effarement d'Orgon se dégageant du tapis de table sous lequel il s'est caché, la surprise de Tartuffe voyant surgir le mari derrière la femme qu'il voulait embrasser, ne prennent tout leur sens qu'en fonction des caractères et des situations. Il est vrai qu'à d'autres endroits les gestes déclenchent une gaieté plus rudimentaire. Les coups de bâton qui rythment la Cérémonie turque, la scatologie de *Pourceaugnac,* la collation burlesque du doctorat à Argan ont une vertu qui n'a nul besoin du secours de l'intelligence et qui repose sur le seul mécanisme physiologique : c'est là proprement le comique de farce.

Les ennemis du poète lui ont vivement reproché ses bouffonneries, tout l'attirail des *lazzi* qu'il avait hérité des farceurs italiens et français. Certains critiques ont remarqué à juste titre que ses contemporains en avaient usé avec moins de discrétion que lui. Scarron et Boisrobert, pour ne citer qu'eux, épargnent moins notre délicatesse que Molière. L'auteur de *Pourceaugnac* et du *Malade* ne dédaigne point la verve gauloise. Son public, celui de la Cour comme celui de la Ville, accueille les plaisanteries les plus effrontées avec bienveillance. Néanmoins, conformément aux tendances de l'époque plutôt que par une détermination qui lui serait personnelle, Molière, même dans ses farces les plus truculentes, introduit à côté du comique de farce un comique plus relevé et, à l'occasion, il renouvelle la bouffonnerie en la liant à la psychologie. Son génie d'amuseur est d'une richesse que ses prédécesseurs n'ont pas connue, ni d'ailleurs ses héritiers.

*

Bergson, après bien d'autres, a essayé de réduire à l'unité les divers chemins du rire. On connaît sa théorie : elle fait état d'un contraste entre le mécanique et le vivant, entre l'automatisme auquel l'homme est exposé par l'effet de l'habitude et la perpétuelle improvisation que nécessite l'action; le comique est du mécanique plaqué sur du vivant; le rire naît de l'aperception subite de cette association contradictoire. Freud suppose aussi à l'origine du rire un contraste, qu'il situe dans la succession d'une déception à une tension. De toute façon, le sentiment du comique naîtrait en deux temps : celui de l'illusion et celui du désenchantement. Une attente déçue, dit un récent critique, voilà ce que suppose le rire. Mais cela ne veut pas dire que toute attente déçue mène au rire : encore faut-il que le phénomène affecte certaines formes.

Dorine donne à son maître des nouvelles de Tartuffe :

> *Tartuffe? Il se porte à merveille,*
> *Gros et gras, le teint frais et la bouche vermeille.*

Orgon répond tout autrement que nous ne le prévoyions :

> *Le pauvre homme!*

Le mot est hautement comique. Pour Dorine il est absurde; pour Orgon, il se justifie par tout un substrat psychologique. Cette ambiguïté déclenche le rire.

Le geste n'a pas moins de vertu que le mot. Arnolphe rentre chez lui après dix jours d'absence. Il frappe à la porte : ses serviteurs, qui n'ont pas la conscience tranquille, ne marquent aucun empressement à ouvrir; Georgette en charge Alain, Alain s'en remet à Georgette; le maître s'impatiente et finit par menacer celui qui n'ouvrira pas de le priver de nourriture pendant plus de quatre jours; l'argument porte sur ces natures simples; ils s'empressent simultanément et, se bousculant devant la porte, s'empêchent réciproquement de tirer le verrou. Le zèle a le même effet que la mauvaise volonté et Arnolphe attend toujours. Le geste qui tend à un but et en atteint un autre, porte en lui une ambiguïté comique.

L'ambiguïté peut reposer sur le caractère. Si Harpagon est ridicule, ce n'est pas parce qu'il est avare. L'avarice peut être tragique aussi bien que comique. C'est que sa position sociale, sa situation de chef de famille et son amour pour Marianne le jettent dans la contradiction. Riche bourgeois, il a des chevaux; mais il leur vole l'avoine qu'il leur fait donner. Il a des enfants et il se réjouit de leurs frasques lorsqu'elles servent son vice. Il se résout à épouser une jeune fille pauvre, parce qu'il en fera son intendante. De même, s'il y a du comique dans Tartuffe, c'est que ce pieux hypocrite est aussi un gros homme sensuel. La Bruyère, quand il peint Onuphre, a effacé cette contradiction et, avec elle, toutes les imperfections du rôle : il a mis sur pied un personnage qui est peut-être un personnage de roman, ou mieux de drame, mais qui certainement n'a rien à faire dans une comédie.

Le héros de la comédie moliéresque est écartelé entre sa nature et la vie. Sa grimace naît de cette position grotesque. Il est incohérent. Sosie est lâche et il s'habille, pour accomplir sa mission, d'un héroïsme où il est mal à l'aise. La rencontre de Mercure transpose sur un autre plan ce drame de la personnalité. Le pauvre valet se débat entre deux *moi* : celui, bien caractérisé, dont il se sent habité depuis qu'il est né et celui, indéfini, que lui laisse le bâton du dieu.

Le tourment d'Harpagon n'est pas d'une autre essence. W. G. Moore définit l'avare à la lumière de ce qu'en dit son intendant : « Il y a des naturels rétifs que la vérité fait cabrer, qui toujours se raidissent contre le droit chemin de la raison... » Ces personnages rigides refusent de s'adapter et ce refus fait d'eux des victimes de la dérision sociale. Le comique résiderait dans leur inhumanité, qu'elle provienne d'un vice ou procède d'un mécanisme. La société, sous la forme du pubic assemblé au théâtre, opposerait le rire à une conduite qui la nie. Ce n'est pas que le héros comique soit asocial : il vit dans le même monde que les spectateurs; il est leur voisin, leur frère; mais subitement il se soustrait à la contrainte de la coutume, il ne plie pas, il résiste, et sa résistance, dont personne n'ignore qu'elle est vaine, fait l'effet d'un acte inutile et gratuit qui appelle le rire.

C'est pourquoi le sentiment du ridicule suppose à la fois une communion et une séparation. Le spectateur qui rit se sait identique à celui qui l'égaie; mais il s'en distingue en riant. Dans le rire euphorique, l'identité l'emporte; dans le rire satirique, la distinction acquiert la prépondérance. Des nuances mènent constamment de l'une à l'autre attitude.

*

On a reproché à Molière d'abandonner trop souvent, dans sa propension à la farce, le comique *de vérité* pour un comique qui n'est plus que misérable caricature de la nature humaine. De Visé, par la bouche d'un personnage de *Zélinde*, relève l'exagération des traits, l'artifice des gestes et les effets de répétition qui font rire aux dépens des marquis de la *Critique*, sans que pour autant ceux-ci puissent s'y reconnaître. Le modèle est trahi par cette déformation. Avec de tels procédés, on ferait un monstre d'une beauté parfaite, conclut de Visé.

Cette critique méconnaît le fondement du processus comique. Certes il est difficile de relier à la *nature* un trait comme celui d'Harpagon, qui, pour fouiller un valet dont il soupçonne l'honnêteté, lui fait ouvrir les mains, puis lui demande « les autres ». On dira que ce comique est outré. parce qu'on n'a jamais vu d'avare assez avare pour perdre ainsi l'esprit. Mais cette référence à la vérité que nous a enseignée l'expérience, est arbitraire. La preuve en est facile à faire au théâtre : aucun spectateur ne réprime le rire que le trait déclenche en lui; il ne s'avise pas de réfléchir à l'invraisemblance d'une idée aussi extravagante; au contraire, l'extravagance l'amuse. Le monde comique, non seulement n'est pas identique au monde de la vie, mais ne se mesure pas au même mètre. En ce sens, il ne peut pas y avoir de comique *outré*. L'outrance est de l'essence du trait comique.

Est-ce à dire que toute imagination née d'un cerveau extravagant fasse rire au théâtre? On sait bien qu'il est des comédies qui attristent celui qu'elles veulent égayer, des plaisanteries qui tombent à plat. D'où vient que les *Femmes savantes* ne manquent pas leur effet, quand les *Visionnaires*, qui traitent à peu près le même sujet, nous ennuient? Ce n'est point parce que Molière reste plus près de la nature que Desmarets : en fait, Bélise n'est pas moins extravagante qu'Hespérie. Cependant nous refusons de croire à l'une et ne résistons pas à l'autre. Dans un certain sens, on peut dire que l'une nous paraît *outrée* et l'autre *naturelle*. Quelle est la référence qui nous fait prononcer ce jugement?

C'est une référence qui se situe dans la pièce et non dans la vie, dans la salle et non dans la rue. Là encore, il faudrait substituer la notion de bienséance à celle de vraisemblance. Bélise et Hespérie sont également invraisemblables; mais la première satisfait et l'autre ne satisfait pas à la loi de la bienséance, qui commande d'accorder entre eux, et aussi d'accorder avec l'imagination du spectateur, les éléments d'un spectacle. Molière a su faire de sa pièce un tout harmonieux : Bélise est *naturelle* dans cette composition, où sa folie est équilibrée par d'autres folies, où la fiction de son extravagance rejoint la fiction non seulement d'autres extravagants, mais aussi bien de personnages qui ont l'air de bon sens. Bélise ne choque pas à côté de Chrysale, ni même de Clitandre. Tout ce monde forme un tableau sans heurt et sans vide, où le spectateur se retrouve, non pas l'homme réel déterminé par son existence, mais l'homme fictif libéré par son entrée au théâtre, disponible pour une autre existence imaginaire.

Le comique *outré* sera donc celui qui ne s'alignera pas sur le reste de la pièce ou qui demandera un effort au spectateur; le comique *naturel* se fera accepter sans résistance dans l'artifice qui préside au spectacle. Le critère qui les distingue est délicat : il est subjectif et par suite inconstant.

Il reprend quelque stabilité dès que l'on se rappelle que le juge d'une pièce de théâtre n'est pas le lecteur isolé dans son cabinet, mais l'être collectif formé par le public serré dans l'étroitesse d'une salle de spectacle. Celui-ci, bien qu'il change d'un jour à l'autre, offre beaucoup moins de diversité que celui-là. En lui, les différences s'annulent réciproquement. Les opinions des lecteurs varient de l'un à l'autre; les applaudissements des spectateurs saluent presque toujours les mêmes traits. Une solidarité effective lie tous les publics qui, à travers les siècles, s'égaient dès que le Malade imaginaire, comptant pesamment ses jetons pour contrôler les mémoires de Monsieur Fleurant, les entraîne irrésistiblement, en leur faisant franchir les frontières du réel, pour les introduire au royaume de la fiction comique.

*

Nous avons déjà dit que le comique ne peut comporter ni moralité ni immoralité. C'est une vue superficielle du théâtre que celle qui consiste à y voir critiquer des défauts et flétrir des vices. L'*Avare* n'a pas pour objet de corriger l'avarice, ni les *Femmes savantes* le pédantisme, mais seulement de faire rire. De quoi pourraient corriger *Scapin* ou *Pourceaugnac*? Même si l'on admet la thèse de Bergson sur le fondement social du rire, on ne saurait dire qu'en constatant la raideur inhumaine d'un Harpagon, le spectateur en tire une conclusion valable pour lui-même. C'est confondre deux domaines que nous avons soigneusement distingués : celui de la vie et celui du théâtre. Un avare rira d'Harpagon en le voyant évoluer sur la scène et n'en restera pas moins avare quand il rentrera chez lui. Il ne tirera pas du spectacle une leçon applicable à sa propre conduite, parce que le monde comique est un artifice irréductible au réel.

Si Molière est moral, si son théâtre a quelque vertu, c'est parce qu'il fait rire et non parce qu'il fait rire de quelque chose de condamnable. Le rire est naturel à l'homme. Nous avons besoin de cette détente. Il est bon d'aiguiser notre talent de moquerie, il est meilleur encore de nous agiter le corps et l'âme dans la mystérieuse secousse qui s'appelle le rire. Certes, sa vertu est plus physique que morale. Mais ce n'est point une raison pour la dédaigner. Dans le couplet qui termine l'*Amour médecin*, la Comédie chante :

> *Veut-on qu'on rabatte*
> *Par des moyens doux*

> *Les vapeurs de rate*
> *Qui nous minent tous?*
> *Qu'on laisse Hippocrate*
> *Et qu'on vienne à nous.*

★

« Élomire ne se soucie pas que ses pièces aient des noms qui leur conviennent, pourvu qu'elles en aient de spécieux. » Cette critique, exprimée par de Visé dans la *Lettre sur les affaires du théâtre*, définit la comédie de Molière beaucoup mieux que ne le croyait son auteur. Le poète choisit les titres de ses pièces non point dans la seule perspective de .l'action qu'ils recouvrent, mais en fonction du public qu'ils doivent attirer. C'est en quoi ils sont « spécieux ». Le terme d'*École des femmes* a-t-il un sens? Il a surtout pour objet de rappeler le succès de l'*École des maris* et d'appuyer la pièce qui vient sur celle qui précède.

Mais ce ne sont pas les seuls titres des comédies de Molière qui sont « spécieux » : les comédies elles-mêmes portent ce caractère. Tout ce théâtre est composé en vue d'une séduction à opérer. Chaque élément, de l'intrigue aux mœurs et aux personnages, et surtout le comique, est subordonné à cet objet primordial. Une comédie est faite pour être jouée : le texte ne prend forme que dans la représentation et la représentation lie le spectateur à l'acteur dans l'allégresse de la création. Tout y est apparence, tout y cherche à plaire. Les décors et les habits, la diction et les attitudes, les paroles prononcées, les idées émises, le rire déclenché, et aussi la salle, ses ors et ses velours, la rampe et le partage de la lumière et de l'ombre, et l'âme de ce public prêt à se soumettre à l'enchantement, ce n'est que fiction, c'est le royaume de l'imaginaire. Cet édifice est une toile rapiécée; ce costume, vu de près, paraît une guenille; ce geste est artificiel; ce mot n'a jamais été dit hors d'une salle de théâtre; cet or recouvre du plâtre... et pourtant le prestige de tout cet appareil *spécieux* est irrésistible. Un monde prend naissance, dans lequel le spectateur s'intègre sans effort et où il trouve le plaisir.

Mascarille, Sganarelle, Tartuffe, Orgon, Don Juan, Alceste, Célimène, Dandin, Jourdain, Pourceaugnac, Philaminte, Argan, un peuple se presse aux portes du rêve et s'installe bruyamment sous la lumière crue qui tombe des cintres ou monte de la rampe. Leur réalité s'impose dès l'instant où ils prennent forme. Ils ne sont point entrés par la porte, ils ne viennent point de la rue : l'imagination du poète leur a donné une âme avec un corps. C'est une autre chair que celle dont est faite la créature; ce sont d'autres sentiments qui les habitent. Et pourtant ils ne nous paraissent pas étranges. Ils mènent leurs affaires, se rencontrent pour se jouer l'un l'autre; l'amour et l'intérêt les troublent; ils se criblent de traits, ils se gourment; pour finir, ils s'arrangent assez bien et personne ne pleure. Au contraire, tous rient, la gaieté règne parmi eux. C'est une émulation de plaisanteries à laquelle participe le public :

> *Lorsque pour rire on s'assemble,*
> *Les plus sages, ce me semble,*
> *Sont ceux qui sont les plus fous.*

C'est la morale que le poète tire de l'aventure de Pourceaugnac. Et il ajoute avec les acteurs et les spectateurs :

> *Ne songeons qu'à nous réjouir,*
> *La grande affaire est le plaisir.*

Le monde comique est le monde du plaisir. Il n'a pas figure pédante et n'est point fait pour enseigner. Le poète crée pour plaire.

BIBLIOGRAPHIE

La bibliographie moliéresque est immense. Cet ouvrage a profité de centaines d'études antérieures. La liste qui suit ne mentionne que celles qui ont été utilisées le plus fréquemment.

MOLIÈRE. *Œuvres complètes*, éd. Despois et Mesnard. Grands Écrivains de la France, Hachette, 1873-1893, 13 vol.
— *Œuvres complètes*, éd. Bray. Les Textes français, Belles-Lettres, 1935-1952, 8 vol.
SAINTONGE et CHRIST. *Fifty Years of Molière Studies. A Bibliography* (1892-1941). Johns Hopkins Press, 1942 (add. *MLN*, avril 1944).
ADAM (Ant.). « Notes sur Molière ». *R. Sc. hum.*, juillet 1948.
— *Histoire de la littérature française au XVIIe siècle*, t. III : *Boileau et Molière*. Domat, 1952.
ARNAVON (J.). *Le Don Juan de Molière*. Copenhague, 1947.
— *Morale de Molière*. Éditions Universelles, 1945.
ATTINGER (Gust.). *L'Esprit de la* commedia dell'arte *dans le théâtre français*. Neuchâtel, 1950.
BAUMAL (Fr.). *Molière auteur précieux*. Renaissance du livre, 1925.
BÉNICHOU (P.). *Morales du grand siècle*. Gallimard, 1948.
BIDOU (H.). « Comment jouait Molière ». *Débats*, 11 septembre 1928.
— « Molière directeur de théâtre ». *Ibid.*, 24, 31 août, 7 septembre 1931.
BOURSAULT (E). *Portrait du peintre ou la Contre-Critique de l'*École des femmes (1663). Nouv. Coll. Mol., 1879.
BRAY (R.). « Le répertoire de la troupe de Molière (1658-1673) ». *Mélanges Mornet*, Nizet, 1951.
BRISSON (P.). *Molière, sa vie dans ses œuvres*. Gallimard, 1942.
CHAPUZEAU (S.). *Le Théâtre français*. Lyon, 1674.
DEIERKAUF-HOLSBOER (Mme). « Trois documents inédits sur Molière ». *Nouvelles littéraires*, 22 mai 1952.
DESPOIS (Eug.). *Le Théâtre français sous Louis XIV*. Hachette, 1874.
DONNEAU DE VISÉ. *Lettre sur les affaires du théâtre en 1665*. Collection moliéresque, 1875.
— « Notice sur Molière » (extrait des *Nouvelles nouvelles*, t. III, 1663), *ibid.*

— *Trois comédies*, éd. P. Mélèse. Droz, 1940.

— *La Vengeance des marquis ou Réponse à l'*Impromptu de Versailles. Collection moliéresque, 1869.

— *Zélinde ou la Véritable Critique de l'*École des femmes *et la Critique de la* Critique. Collection moliéresque, 1868.

DOUTREPONT (G.). *Les Acteurs masqués et enfarinés du XVIᵉ au XVIIIᵉ siècle en France*. Bruxelles, 1928.

DUSSANE (Mᵐᵉ). *Un comédien nommé Molière*. Plon, 1936.

— *La Fameuse Comédienne ou Histoire de la Guérin, auparavant femme et veuve de Molière*. Collection moliéresque, 1868.

FISCHMANN (P.). « Molière als Schauspieldirektor ». *Z. Fr. Spr. L.,* t. XXIX, 1905.

FOURNEL (V.). *Les Contemporains de Molière*. Didot, 1863-1875, 3 vol.

GRIMAREST. *La vie de M. de Molière*, éd. Chancerel. Renaissance du livre, 1930.

GUÉRET (G,). *La Promenade de Saint-Cloud*. Nouv. Coll. Mol., 1888.

GUILLEMOT (J.). « La note de l'actualité dans Molière ». *Le Moliériste*, 1ᵉʳ septembre 1880.

HOLSBOER (S. W.). *Histoire de la mise en scène dans le théâtre français de 1600 à 1657*. Droz, 1933.

JASINSKI (R.). *Molière et le* Misanthrope. Colin, 1951.

JOUVET (L.). « Molière ». *Conferencia*, 1ᵉʳ septembre 1937.

KOHLER (P.). *Autour de Molière : l'esprit classique et la comédie*. Payot, 1925.

LACOUR (L.). *Molière acteur*. Alcan, 1928.

LA CROIX (le Sʳ de). *La Guerre comique ou la Défense de l'*École des femmes. Collection moliéresque, 1868.

LANCASTER (H. Carrington). *A History of French Dramatic Literatur in the XVIIth Century*. Johns Hopkins Press, 1929-1942, 9 vol.

— *Le Mémoire de Mahelot, Laurent et autres décorateurs de l'Hôtel de Bourgogne*. Champion, 1920.

LANSON (G.). « Molière et la farce ». *R. Paris*, 1ᵉʳ mai 1901.

LE BOULANGER DE CHALUSSAY. *Élomire hypocondre ou les Médecins vengés*. Collection moliéresque, 1867.

LEFRANC (A.). « La vie et les œuvres de Molière ». *RCC*, 1905-1907.

Lettres au Mercure *sur Molière, sa vie, ses œuvres et les comédiens de son temps*, p. p. G. MONVAL. Nouv. Coll. Mol., 1887.

LOISELET (J.-L.). *De quoi vivait Molière*. Deux Rives, 1950.

LOISELEUR (J.). *Les Points obscurs de la vie de Molière*. Liseux, 1877.

MANTZIUS (K.). *Molière, les théâtres, le public et les comédiens de son temps*, trad. M. Pellisson. Colin, 1908.

MÉLÈSE (P.). *Donneau de Visé*. Droz, 1937.

— *Répertoire analytique des documents contemporains d'information et de critique concernant les théâtres à Paris sous Louis XIV*. Droz, 1934.

— *Le Théâtre et le public à Paris sous Louis XIV*. Droz, 1935.

MESNARD (P.). *Notice biographique sur Molière* (t. X des *Œuvres complètes de Molière*). Hachette, 1889.

MICHAUT (G.). « La biographie de Molière ». *Ann. Univ. Paris*, mars 1932.

— *La Jeunesse de Molière. Les débuts de Molière à Paris. Les luttes de Molière.* Hachette, 1923-1925, 3 vol.

— « Molière dans son œuvre. » *Ann. Univ. Paris*, mars 1937.

— *Molière raconté par ceux qui l'ont vu.* Stock, 1932.

MOLAND (L.). *Molière et la comédie italienne.* Didier, 1867.

— *Molière, sa vie et ses ouvrages*, avec une notice sur le théâtre et la troupe de Molière. Garnier, 1887.

Molière jugé par ses contemporains, avec une notice p. MALASSIS. Liseux, 1877.

MONGRÉDIEN (G.). *La vie privée de Molière.* Hachette, 1950.

MONTFLEURY (A.-J.). *L'Impromptu de l'Hôtel de Condé.* Collection moliéresque, 1875.

MONVAL (G.). « Les camarades de Molière : Brécourt et les de Surlis ». *Le Moliériste*, novembre 1883.

MOORE (W. G.). *Molière, a new criticism.* Oxford, 1949.

MORNET (D.). *Molière*, Boivin, 1943.

PELLET (Miss El. J.). *A forgotten French Dramatist, Gabriel Gilbert.* Presses Universitaires, 1931.

PELLISSON (M.). *Les Comédies-ballets de Molière.* Hachette, 1914.

PRUNIÈRES (H.). « Les comédies-ballets de Molière et Lully ». *R. France*, 15 septembre 1931.

RIGAL (Eug.). *Molière.* Hachette, 1908, 2 vol.

ROMANO (D.). *Essai sur le comique de Molière.* Berne, 1950.

SCHERER (J.). *La Dramaturgie classique en France.* Nizet, 1950.

SCHWARTZ (I. A.). *The Commedia dell'arte and its Influence on French Comedy in the XVIIth Century.* New York, 1933.

SOULIÉ (Eud.). *Recherches sur Molière.* Hachette, 1863.

THIERRY (Ed.). « *Le Misanthrope* : Mlle Du Parc et Arsinoé ». *Le Moliériste*, avril-mai 1888.

TRALAGE (J.-N. DU). *Notes et documents sur l'histoire des théâtres de Paris au XVIIe siècle*, extraits p. le bibliophile Jacob. Nouv. Coll. Mol., 1880.

VAN VREE (Th. J.). *Les Pamphlets et libelles littéraires contre Molière.* Vermaut, 1933.

VEDEL (V.). *Molière*, dans : *Corneille et son temps, Molière*, trad. Mme Cornet. Champion, 1935.

YOUNG (E. B. et G. P.). *Le Registre de La Grange*, fac-similé. Droz, 1947, 2 vol.

INDEX ALPHABÉTIQUE

Cet index comprend : en PETITES CAPITALES, les noms de personnes; en *italique*, les titres de pièces ou autres œuvres; en romain, les noms de personnages. On a cru inutile de séparer les divers personnages qui portent le même nom.

Acaste : 75, 216.

Accouchée (l') : 100, 101, 116, 122.

ADAM (A.) : 186.

Adraste : 73, 75, 237.

Aglante : 231.

Agnès : 32, 154, 229, 242, 266, 288, 291.

Alain : 145, 157, 253, 266, 292.

Albert : 155, 159, 197, 198, 218.

Alcandre : 156.

Alcantor : 234.

Alceste : 13, 15, 24, 29, 30, 32, 77, 154, 157, 158, 160, 161, 177, 188, 197, 201, 206, 209, 212, 213, 216, 218, 219, 226, 251, 253, 268, 270, 273, 274, 276-278, 283, 288, 296.

Alcidas : 81, 209, 236.

Alcine : 231.

Alcionée : 109.

Alcipe : 156.

Alcmène : 176, 179, 205, 229, 262, 269, 276, 280.

Alexandre : 238.

Alexandre : 93, 97, 98, 102, 114, 117, 122, 131, 132, 144, 163, 164, 231, 233.

Almanzor : 236.

Alvar (Don) : 280.

Amants magnifiques (les) : 37, 82, 85, 105, 118, 138, 161, 174, 176, 179, 216, 218, 227, 233, 237, 245, 251, 254, 257-259, 262, 280.

Amour (l') : 85, 86, 91, 237, 241.

Amour médecin (l') : 20, 27, 34, 51, 76, 80, 83, 84, 105, 114, 123, 124, 137, 138, 156, 160, 170, 172, 182, 185, 199, 201, 209, 217, 218, 224, 227, 232, 234, 241, 245, 256, 257, 259, 260, 267, 287, 295.

Amours de Diane et d'Endymion (les) : 84, 85, 95, 96, 104, 110.

Amours de Jupiter et de Sémélé (les) : 85, 96.

Amphitryon : 77, 78, 161, 205, 216, 239, 262, 269, 276.

Amphitryon : 21, 30, 82, 85, 105, 116, 122, 124, 125, 131, 138, 170, 174, 176, 177, 197, 199, 205, 227, 233, 238, 246, 247, 251, 261, 262, 267, 269, 278, 280.

Anaxarque : 226, 280.

Andrès : 194.

Andromaque : 231.

Andromaque : 63, 69, 102, 103, 144, 279.

Andromède : 227.

Andromède : 157, 227, 234, 255.

Angélique : 51, 177, 201, 204, 212, 216, 225, 232, 233, 235, 257, 276.

ANNE D'AUTRICHE : 57, 114, 135, 136, 141, 143.

Anselme : 225.
ANTOINE : 33.
Apollon : 237.
AQUIN (d') : 185, 186.
Arbate : 239.
Archisot (l') : 160.
Argan : 32, 60, 78, 80, 120, 146, 153, 154, 155, 157-159, 177, 188, 197, 208, 209, 210, 211, 212, 214, 219, 226, 256, 267, 275, 276, 277, 278, 289, 290, 291, 296.
Argante : 177, 271, 287.
Argatiphontidas : 280.
Ariste : 27, 28, 29, 188, 225, 226, 238, 241.
Aristione : 227, 242.
ARISTOPHANE : 244, 265.
ARISTOTE : 19, 20, 192, 193, 244.
ARLEQUIN : 19, 137, 151, 152, 153, 223.
ARMAGNAC (Mme d') : 98.
Armande : 177, 229, 230.
ARNAUD D'ANDILLY : 133.
ARNAVON (J.) : 27, 35.
Arnolphe : 13, 28, 32, 102, 145, 149, 154, 156, 159, 165, 197, 209, 217, 218, 226, 227, 239, 253, 267, 271, 275, 277, 285, 288, 291, 292.
Arsace, roi des Parthes : 96, 112.
Arsinoé : 206, 216, 231, 276, 289.
Artaxerce : 94, 227.
ARVIEUX (chevalier d') : 78, 180.
Ascagne : 231, 242.
ASSOUCY (d') : 22, 23, 55.
Attila : 63, 93, 102, 108, 115, 116, 117, 122, 124, 131, 144, 145, 163, 233, 239.
ATTINGER (G.) : 152, 196.
AUBIGNAC (abbé d') : 76, 95, 100, 142, 244, 274.
AUMONT (maréchal d') : 133.
AURÉLIA : 151.
Avare (l') : 15, 22, 32, 75, 82, 120, 122, 123, 131, 139, 174, 183, 199-201, 204, 211, 213, 216, 224, 225,
228-229, 233, 234, 237, 241, 245, 268, 282, 283, 285, 295.
Axiane : 231.

BACHAUMONT : 180.
Bahis : 80, 186.
BAILLET (A.) : 25.
Ballet des ballets (le) : 119, 257.
Ballet des Incompatibles (le) : 94, 162, 170.
Ballet des Muses (le) : 106, 115, 134, 137, 257, 261.
BARBIN : 181, 251.
BARON : 42, 62, 64, 65, 92, 120, 148, 197, 237, 238, 240.
BARON (Mlle) : 140.
Baron de la Crasse (le) : 141.
BARY : 50, 51.
BASSET (Cl.) : 94.
BATY : 33.
BEAUCHAMPS : 86, 104, 105, 112.
BEAUCHASTEAU : 70, 71, 140, 141, 148.
BEAUCHASTEAU (Mlle) : 70, 71, 140, 141, 222.
BEAUFORT (duc de) : 133.
BEAUMARCHAIS : 34, 41.
BEAUVAL : 64, 81, 240.
BEAUVAL (Mlle) : 64, 199, 200, 228, 234, 241.
BEAUVAL (la fille) : 91, 241.
BÉJART (les) : 48, 51, 53, 55, 62, 94, 169.
BÉJART (Armande) : 13, 16, 52, 55, 56, 62, 64, 78, 142, 143, 160, 188, 196, 199, 228, 231-234, 240, 242, 254.
BÉJART (Geneviève) : 22, 60, 61, 62, 64, 199, 227, 228, 233, 234.
BÉJART (Joseph) : 53, 59, 61, 62, 64, 169, 199, 227, 234, 237.
BÉJART (Louis) : 52, 61, 62, 64, 81, 169, 186, 197, 223, 234, 235, 240.
BÉJART (Madeleine) : 22, 23, 41, 51-53, 55, 56, 57, 60-62, 63, 64, 68, 87, 95, 108, 143, 147, 162,

173, 175, 199, 200, 227-230, 234, 242.

Béline : 229.

Bélise : 81, 177, 234, 294.

BELLEROSE (Mlle) : 140.

BELTRAME (Nicolo Barbieri dit) : 194, 217.

BÉNICHOU (P.) : 31.

BENSERADE : 106, 138, 222.

Béralde : 27, 188, 210, 211, 239, 256.

Bérénice : 233.

Bérénice : 103, 119, 144, 198.

BERGSON : 283, 291, 295.

BERNARD (M.) : 23.

BERNIER : 22, 23.

BIANCOLELLI (Dominique) : voir ARLEQUIN.

BIDOU (H.) : 8, 71, 103, 104, 126, 268.

BLONDEL : 91.

Bobinet (M.) : 81, 209, 240.

BOILEAU (Gilles) : 187.

BOILEAU (N.) : 15, 21, 23, 29, 42, 43, 56, 132, 154, 180, 181, 182, 185, 186, 244, 247, 260, 264, 265, 266, 267, 279.

BOISROBERT : 95, 108, 110, 111, 114, 214, 279, 291.

BOISSAT (P.) : 22, 23, 55.

Boleaena : 80, 180.

BOSSUET : 24, 25.

BOURBON (duc de) : 133, 231.

BOURDALOUE (le P.) : 25.

Bourgeois gentilhomme (le) : 27, 28, 77, 81, 91, 105, 118, 119, 120, 122, 123, 130, 138, 161, 173, 174, 175, 176, 180, 183, 185, 188, 199-201, 203, 205, 213, 217, 218, 224, 229, 232, 233, 234, 236, 237, 240-242, 247, 249, 257, 259, 260, 272, 285.

BOURSAULT : 142, 265.

BOYER (Cl.) : 84, 93, 96, 97, 98, 99, 103, 104, 108, 139, 140.

Bradamante ridicule : 97, 108, 113, 127.

BRÉCOURT : 24, 25, 26, 42, 62, 63, 64, 67, 69, 97, 103, 108, 111, 112, 113, 127, 144, 164, 189, 197, 239, 251.

BRIGUELLE : 153.

Brindavoine : 199, 211.

BRISSAC (Mme de) : 133.

BRISSON (P.) : 13, 16, 17, 194, 228.

BROSSETTE : 21, 56, 154, 174, 185.

BRUGMANS : 79.

BRUNETIÈRE : 26, 27, 30.

BUSSY (Mlle de) : 22.

Camille : 70, 71.

CAPITAN (le) : 81, 148, 194, 209.

Caritidès : 156, 160, 180.

Carlos (Don) : 27.

Casaque (la) : 125, 170.

Cathos : 70, 140, 185, 212, 217, 229.

Célis : 202, 225, 229.

Célimène : 13, 32, 39, 196, 206, 212, 216, 232, 270, 274, 288, 289, 296.

César : 21, 157, 163, 164.

CHALUSSAY (Le Boulanger de) : 50, 51, 143, 144, 146, 150, 152, 155, 157, 162, 163, 165, 187, 234.

CHAMPMESLÉ : 42, 68.

CHAMPMESLÉ (Mlle) : 69.

CHAPELAIN (J.) : 21, 23, 96, 266, 267, 278.

CHAPELLE : 16, 21, 22, 23, 60, 61, 180.

CHAPUZEAU (S.) : 14, 77, 89, 92, 96, 103, 108, 111, 121, 122, 123, 128, 130, 136, 148, 151.

Charlotte : 206, 232.

CHARPENTIER (M.-A.) : 106, 120.

CHATEAUNEUF : 64, 90, 241.

CHAUVEAU (Fr.) : 23, 79, 183.

CHEVALIER : 42, 139.

Chevalier (le) : 239.

Chrisalde : 27, 28, 30, 217.

Chrysale : 13, 16, 29, 157, 159, 160, 177, 198, 200, 201, 209, 226, 277, 289, 294.

CICOGNINI : 250.
Cid (le) : 70, 108, 139, 142.
Cinna : 101, 108, 109, 111, 113.
Cinthie : 229.
Claude (Dame) : 199, 211.
CLAUDEL (P.) : 33.
Claudine : 229.
Cléante : 24, 27, 28, 217, 218, 224, 226, 238, 239, 240, 257, 267, 282, 289.
Cléanthis : 205, 227, 229, 262, 280.
Cléofile : 233.
Cléonte : 188, 205, 237, 241.
Cléopâtre : 103, 116, 124, 164, 239.
CLÉRIN : 53.
Climène : 224, 230, 231, 233.
Clitandre : 24, 27, 28, 177, 216, 224, 237, 238, 242, 289, 294.
Clitidas : 157, 160, 161, 226, 280.
Cocu imaginaire (le) : voir *Sgana-relle.*
CŒUVRE (Mme) : 133.
COLBERT : 22, 133, 174.
Commissaire (le) : 199.
Comtesse d'Escarbagnas (la) : 37, 76, 81, 91, 106, 119, 120, 122, 125, 138, 173, 182-183, 188, 197, 209, 218, 225, 226, 234, 238, 240, 241, 247, 257, 259, 260, 272.
CONDÉ (prince de) : 133, 134.
CONTI (prince de) : 22, 54, 55, 76.
COPEAU (J.) : 33.
COQUETEAU LA CLAIRIÈRE, 95, 108.
Coquette ou le Favori (la) : 97, 114, 115, 122, 161.
CORNEILLE (P.) : 7, 20, 25, 34, 38, 41, 42, 73, 84, 93, 95, 97, 99, 100, 101-104, 108, 111, 113, 115, 119, 139, 140, 141, 142, 144, 157, 162, 173, 177, 178, 180, 191-193, 198, 222, 227, 229, 233, 234, 235, 244, 245, 246, 250, 263.
CORNEILLE (Th.) : 95, 97, 102, 104, 108, 110, 111, 116, 139, 140, 142, 145, 235, 245, 279.
Corydon : 237.

COTIN (abbé) : 78, 181, 186, 187, 190.
Covielle : 188, 205, 218, 238.
Critique de l'École des femmes (la) : 32, 62, 65, 102, 107, 112, 122, 125, 127, 136, 141, 142, 143, 154, 156, 159, 178, 182, 191, 192, 197, 199, 216, 218, 224, 225, 226, 227, 230, 231, 232, 247, 261, 262, 263, 266, 291, 293.
CROISAC : 61, 90, 241.
Cupidon : 240.
Curiace : 70.
CYRANO : 177.

DAMIS : 213, 225, 240, 268, 289.
DANCOURT : 42.
Dandin : 27, 77, 154, 157, 160, 184, 197, 201, 204, 216, 218, 226, 237, 267, 276, 277, 296.
DE BRIE : 62, 64, 197, 236, 242.
DE BRIE (Mlle) : 54, 55, 56, 60, 61, 67, 173, 199, 228, 229-230, 232, 242, 254.
DEIERKAUF-HÖLSBOER (Mme) : 52.
Délie : 100, 101, 116, 131.
Dépit amoureux (le) : 37, 90, 94, 95, 109, 110, 111, 135, 145, 155, 159, 160, 170, 174, 176-178, 197, 198, 202, 208, 216, 218, 224, 227, 229, 231, 234-237, 241, 242, 244, 250, 252, 279.
Désespoir extravagant (le) : 103, 118, 119.
Des Fonandrès : 80, 186, 234, 235, 241.
DESFONTAINES (N.) : 52, 94.
DES FOUGERAIS : 185, 186, 235.
DESJARDINS (Mlle) : 97, 98, 108, 114, 115, 161, 207, 248.
DESMARETS DE SAINT-SORLIN : 95, 108, 110, 111, 114, 115, 279, 294.
DES ŒILLETS (Mlle) : 140.
Diafoirus (les) : 81, 212, 240, 287.
Diane : 227.
DIDEROT : 211.
Dieu du fleuve (le) : **86, 236.**

Dimanche (M.) : 203, 238, 281.

Dircé : 232.

DOCTEUR (le) : 148, 151, 153, 208, 209.

Docteur (le) : 155.

Docteur amoureux (le) : 32, 108, 109, 129, 155, 170, 247.

Docteur pédant (le) : 170.

DOMINIQUE : voir ARLEQUIN.

Domitie : 234.

Domitien : 240.

Don Bertrand : 109.

Don Garcie : 37, 93, 107, 110-111, 164, 171, 174, 177, 193, 198, 199, 224, 227-229, 231, 235, 244, 247, 250, 251, 253, 254, 269, 280, 283.

Don Japhet : 109, 113.

Don Juan : 17, 27, 30, 37, 38, 80, 83, 85, 97, 107, 113, 114, 122, 123, 130, 137, 144, 148, 156, 158, 160, 164, 173, 174, 177, 182, 183, 197, 199, 201, 203, 206, 207, 208, 209, 213, 214, 217, 228, 229, 231, 232, 234, 236, 245, 253, 262, 278, 280, 281.

DONNEAU DE VISÉ : 15, 43, 55, 59, 66, 67, 75, 84, 98, 99-104, 108, 116-118, 120, 123, 131, 132, 140, 142, 144, 145, 147-151, 153, 156, 157, 162-165, 174, 178, 179, 184, 235, 255, 264-267, 270, 271, 293, 295.

Don Quichotte : 41, 95, 227.

Don Sanche : 250.

Dorante : 30, 77, 102, 127, 156, 159, 160, 182, 185, 192, 193, 219, 224, 237, 239.

Dorimène : 224, 225, 229, 230, 231, 242.

DORIMOND : 42.

Dorine : 201, 205, 206, 210, 213, 227, 228, 229, 242, 253, 267, 281, 289, 292.

DRÉCART : 181.

Dubois : 206, 208, 234, 253.

DUBOS (abbé) : 72.

DU BUISSON (abbé) : 178.

DU CROISY : 62, 64, 78, 149, 197, 233, 236, 238, 242, 248.

DU CROISY (Mlle) : 63-64, 199, 233.

DU CROISY (la fille) : voir Mlle POISSON.

DUFRESNE : 53, 54, 59, 61, 62, 64, 151, 241.

DULLIN (Ch.) : 33.

DU PARC : 62, 63, 123, 144, 152, 197, 199, 235-236, 242, 254.

DU PARC (Mlle) : 54, 55, 60, 61, 64, 65, 67, 68, 102, 199, 230-231, 242.

DU PERCHE : 42.

DU RYER : 52, 94, 95, 108, 109, 227, 250.

École des femmes (l') : 16, 25, 27, 29, 30, 66, 75, 83, 96, 98, 99, 102, 107, 112, 115, 122, 123, 124, 125, 134, 136, 137, 139, 141, 142, 145, 147, 156, 157, 159, 160, 178, 180, 188, 192, 193, 197, 199-201, 204, 216-218, 224, 228, 229, 236, 237, 239, 251-253, 262, 264, 266, 267, 270, 272, 285, 288, 296.

École des maris (l') : 27, 28, 29, 37, 67, 78, 80, 111, 115, 122, 124, 125, 134, 136, 145, 156, 160, 165, 179, 182, 188, 197, 199, 200, 201, 216, 218, 224, 227, 229, 231, 235, 236, 237, 242, 251, 252, 253, 254, 296.

Éliante : 212, 216, 217, 218, 229, 242.

Élise : 224, 229, 231, 232, 242, 268.

Elmire : 78, 201, 205, 213, 228, 232, 268, 276, 281, 289.

Elvire : 27, 225, 227, 229, 231, 250, 276, 281.

ÉPERNON (duc d') : 52, 53, 54, 59, 62, 94.

Épicharis : 227.

Éraste : 75, 203, 214, 224, 226, 234, 237, 238, 242.

Ergaste : 194, 225, 235, 252.

Ériphile : 233.

Escarbagnas (comtesse d') : 188, 234, 287.

Escarbagnas (comte d') : 91, 241.

ESPRIT : 185, 186.

ESTIVAL (d') : 91, 161, 162.

Été (l') : 235.

Étourdi (l') : 9, 17, 30, 37, 54, 94, 95, 109, 110, 111, 134, 136, 144, 155, 157, 158, 160, 170, 174, 177, 194, 196, 197, 202, 203, 206, 213, 216, 217, 224, 229, 234, 236, 249, 250, 262, 276, 279.

Exempt (l') : 218.

FABRE (E.) : 33.

Fâcheux (les) : 75, 77, 80, 82, 104, 105, 111, 112, 114, 115, 120, 122, 124, 129, 131, 134, 135, 136, 137, 138, 141, 148, 156, 159, 160, 161, 162, 165, 172, 177, 179, 180, 181, 182, 183, 185, 187, 191, 199, 203, 206, 214, 217, 218, 224, 225, 227, 228, 229, 231, 238, 254, 256, 260, 266, 287.

Fagotier (le) : 125, 170, 175.

FAGUET (E.) : 68.

Fameuse comédienne (la) : 16, 55, 188.

Favori (le) : voir la Coquette.

Félicie : 104.

Femmes savantes (les) : 24, 27, 28, 32, 69, 91, 119, 120, 122, 129, 131, 132, 159, 174, 177, 182-183, 185, 187, 189, 198, 200-201, 204, 212, 216, 224, 229, 233, 234, 237, 238, 240, 241, 251, 253, 267, 272, 294, 295.

FÉNELON : 219, 221.

FERNANDEZ (R.) : 13, 31.

Festin de Pierre (le) : voir Don Juan.

Fête de Vénus (la) : 96.

Filène : 161.

Filerin : 27.

FINET : 241. Fin lourdaud (le) : 103, 108, 117, 118, 119, 120, 170.

Flavie : 233.

Fleurant : 210, 211, 214, 241, 295.

Flipote : 213, 253.

FLORIDOR : 59, 129, 140, 141, 142.

Folle gageure (la) : 110, 114, 125.

Folle querelle (la) : 103, 117, 144.

FOUQUET : 129, 133, 135, 136, 172.

Fourberies de Scapin (les) : 31, 81, 119, 122, 123, 139, 159, 177, 198, 209, 216, 217-219, 224, 225, 229, 234, 238-241, 246, 247, 248, 249, 255, 271, 290, 295.

FREUD : 292.

Frosine : 225, 227, 229, 276.

FURETIÈRE (A.) : 80.

Galopin : 219.

Garcie (Don) : 156, 159, 177, 250, 251, 281.

Garçon tailleur (le) : 240, 290.

Garde (le) : 236.

GASSENDI : 22.

GAUDON : 91, 241.

GAULTIER-GARGUILLE : 79, 148, 151, 153.

GAVEAU : 181.

George Dandin : 15, 32, 105, 117, 122, 124, 125, 138, 139, 175, 182, 183, 199-201, 204, 214, 224, 229, 233, 239, 246, 247, 249, 255, 256, 257, 259, 260, 272, 283, 285.

Georgette : 157, 253, 266, 292.

Geronimo : 27, 203, 214, 239.

Géronte : 83, 225, 226, 249, 271, 277, 287, 289, 290.

GILBERT (G.) : 29, 84, 85, 93, 95, 96, 97, 99, 103, 108, 110, 111, 263.

GILLET DE LA TESSONNERIE : 108.

GIRAUDOUX (J.) : 33, 221.

GŒTHE : 282.

Gorgibus : 27, 28, 29, 177, 201, 217, 225, 236, 248, 277.

Gorgibus dans le sac : 170.

Grâces (les) : 85, 91, 241.

GRAMMONT (maréchal de) : 133.

Grand Benêt de fils (le) : 97, 113, 239.

Grand Divertissement royal (le) : 118, 138.

GRIMAREST : 8, 15, 21, 65, 68, 115, 129, 149, 150, 157, 164, 179, 186, 240.

GROS-GUILLAUME : 79, 148, 151, 153.

Gros-René : 197, 198, 218, 225, 236, 242, 247, 248.

Gros-René : 124, 135.

Gros-René écolier : 170, 235.

GUÉNAUT : 185, 186.

GUÉRET (G.) : 67, 146, 180, 185, 236.

GUÉRIN (Mlle) : 140.

GUÉRIN DU BOUSCAL : 41, 95, 108, 110, 111, 114, 227.

Guide des Pécheurs (la) : 29.

GUILLOT-GORJU : 153.

GUISE (duc de) : 52, 133.

Hali : 74, 75, 157, 161, 239, 261.

Harpagon : 26, 32, 78, 80, 154, 157, 160, 187, 197, 207-209, 211, 219, 223, 224, 225, 226, 229, 241, 268, 272, 275, 276, 277, 278, 282, 283, 285, 288, 289, 291, 292, 293, 295.

Harpin : 238.

HAUTEROCHE : 42, 70, 71, 101, 140, 141.

Henriette : 26, 27, 28, 177, 201, 233, 289.

Héraclius : 101, 108, 109, 110, 111.

Hercule amoureux : 174.

Héritier ridicule (l') : 113, 114.

HERVÉ (Marie) : 52.

Hespérie : 294.

Hippolyte : 194.

Hiver (l') : 235.

HORACE : 19, 20, 176, 192, 244.

Horace : 237.

Horace : 70, 108, 109.

HOURLIER : 136.

HUBERT : 63, 64, 81, 197, 200, 240, 242.

HUGO (V.) : 34, 195.

Huon de Bordeaux : 95, 96, 111, 122, 124, 135.

HUYGHENS (Chr.) : 79, 80.

Hyacinthe : 229, 271.

Impromptu de Versailles (l') : 17, 29, 32, 37, 59, 67, 70, 77, 90, 107, 112, 122, 123, 131, 136, 138, 141-143, 148, 149, 156, 172, 173, 175, 187-189, 192, 197, 210, 216, 227-230, 232-233, 251, 261, 262, 263, 265.

Indes (les) : 170.

Inès : 231.

Iphicrate : 71.

Iphigénie : 139.

Iphitas : 240.

Irène : 94.

Isabelle : 229, 231, 252.

Isidore : 73-75, 229, 261.

Jacqueline : 227, 249.

Jacques (Maître) : 207, 211, 238.

Jalousie de Gros-René ou *du Barbouillé* (la) : 170, 175, 235.

JASINSKI (R.) : 284, 286, 288.

Jocaste : 227.

JODELET : 62, 64, 80, 88, 95, 110, 148, 152, 153, 199, 235, 236, 242, 247, 248, 249, 275.

Jodelet : 177, 212, 217, 226, 235.

Jodelet Maître Valet : 109, 110.

Josaphat : 94.

Jourdain : 30, 78, 153, 154, 157, 160-162, 165, 184, 186, 197, 203, 208, 209, 214, 218, 219, 226, 227, 238, 267, 275, 277, 278, 287, 288, 289, 290, 296.

Jourdain (Mme) : 28, 81, 200, 240.

JOUVET (L.) : 9, 33, 41, 219, 275, 277.

Juan (Don) : 30, 32, 156, 184, 196, 237, 238, 272, 275, 276, 281, 283, 296.

Julie : 225, 229, 234.

Junon : 227.

Jupiter : 61, 85, 86, 176, 205, 216, 235, 238, 262, 269, 276.

La Bruyère : 27, 219, 221, 292.
La Calprenède : 93.
Lacour (L.) : 8, 147.
La Croix (Ph. de) : 88, 145, 162, 185, 264, 271.
La Flèche : 222, 234, 235, 241.
La Fontaine : 43, 80, 148, 228, 266, 267.
La Grange : 8, 14, 15, 21, 22, 25, 47, 50, 59, 60-64, 66, 67, 76, 86, 88, 90, 91, 93, 94, 108, 109, 121, 124, 130, 132-135, 148, 155, 156, 169, 170, 172, 174, 184, 187-188, 197, 228, 232, 236-238, 240, 241, 242, 264, 266.
La Grange : 27, 29, 177, 217.
La Grange (Mlle) : 64, 90, 99, 233-234.
La Meilleraye (maréchal de) : 133.
La Merluche : 199, 211.
La Mesnardière : 33, 244.
Lamoignon (président de) : 23, 30, 116, 138.
Lancaster (H. Carrington) : 8, 9, 30, 31, 140, 157, 222, 235, 252.
Lanson (G.) : 209, 219, 252, 286.
La Ramée : 236.
La Rapière : 236.
Laroque : 129.
La Sablière (Mme) : 22, 103.
La Thorillière : 62, 64, 108, 116, 120, 197, 238, 242.
La Thorillière : 131.
La Thorillière (le fils et la fille) : 91, 241.
La Trémouille (Mme de) : 133.
La Tuillerie : 42.
La Varenne : 182.
Léandre : 224, 226, 237, 271.
Le Brun : 22, 154, 183.
Lefranc (A.) : 13.
Legrand : 42.
Lekain : 72.

Lélie : 158, 194, 202, 225, 237.
Le Noir : 48.
Léonor : 231.
L'Épine : 225.
L'Espy : 62, 64, 67, 68, 236.
Le Tellier : 133.
Le Vayer (La Mothe) : 22, 23, 177.
Le Vayer (l'abbé) : 22, 177.
Lisette : 218, 225, 229, 231, 252.
Longepierre : 69.
Longueville (Mme de) : 23.
Loret : 63, 80, 130, 131, 145, 230, 266, 267.
Louis (Don) : 27, 234, 281.
Louison : 91, 182, 241.
Louis XIV : 32, 50, 57, 60, 80, 88, 97, 105, 107, 114, 115, 116, 128, 129, 132-138, 143, 164, 170, 172-174, 175, 178, 179, 185, 228, 254, 263.
Loyal (M.) : 236, 253.
Lubin : 204, 239.
Lucas : 249.
Lucette : 232, 233.
Lucile : 155, 205, 225, 232, 233, 242.
Lucinde : 51, 83, 225, 232.
Lucrèce : 21, 24.
Lully : 25, 73, 81, 86, 91, 105-107, 112, 137, 138, 144, 180, 182, 241, 242, 254, 257, 259.
Lycarsis : 157, 159.
Lycas : 90, 157, 159, 161, 241.
Lycaste : 237.
Lyciscas : 156, 159, 160.
Lysandre : 105, 156, 160, 161, 182.
Lysidas : 99, 193, 238.

Macroton : 80, 186.
Mademoiselle (la Grande) : 42, 185, 187.
Magdelon : 177, 185, 212, 217, 227, 229.
Magne (E.) : 22.
Magnon : 52, 94, 95, 103, 108, 227.
Mairet : 222.

Maître d'armes (le) : 236.
Maître de musique (le) : 161.
Maître de philosophie (le) : 78, 185, 186, 238, 287.
Malade imaginaire (le) : 9, 16, 24, 25, 27, 37, 38, 60, 70, 82, 91, 106, 120, 122, 124, 138, 155, 158, 160, 177, 181, 182, 188, 200-201, 209, 210, 212, 214, 217, 218, 224, 229, 232-234, 238, 240, 241, 246-249, 256, 257, 259, 260, 272, 283, 285, 291.
MARESCHAL : 52, 94.
Mariage forcé (le) : 27, 64, 76, 77, 80, 81, 105, 112, 120, 123, 125, 136, 137, 138, 156, 160, 197, 201, 203, 209, 214, 217, 218, 227-232, 234, 236, 237, 239, 248, 253, 254, 256-257, 259, 260.
Marianne : 213, 225, 228, 229, 232, 233, 242, 282, 283, 289, 292.
Marianne : 69, 109, 111, 114, 115, 124.
MARIE-THÉRÈSE, reine de France, 136, 137, 185.
Marinette : 218, 227, 229, 231, 242.
Maris infidèles (les) : 101, 103, 120, 124, 132.
MARIVAUX : 7, 34, 197, 261, 263.
MAROLLES (abbé de) : 21.
Marotte : 90, 177, 185, 234.
Marphurius : 238.
Marquis (le) : 156, 159.
MARTIAL : 182.
Martine : 91, 177, 213, 225, 229, 234, 249, 290.
Mascarille : 17, 28, 70, 79-80, 95, 104, 140, 153, 155, 157-161, 175, 177, 194-196, 197, 198, 202, 207-208, 212, 217, 218, 224, 226, 236, 242, 248, 249, 250, 262, 275, 276, 277, 279, 296.
MATAMORE : 153, 208.
MATHIEU (conseiller) : 29, 182.
Mathurine : 206, 229.
MAUCROIX : 148.
MAURIAC (F.) : 273.

Maux sans remèdes (les) : 100, 101, 103, 118, 130.
MAZARIN (cardinal) : 133, 152.
Médecin malgré lui (le) : 78, 80, 83, 84, 105, 115, 122, 124, 125, 154, 156, 158, 160, 175, 181, 197, 213, 216, 224, 227, 229, 233, 237, 238, 245, 248, 290.
Médecin par force (le) : 25.
Médecin volant (le) : 110, 125, 170, 248.
Médée : 69.
MÉLÈSE (P.) : 97, 100, 130.
Mélicerte : 37, 106, 115, 137, 138, 139, 157, 159, 173, 174, 199, 228, 231, 237, 238, 240, 245, 257, 258.
Mélite : 201.
Mémoire des décorateurs de l'Hôtel de Bourgogne : 82.
MÉNAGE : 187.
Menagiana : 179.
MÉNANDRE : 265.
Menteur (le) : 101, 102, 108, 109, 110, 114, 124, 125, 235.
Mercure : 85, 161, 205, 238, 262, 280, 293.
Mercure (le) : 131, 174, 239.
Mère coquette (la) : 98, 100, 101, 102, 114, 115, 144, 157.
MESNARD (P.) : 8.
Métaphraste : 155.
MICHAUT (G.) : 8, 21, 27, 28, 49, 68, 80, 201.
MIGNARD : 22, 23, 55, 154, 157, 183, 250.
Misanthrope (le) : 15, 16, 18, 21, 24, 27, 28, 31, 32, 39, 40, 69, 75, 79, 115, 120, 122, 124, 131, 139, 154, 157, 171, 174, 177, 181, 183, 187, 192, 196, 197, 200-201, 203, 206, 207, 209, 211, 213, 216, 218, 220, 224, 228, 229, 232, 234, 236, 237, 238, 246, 251, 253, 257, 267, 270, 272, 274, 281, 283.
Mithridate : 282, 283.
MODÈNE (chevalier de) : 227.
MOLAND (L.) : 8, 17.

MONGRÉDIEN (G.) : 8, 13, 21, 22, 26, 31, 58.

Monsieur de Pourceaugnac : 30, 70, 81, 91, 105, 106, 118, 119, 122, 124, 127, 138, 173, 174, 182, 199, 201, 208, 217, 218, 224, 225, 227-229, 233, 235, 237, 238, 241, 242, 247, 256, 257, 259, 260, 291, 295.

MONTAUBAN (de) : 108, 110.

MONTDORY : 48, 69, 222.

MONTFLEURY : 41, 69, 70, 71, 72, 141, 143, 145, 149, 150, 151, 152, 163, 175, 266, 270.

MONTFLEURY (le fils) : 72, 142.

MOORE (W. G.) : 9, 28, 30, 31, 188, 219, 275, 276, 293.

MORNET (D.) : 16, 26, 29, 31, 267, 271, 272.

Moron : 159, 160, 161, 162, 256, 257, 280, 281.

Mort de Crispe (la) : 94, 109, 227.

Mort de Sénèque (la) : 94, 227.

Mufti (le) : 91, 105, 241, 242.

MUSSET (A. de) : 7, 34, 41, 178.

Myrtil : 237, 240.

NANTEUIL : 42.

NEMOURS (duchesse de) : 185, 187.

Nérine : 225, 227, 229.

NEUFVILLENAINE : 154, 265.

Nicole : 205, 218, 234, 241.

Nicomède : 70, 101, 108, 109, 110, 124, 129, 142, 247.

NINON DE LENCLOS : 22, 23.

Nitétis : 97.

Notaire (le) : 145, 236, 238, 240, 253, 289.

Nuit (la) : 85, 227.

Nymphe (la) : 227, 228.

Octave : 177, 241, 271.

Œdipe : 70, 140.

Orgon : 8, 28, 32, 78, 154, 157, 160, 184, 201, 205, 210, 212, 213, 218, 226, 227, 253, 268, 272, 275, 277, 278, 281, 290, 291, 292, 296.

ORLÉANS (Gaston, duc d') : 52, 55.

ORLÉANS (Philippe, duc d') : 56, 61, 80, 128, 133-135, 137, 139, 185.

ORLÉANS (Madame, duchesse d') : 133, 134, 136, 185.

Oronte : 24, 206, 216, 218, 224, 234, 238, 277.

Oropaste ou le Faux Tonaxare : 93, 96, 112.

Orphise : 203, 214.

ORVIÉTAN (l') : 50.

Othon : 140.

PALATINE (princesse) : 119, 132.

Pallas (la) : 170.

Pan : 157.

Pancrace : 259.

Pandolfe : 234.

PANTALON : 81, 153, 194, 208, 209, 223.

Papyre ou le Dictateur romain : 94.

Parasite (le) : 217.

PARFAIT (frères) : 240.

PASCAL : 43.

PASSERAT : 42.

Pastorale comique (la) : 37, 90, 91, 105, 107, 115, 137, 138, 157, 159, 160, 161, 199, 237, 241, 245, 257.

PATIN (Guy) : 80, 185, 186.

Pâtre (le) : 90.

Pauvre (le) : 27, 281.

Paysanne (la) : 200.

Pèdre (Don) : 73-75, 154, 157, 160, 161, 225, 261, 277, 285.

PERDRIGEON : 181.

Pernelle (Mme) : 81, 199, 212, 213, 234, 253, 281, 287, 289.

Perpenna : 102.

PERRAULT (Ch.) : 22, 49, 65, 76, 78, 129, 148.

PERRIN (chevalier) : 86, 106.

Persée : 157.

PETIT-JEAN : 181.

Phèdre : 139, 283.

Philaminte : 26, 30, 32, 81, 177, 186, 200, 219, 240, 277, 289, 296.

PHILIDOR : 161.

Philinte : 24, 26, 27, 28, 30, 32, 187, 212, 213, 216, 217, 218, 225, 237.

Philis : 227, 229.

PIBRAC : 29, 182.

PINEL (G.) : 49.

PINTARD (R.) : 22.

PITOEFF (G.) : 33.

Place royale (la) : 201.

Plaisirs de l'Ile enchantée (les) : 113, 137, 157, 227, 229, 231, 232, 235, 237, 238.

Planplan : 170.

PLAUTE : 174, 194, 244, 265.

POISSON (R.) : 42, 140, 141, 153, 252.

POISSON (Mlle, née du Croisy) : 8, 14, 72, 91, 149, 150, 155, 157, 232, 241.

POLICHINELLE : 153.

Polichinelle : 256.

Polyeucte : 108, 283.

Pompée : 70, 102.

Pompée : 108, 109, 157, 163.

POQUELIN (le père) : 47-49, 52.

POQUELIN (J., frère de Molière) : 50.

Porteurs de chaise (les) : 90, 234, 235.

PORUS : 239.

Pourceaugnac : 77, 153, 154, 157, 160, 161, 208, 226, 259, 260, 267, 275, 277, 286, 287, 296, 297.

POUSSIN : 154.

PRADE (de) : 96, 103, 108.

Précieuses ridicules (les) : 16, 27, 29, 30, 36-37, 70, 79, 90, 93, 95, 98, 104, 110, 112, 122, 124, 131-132, 134, 136, 140, 153, 155, 159, 160, 161, 170, 177, 178, 181, 182, 183-185, 191, 198, 199, 201, 204-207, 212, 217, 224, 227, 229, 234-236, 238, 242, 247, 248, 250, 251, 267, 272, 279.

Prince de Messène (le) : 238.

Prince d'Ithaque (le) : 237, 280.

Princesse d'Élide (la) : 232.

Princesse d'Élide (la) : 82, 85, 105, 113, 122, 123, 137, 138, 156, 159, 161, 172-174, 216, 227, 228, 229, 231, 234, 238, 239, 245, 251, 256, 257, 258, 262, 268, 280.

Printemps (le) : 231.

Prusias : 71.

Psyché : 86, 233, 240, 242.

Psyché : 21, 66, 85, 86, 90, 91, 103, 105-106, 118, 119, 120, 122, 127, 131, 138, 139, 160, 163, 173, 174, 177, 180, 188, 198, 199, 217, 229, 236, 237, 240, 241, 251, 258, 259, 260-262, 269, 278.

Pulchérie : 103, 139, 198.

PURE (abbé de) : 95.

Purgon : 81, 210, 211, 276.

Pylade et Oreste : 95, 109, 124.

QUINAULT : 25, 96, 97, 98, 100, 104, 131, 140, 144, 180, 245, 279.

QUINET : 251.

RABELAIS : 26, 284.

RACINE : 25, 34, 38, 42, 43, 93, 94, 96, 97-100, 102-104, 108, 113, 114, 119, 132, 136, 139, 143, 144, 146, 178, 191, 193, 198, 227, 231, 233, 238, 258, 265, 282, 283.

RAISIN (J.) : 42.

RAISIN (la) : 240.

RAMBOUILLET (marquise de) : 29, 133.

RAPIN (le P.) : 278.

RATABON (de) : 135, 140.

RETZ (cardinal de) : 132.

RIANTS (de) : 136.

RIBOU : 36, 37.

Riche impertinent (le) : 96, 111.

RICHELIEU (abbé de) : 133.

RICHELIEU (cardinal de) : 33, 47, 88.

RICHELIEU (duc de) : 133.

RICHELIEU (marquis de) : 133.

RIGAL (E.) : 267.

Robert (M.) : 83, 249, 290.

ROBINET : 98, 130, 131, 142, 145, 146, 148, 156, 157.

ROCHEMONT : 30, 31, 145, 148, 149.
Rodogune : 101, 108, 109, 110, 111, 116, 117, 164.
Rodrigue : 70, 71.
ROHAULT : 22, 23, 78, 186.
ROQUELAURE (duc de) : 133.
ROSIDOR : 42.
ROSIMOND : 42, 139.
ROTROU : 95, 108, 111, 112, 177, 227, 245, 250.

SABLÉ (Mme de) : 23.
SAINT-AIGNAN (duc de) : 97, 113, 127, 231.
SAINTE-BEUVE : 34, 247, 254, 256.
SAINT-ÉVREMOND : 207.
Sancho Pansa : 109, 110, 114.
SANTEUIL : 19.
Satyre (le) : 161.
SAVOIE (duc de) : 240.
SAVOIE (duchesse de) : 183.
Sbrigani : 238.
Scapin : 29, 41, 153, 157, 158, 159, 160, 174, 177, 194, 196, 198, 207, 217, 227, 249, 262, 267, 271, 273, 275, 276, 286, 290.
SCARAMOUCHE : 59, 81, 90, 151, 152, 153, 177, 208, 209, 211, 223, 246, 249, 261, 272.
SCARRON : 95, 108, 110, 111, 113, 114, 214, 235, 236, 245, 246, 247, 279, 291.
SCARRON (le continuateur de) : 69, 70.
Scévole : 94, 109, 227.
SCHERER (J.) : 33, 34, 69, 197, 198, 213, 215, 217, 245.
SCUDÉRY (Mlle de) : 29, 185, 269.
Sénateur (le) : 238.
SÉNÈQUE : 186.
Sertorius : 70, 71.
Sertorius : 70, 101, 102, 103, 108, 111-114, 117, 118, 119, 122, 124, 139, 140, 142, 163, 164.
Sganarelle : 17, 20, 28, 29, 32, 41, 51, 77, 78, 79, 80, 83, 105, 149,
153, 154, 155, 156, 158, 161, 182, 185, 188, 196, 197, 198, 201, 203, 207, 208, 209, 213, 214, 218, 224, 225, 226, 235, 242, 248-249, 252, 253, 256, 266, 267, 275-278, 281, 283, 290, 296.
Sganarelle ou le Cocu imaginaire : 16, 30, 32, 40, 80, 82, 85, 93, 107, 110-111, 122, 124, 125, 134, 135, 136, 145, 156, 158, 160, 170, 179, 197-199, 216, 218, 235-237, 242, 246, 248, 250-252, 272.
SHAKESPEARE : 41, 273, 274.
Sicilien (le) : 66, 73, 83, 105, 107, 115, 116, 122, 125, 137, 138, 139, 154, 161, 201, 217, 218, 225, 229, 233, 237-239, 247, 254, 261, 262, 268, 285, 286.
Siècle d'airain (le) : 229.
Siècle de fer (le) : 238.
Siècle d'or (le) : 232.
Silvestre : 239, 271.
Simon (Maître) : 199.
Sœurs de Psyché (les) : 86, 234.
Sœur (la) : 112.
SOISSONS (Mme de) : 133.
Soleil (le) : 234.
SOMAIZE : 140, 145, 147, 151, 153, 262, 279.
Sophonisbe : 102, 140, 142.
SOREL (Ch.) : 160.
Sosie : 77, 78, 105, 157, 160, 161, 196, 197, 205, 218, 227, 262, 276, 280, 281, 293.
Sostrate : 237.
Sotenville (M. et Mme de) : 30, 81, 204.
SOYECOURT (de) : 179, 185.
STRAWINSKI (I.) : 40.
SUBLIGNY : 103, 108, 117-119, 131, 145.
SULLY (Mme de) : 133.

TABARIN : 151, 246, 272.
TALLEMANT DES RÉAUX : 51, 80, 97, 147, 162, 247.

Talma : 72.

Tartuffe : 26, 28, 29, 30, 32, 201, 205, 238, 267, 268, 272, 275, 281, 291, 292, 296.

Tartuffe : 8, 13, 16, 19, 23, 24, 25, 27, 28, 30, 31, 32, 41, 42, 64, 66, 68, 69, 75, 113, 114, 116-118, 119, 120, 122-124, 131, 132, 134, 137-139, 143, 144, 157, 171, 173, 174, 176, 177, 180, 182-184, 199-201, 204, 205, 210, 212, 213, 214, 216, 217, 224, 225, 227, 228, 229, 232, 236, 237, 240, 246, 251-253, 267, 272, 279, 281, 285.

Térence : 244, 264, 265, 266, 267, 272.

Théagène : 96.

Thébaïde (la) : 93, 97, 99, 113, 114, 122, 227.

Théocle : 234.

Thibaudet (A.) : 16.

Tibaudier (le Conseiller) : 240.

Timante : 234.

Timocrate : 139.

Timon : 69.

Tite : 239.

Tite et Bérénice : 93, 102, 103, 108, 118, 119, 122, 130, 145, 163, 233, 234, 240.

Toinette : 177, 212, 234, 256.

Toison d'or (la) : 84, 255.

Tomès : 80, 186.

Torelli : 88.

Tralage (du) : 21, 239.

Trissotin : 78, 177, 181, 182, 186, 187, 189, 190, 212, 216, 239, 272, 287, 289.

Tristan l'Hermite : 52, 69, 94, 95, 108, 114, 115, 217, 227.

Trivelin : 59, 151, 152, 153, 223.

Trois docteurs (les) : 170.

Turlupin : 79, 148, 151, 153.

Tyran d'Égypte (le) : 95, 96.

Uranie : 187, 218, 219, 227.

Vadius : 177, 181, 182, 186, 187, 212, 216, 238, 272, 287.

Valère : 212, 216, 238, 272, 287, 290.

Valéry (P.) : 14, 126.

Vaugelas : 182.

Vedel (V.) : 255, 276.

Venceslas : 109, 110, 111, 117, 124, 125, 164.

Vénus : 85, 86, 91, 228, 229.

Véritables Précieuses (les) : 140.

Veuve à la mode (la) : 100, 101, 116, 123, 125.

Vicomte (le) : 235, 238.

Vigarani : 88.

Villebrequin : 236, 248.

Villiers : 42, 70, 71, 140, 141.

Villiers (Mlle) : 140.

Virgile : 265.

Visionnaires (les) : 109, 110, 114, 115, 294.

Vitry (duc de) : 21.

Voltaire : 26, 34.

Vossius (I.) : 19.

Vraie et la Fausse Précieuse (la) : 93, 95, 96.

Yvelin : 185.

Zénobie : 95, 109.

Zéphyre : 86, 157, 159, 163.

Zéphyrs (les) : 86.

Zerbinette : 239, 240, 241, 271.

— Répétition.

TABLE

AVANT-PROPOS. 7

Première partie

ORIENTATIONS

CHAPITRE PREMIER. — L'ŒUVRE ET LA VIE 13

L'œuvre et la vie. — Portrait de Molière. — Était-il taciturne?
— Fut-il heureux? — Retour à la question. — La vie d'un
comédien.

CHAPITRE II. — MOLIÈRE PENSE-T-IL ?. 19

Lieux communs. — Lucrèce. — Les amis libertins. — L'avis
des contemporains. — La critique moderne. — Les raisonneurs.
— Le rire. — Contradictions. — L'intention de Molière.

CHAPITRE III. — THÉÂTRE ET LITTÉRATURE 33

Comédien et non écrivain. — Molière publie ses pièces. — L'écriture au théâtre. — La profession de Molière. — Conclusion.

Deuxième partie

LE COMÉDIEN

CHAPITRE PREMIER. — LA VOCATION 47

Le choix du jeune Poquelin. — Le tapissier du Roi. — L'origine de la vocation. — Sa continuité. — La province la confirme.
— L'arrivée à Paris.

CHAPITRE II. — LE CHEF DE TROUPE. 58

Ses qualités. — Le recrutement. — La distribution des rôles.
— Les répétitions. — La diction. — La mise en scène. — Les cos-

tumes. — Le masque. — Les décors. — Les machines. — La
salle. — Les jours de représentation. — Collaborateurs d'occasion.
— Récapitulation.

CHAPITRE III. — LE DIRECTEUR ET LES AUTEURS   92
Le choix des pièces et le droit d'auteur. — A la recherche des
auteurs. — Les compositeurs. — Le répertoire. — Les saisons. — Les premières. — Le programme.

CHAPITRE IV. — LE DIRECTEUR ET LE PUBLIC   126
Le public de Molière. — La harangue. — L'affiche. — Les nou-
vellistes. — Les lectures. — Les visites. — Le service du Roi.
— Les cabales. — Le succès.

CHAPITRE V. — L'ACTEUR   147
Sa réputation. — Naturel? — Son métier. — Ses maîtres. —
Ses succès. — Ses rôles. — Ses costumes. — Improvisation, chant
et danse. — Le tragédien. — Conclusion.

Troisième partie

LE POÈTE

CHAPITRE PREMIER. — AU SERVICE DU PUBLIC.   169
La production de Molière et son objet. — Les commandes et
leur urgence. — L'utilisation de l'acquis. — La collaboration du
public et celle du Roi. — Collaborateurs littéraires. — Le tribut
du milieu. — Les personnalités. — Du particulier au général.

CHAPITRE II. — AUTEUR ACTEUR.   191
Les règles. — Pièces d'acteur. — La multiplication des personnages. — Les groupes. — Les *sketches*. — La symétrie. — Les
lazzi. — Le jeu du masque. — Les tableaux. — L'exposition.
— Les dénouements. — Le style.

CHAPITRE III. — LE POÈTE ET SES INTERPRÈTES   222
Le problème. — Le retour des noms. — Molière interprète de
Molière. — Madeleine Béjart. — Mlle De Brie. — Mlle Du
Parc. — Armande. — Les autres actrices. — Les frères Béjart.
— Trois bouffons. — De Brie. — La Grange et Du Croisy.
— La Thorillière. — Brécourt. — Hubert. — Beauval. —
Baron. — Divers. — Conclusion.

TABLE 317

CHAPITRE IV. — LE CRÉATEUR DE FORMES DRAMATIQUES. 244

Un génie libre. — La farce et ses orientations. — La tentation de l'héroïque. — La grande comédie. — La comédie-ballet. — La comédie de cour. — La farce-ballet. — Autres formes dramatiques. — Conclusion.

CHAPITRE V. — L'IMAGINAIRE ET LE DÉRAISONNABLE 264

Un nouveau Térence? — Molière chimérique. — Molière bouffon. — L'imaginaire et le réel. — Les imaginaires. — Molière et la raison.

CHAPITRE VI. — UN MONDE COMIQUE 279

Gaieté et sérieux. — Comique et tragique. — Les sources du rire : le comique d'euphorie. — Les sources du rire : la satire. — Les procédés du comique. — La philosophie du comique. — Comique et réalité. — Comique et moralité. — Un monde comique.

BIBLIOGRAPHIE 298

INDEX. 301

TABLE. 315

ACHEVÉ D'IMPRIMER
— LE 25 MARS 1968 —
PAR L'IMPRIMERIE FLOCH
A MAYENNE (FRANCE)

(8061)